교과서 진도에 맞춘 연산 프로그램

연산 마스터

계산력 강화

1. 흥미 유발과 집중도 UP
2. 원리 이해력 및 계산능력 강화
3. 관계 구조화를 통한 사고력 확장

초등 5·1

9권

계산력 한눈에 보기

수학을 잘 하려면, 어떻게 공부해야 할까요?

1. 수학은 지겨워하지 않고 흥미를 가지면서 공부해야 합니다.

OECD 국가 중에 우리나라 학생들의 수학 실력은 상위 수준이지만 수학에 대한 흥미도는 하위 수준이라는 조사 결과가 말하듯이 많은 학생들이 학년이 올라가면서 점점 더 수학에 흥미를 잃고 있습니다.

특히나 초등학생들이 직면하는 연산은 기초 원리를 이해하면서 호기심과 흥미를 느껴야 하는 과목임에도 불구하고, 반복적 학습을 통한 훈련만이 정답인 것처럼 생각하는 기성세대들의 고정관념을 강요당하여, 같은 방식의 문제를 더 많이 더 빨리 반복 풀이하는 훈련을 지나칠 정도로 시키게 됩니다. 이런 방식은 아이들 입장에서는 피하고 싶은 고문과도 같아서 수학에 점차 흥미를 잃고 지겨워하게 하는 이유가 됩니다.

수학은 암기과목이 아닙니다. 아이들은 이미 우리 생각보다 많은 수학적 호기심과 이해력을 가지고 있습니다. 이런 아이들에게 공식이나 절차와 함께, 자연스럽게 원리를 이해하게 하고, 흥미를 가지고 접근하도록 유도하는 것이 무엇보다 중요합니다.

2. 집중과 몰입의 공부 방법이 중요합니다.

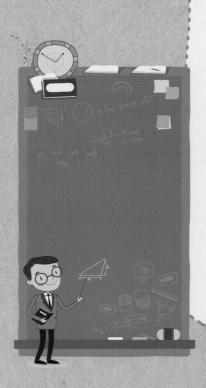

우리나라 초등 교과서는 선진국 중에서도 상위 수준입니다. 그런데 우리 아이들의 연산 교재는 10년 전이나 지금이나 한결같은 반복 훈련으로 더 빨리 더 많이 푸는 기계식 학습에서 머물러 있는 실정입니다.

매일 규칙적으로 적정 분량을 학습하는 훈련을 통하여 집중력을 키우고, 문제풀이 과정을 통해 자연스럽게 연산 방식이 어떤 원리와 규칙성이 있으며, 실생활에는 어떻게 적용되는지를 알게 하여 아이들의 호기심을 자극하여 학습의 흥미와 함께 몰입도를 높여야 합니다.

3. 원리를 알고 기본기를 튼튼히 해야 합니다.

　수학은 모든 단원들이 별개가 아니고 유기적인 관계로 연결되어있습니다. 그런데 공식과 절차만을 암기하여, 서로 연결된 개념과 원리의 관계 구조를 이해하지 못한다면 더이상 사고를 확장 시키지 못하게 되고 흥미도 잃게 되어 실력도 급격히 저하되게 됩니다.

　연산 법칙은 물론, 개념의 관계 구조를 알게 하여 복잡해 보이는 문제라 할지라도 원리를 이용해 단순하게 구조화시켜서 풀이할 수 있는 능력을 길러줘야 합니다.

4. 문제를 단순화 구조화 할 수 있어야 합니다.

　구조화만 시키면 모든 문제는 쉽고 단순하게 풀립니다.

　문장제도 연산의 응용일 따름입니다. 연산을 배우는 것은 실생활에 적용하기 위함인데, 식으로 된 계산은 잘 풀면서 실생활 관련 문장제만 나오면 겁을 집어먹는 이유는 도구적 이해에 갇혀서 더 이상 사고가 확장 되지 않기 때문입니다. 복잡하고 어려운 문제도 구조화 시켜 놓으면 그냥 계산식일 뿐인데 말이죠. 원리를 알고 구조화 시키는 훈련을 조금만 하면 모든 문제가 간단히 풀립니다.

5. 실수를 줄여나가야 합니다.

　반복적인 문제 풀이만 하다 보면 수학적 개념과 원리를 소홀히 하게 되고 암기식으로 치우쳐, 응용력과 분석 및 적용력이 떨어지게 됩니다. 이런 아이들은 조금만 문제가 달라져도 틀리게 됩니다. 그리고 심지어 같은 유형 마져도 빨리 풀려고 손으로 써가며 푸는 대신 눈으로 읽으며 풀어서 실수할 수 있습니다.

　실수를 줄이기 위해서는 반복적인 연습 보다는 오히려 쉬운 문제라 할지라도 원리와 풀이 과정에 입각해서 직접 손으로 써보면서 정확하게 푸는 습관이 필요합니다.

연산마스터
이런 점이
달라요.

1. 원리를 쉽게 이해하게 됩니다.

원리를 이해하면 계산 방법을 재구성할 수 있으며, 단순 계산력 훈련을 하더라도 지식의 체계화 과정에서 지적 자극을 통한 사고 과정을 확장할 수 있습니다.

본 책은 풀이 과정을 따라가면서 설명한 내용을 읽고, 제시된 이미지를 통해서 입체적으로 개념을 정리하도록 했습니다.

2. 계산력을 강화합니다.

수학의 기본은 연산이고 연산은 속도와 정확성이 관건입니다. 틀리지 않고 정확하게 푸는데 집중하면서 점차 빨리 푸는 훈련을 해나가는 과정에서 실수하지 않도록 집중해서 훈련을 하다보면 적당한 긴장과 성취감을 느끼게 됨으로써 흥미를 잃지 않고 공부할 수 있습니다.

본 책은 두 가지 이상의 계산 방식으로 유형의 변화를 주어 지루하지 않도록 배려했으며 충분한 문제를 풀면서 계산능력이 체계적으로 올라가도록 구성하였습니다.

3. 사고력을 확장합니다.

그림 언어인 그래픽 구성을 채워나가면서, 단순 계산에서 오는 지루함을 벗어나 새롭게 흥미를 느끼게 되고 계산 방식을 체계화하게 되며, 자연스럽게 지적 자극을 주어 생각의 폭이 확장 되도록 하였습니다.

이 때 대부분의 책에서처럼 기계식으로 빈칸을 채워 넣기만 하면 의미가 없고, 서술형 문제를 단순화 시켜서 계산식을 세우는 과정과 연결하여 학습하는 것이 중요합니다.

4. 구조화하기를 통한 관계적 학습을 돕습니다.

연산은 잘하는데 단순한 문장제만 나와도 손도 못 대는 아이들이 허다합니다.

그러나 연산을 글로 설명한 것이 문장제이며, 실제 생활 관련한 서술형 문제들이 사고력 창의력 관련 문제들인데, 이런 문제들을 아이들은 많이 어려워합니다. 그런데 실상은 어렵고 복잡해 보이는 문제도 구조화해놓고 보면 쉽고 단순하게 풀립니다.

그런데, 대부분의 연산 교재들이 기계적으로 빨리 푸는 훈련에 치중하기 때문에 아이들의 수학적 사고력을 닫히게 하고, 흥미까지 잃게 합니다. 수학은 개념들이 서로 연결되어 있어서 개념 사이의 관계를 구조화시켜 이해하면 흥미를 느낌은 물론, 다음 표에서 보듯 기억률도 현저히 높아집니다.

〈관계적 학습과 도구적 학습의 기억률 차이〉

구분	직후	하루 후	4주 후
관계적 학습	69%	69%	58%
도구적 학습	32%	23%	8%

본 책은 아래와 같이 구조화하기를 통하여 문제를 단순화 시켜서, 쉽고 재미있게 학습면서 아이들의 사고력과 창의력 확장에 도움을 주도록 구성했습니다.

1.변화형 구조와 그룹형 구조

사과 3개를 먹고 남은 것이 7개입니다. 처음 몇 개를 가지고 있었나요?

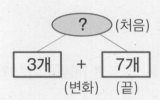

2.비교형 구조

철이는 구슬을 300개를 가지고 있고 도희는 철이 보다 구슬을 50개를 더 가지고 있습니다.
도희는 몇 개를 가지고 있나요?

3.동등한 그룹형 구조

자전거는 걷는 것보다 2배가 빠릅니다. 자전거로 500미터를 가는 동안 걸어서는 얼마를 갈 수 있을까요?

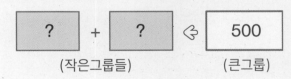

4.곱셈 비교형 구조

한반에 30명인 여학생 3반과 한반에 25명인 남학생 몇 반이 있습니다. 모두 합한 학생 수가 140명이라면 남학생은 몇 반입니까?

140 (큰것)	
30×3=90 (여학생)	25× ? =50 (남학생)

(작은것)

초등연마 계산력의 특장점

1. 계산력을 키우기 위한 알찬 개념

최대한 쉽게 개념을 설명하고, 그림이나 숫자를 이용해 아이들의 이해를 돕습니다.

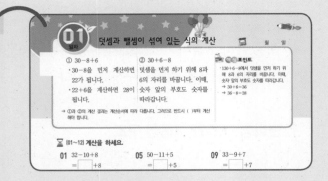

2. 공부한 개념을 바탕으로 문제풀이

계산력 문제를 아무 생각 없이 풀기보단 개념과 연결된 문제를 풀기 때문에 계산 실력을 차곡차곡 쌓을 수 있습니다.

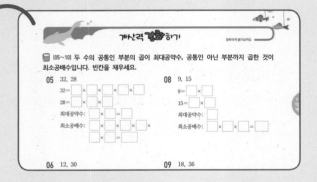

3. 구조화하기

간단한 구조를 계산 문제에 적용하여, 단순 계산 문제 풀이를 학습하는 동안 그 구조를 익혀 서술형에 대비할 수 있게 돕습니다.

4. 서술형 풀어보기

앞에서 공부한 구조화하기를 서술형에 적용해 봅니다. 식만 주르륵 나와 있을 때는 어렵지 않게 답을 척척 쓰다가, 글자만 많아지면 머리 아파하는 경우가 많은데, 서술형을 구조화시킴으로 단순계산 문제를 풀듯 쉽게 서술형을 해결할 수 있습니다.

초등연마 계산력의 구조 한눈에 보기

개념 이해

문제 풀이

구조화하기

서술형 풀어보기

개념 없이 문제 풀다가는 조금만 응용이 들어가도 못 풀어요!

개념과 연관된 문제 풀이를 통해 앞에서 배운 개념을 더 확실히 익혀요!

구조화하기를 통해 서술형까지 정복할 수 있어요!

앞서 배운 구조화하기를 통해 서술형도 단순 계산으로 변신시켜요!

이렇게 활용해 보세요!

1. 동영상을 활용해 보세요.

○ 개념을 스스로 익히지 못하는 아이들을 위한 개념 설명 동영상이 있어요. 개념 창 옆의 큐알코드를 활용하시면 동영상을 보실 수 있습니다.

2. 연마 Check 활용

○ 문제풀이를 마친 뒤, 연마 Check 활용에 맞힌 개수와 푼 시간 등을 적어두면 한 눈에 본인 실력을 확인할 수 있어요.

3. 선생님/부모님 가이드 활용

○ 선생님/부모님 체크 리스트를 통해 꼭 알아야 할 내용과, 문제 풀이 시간을 기입해 성적표로 활용하시거나, 표를 통한 분석으로 아이의 공부 방향을 조정할 수 있어요.

○ 답지를 본문 축소하여서 아이가 어느 부분의 어떤 문제를 틀리는지 바로 확인 가능해요. 답과 문제집을 따로 확인하지 않아도 되게 구성했어요.

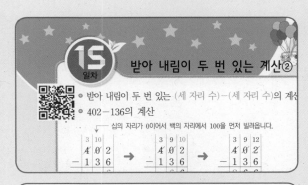

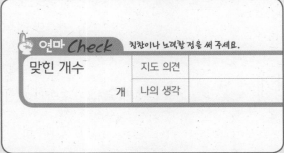

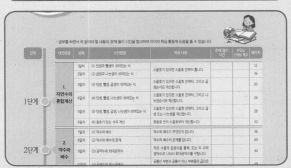

9권

5학년 1학기

- 이 책의 표준 학습일은 35일입니다. 표준 계획을 참고하여 공부하세요.
- 계획대로 공부한 날은 ✓ 체크를 하고, 공부하지 않은 날에는 ◯ 그대로 두세요.

차례

덧셈과 뺄셈이 섞여 있는 식

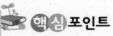　월　일

① $30-8+6$

· $30-8$을 먼저 계산하면 22
가 됩니다.
· $22+6$을 계산하면 28이 됩니다.

② $30-(6+8)$

· (　)안에 있는 $8+6$을 먼저
계산하면 14가 됩니다.
· $30-14$를 하면 16이 됩니다.

→ ①과 ②의 계산 결과는 계산순서에 따라 다릅니다. 그러므로 반드시 (　)부터 계산
해야 합니다.

핵심포인트

· $30+6-8$에서 덧셈을 먼저 하기 위해
8과 6의 자리를 바꿀 수 있습니다. 이
때, 숫자 앞의 부호도 숫자를 따라갑니다.
→ $30+6=36$
→ $36-8=28$

⏳ (01~12) 계산을 하세요.

01 $32-10+8$
$=\boxed{}+8$
$=\boxed{}$

05 $50-11+5$
$=\boxed{}+5$
$=\boxed{}$

09 $33-9+7$
$=\boxed{}+7$
$=\boxed{}$

02 $32-(10+8)$
$=32-\boxed{}$
$=\boxed{}$

06 $50-(11+5)$
$=50-\boxed{}$
$=\boxed{}$

10 $33-(9+7)$
$=33-\boxed{}$
$=\boxed{}$

03 $19-7+10$
$=\boxed{}+10$
$=\boxed{}$

07 $100-20+10$
$=\boxed{}+10$
$=\boxed{}$

11 $100-11+14$
$=\boxed{}+14$
$=\boxed{}$

04 $19-(7+10)$
$=19-\boxed{}$
$=\boxed{}$

08 $100-(20+10)$
$=100-\boxed{}$
$=\boxed{}$

12 $100-(11+14)$
$=100-\boxed{}$
$=\boxed{}$

계산력 강화하기

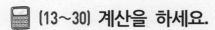

(13~30) 계산을 하세요.

13 $44-8+9$

14 $44-(8+9)$

15 $101-18+19$

16 $101-(18+19)$

17 $35-3+5$

18 $35-(3+5)$

19 $170-20+55$

20 $170-(20+55)$

21 $88-18+24$

22 $88-(18+24)$

23 $62-21+7$

24 $62-(21+7)$

25 $71-9+13$

26 $71-(9+13)$

27 $54-16+17$

28 $54-(16+17)$

29 $96-34+11$

30 $96-(34+11)$

ㅣ단계

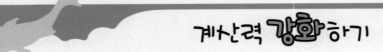

(31~44) 계산을 하세요.

31 $21+9+16$

32 $29-1+4$

33 $54-(17-8)$

34 $36-(8+12)$

35 $67-(3+19)$

36 $92-(35+19)$

37 $83-(16+2)$

38 $71-(33+18)$

39 $88-11+7-15$

40 $19-16+39-22$

41 $37-(16+8)+12$

42 $67-(45-35)-11$

43 $73-(3+14)-15$

44 $26-(17+3)+16$

서술형 풀어보기

구조화 해서 풀어보아요

45 한국을 출발해서 일본을 경유하여 호주로 가는 비행기가 있습니다. 한국에서 243명이 탔고 일본에서 98명이 내렸습니다. 호주에 도착했을 때 남자의 숫자는 55명이라고 합니다. 그렇다면 호주에 도착한 여자는 몇 명일까요?

풀이과정

(1) 식으로 표현해 보세요.

(호주에서 도착한 여자의 수)
=(한국에서 출발한 사람의 수) − (일본에서 내린 사람의 수) − (호주에 도착한 남자의 수)

➔ 243 − ☐ − ☐ = ☐

(2) 그러므로 호주에 도착한 여자는 ☐ 명입니다.

💡 **(46~49) 풀이과정을 쓰고 답을 구하세요.**

46 도헌이는 색종이 75장이 있었는데 민아에게 17장을 빌려주었습니다. 그리고 나서 다희에게 색종이 29장을 받았습니다. 도헌이에게는 몇 장의 색종이가 있을까요?

풀이 _____

답 _____ 장

48 감자 많이 캐기 대회에서 도희는 감자 37개를 캤습니다. 도희 엄마는 75개를 캤습니다. 도희 아빠가 그중에 13개를 먹었습니다. 감자는 몇 개가 남았을까요?

풀이 _____

답 _____ 개

47 8에다 59−31을 계산한 것을 더하는 식을 쓰고 답을 쓰세요.

풀이 _____

답 _____

49 92에다 77 빼기 14을 셈한 것을 빼는 식을 쓰고 답을 쓰세요.

풀이 _____

답 _____

✋ **연마 Check** 칭찬이나 노력할 점을 써 주세요.

맞힌 개수	지도 의견		확인란
개	나의 생각		

02 일차 곱셈과 나눗셈이 섞여 있는 식

월   일

• 곱셈과 나눗셈이 섞여 있는 식은 앞에서부터 차례로 계산합니다.

① <u>26÷2</u>×8 → <u>13</u>×8 → 104

• ( )가 있는 식은 ( )부터 계산합니다.

② 64÷<u>(4×8)</u> → 64÷<u>32</u> → 2

 **핵심 포인트**

• ① 괄호가 없으므로 순서대로 26÷2 부터 계산합니다.

• ② 괄호가 있으면 ( )안의 식부터 계산합니다.

⧗ (01~12) 계산을 하세요.

01 $4×14÷7×2$

$= \boxed{} ÷7×2$

$= \boxed{} ×2 = \boxed{}$

02 $4×(14÷7)×2$

$= 4× \boxed{} ×2$

$= \boxed{} ×2 = \boxed{}$

03 $3×12÷2×5$

$= \boxed{} ÷2×5$

$= \boxed{} ×5 = \boxed{}$

04 $3×(12÷2)×5$

$= 3× \boxed{} ×5$

$= \boxed{} ×5 = \boxed{}$

05 $40÷5×2÷4$

$= \boxed{} ×2÷4$

$= \boxed{} ÷4 = \boxed{}$

06 $40÷(5×2)÷4$

$= 40÷ \boxed{} ÷4$

$= \boxed{} ÷4 = \boxed{}$

07 $60÷5×6÷2$

$= \boxed{} ×6÷2$

$= \boxed{} ÷2 = \boxed{}$

08 $60÷5×(6÷2)$

$= \boxed{} × \boxed{}$

$= \boxed{}$

09 $100÷10×2÷5$

$= \boxed{} ×2÷5$

$= \boxed{} ÷5 = \boxed{}$

10 $100÷(10×2)÷5$

$= 100÷ \boxed{} ÷5$

$= \boxed{} ÷5 = \boxed{}$

11 $30×6÷6÷2$

$= \boxed{} ÷6÷2$

$= \boxed{} ÷2 = \boxed{}$

12 $30×6÷(6÷2)$

$= \boxed{} ÷ \boxed{}$

$= \boxed{}$

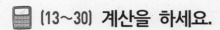 (13~30) 계산을 하세요.

13 $4 \times 12 \div 6 \times 2$

14 $4 \times 12 \div (6 \times 2)$

15 $3 \times 24 \div 6 \div 3$

16 $3 \times (24 \div 6) \div 3$

17 $81 \div 3 \times 9 \div 3$

18 $81 \div (3 \times 9) \div 3$

19 $5 \times 36 \div 6 \times 2$

20 $5 \times 36 \div (6 \times 2)$

21 $102 \div 34 \times 6 \div 2$

22 $102 \div 34 \times (6 \div 2)$

23 $99 \div 11 \times 3 \times 5$

24 $99 \div (11 \times 3) \times 5$

25 $144 \div 6 \div 2 \times 4$

26 $144 \div (6 \div 2) \times 4$

27 $10 \times 15 \div 5 \times 3$

28 $10 \times (15 \div 5 \times 3)$

29 $5 \times 24 \div 4 \times 3$

30 $5 \times (24 \div 4 \times 3)$

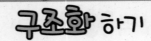
📖 (31~40) 빈칸을 채우세요.

31 $(4 \times 10) \div (2 \times 4)$

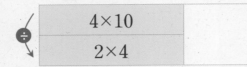

| ÷ | 4×10 | |
| | 2×4 | |

32 $3 \times (10 \div 2) \times 4$

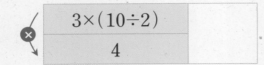

| × | $3 \times (10 \div 2)$ | |
| | 4 | |

33 $(15 \div 3) \times (14 \div 2)$

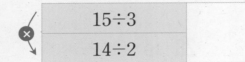

| × | $15 \div 3$ | |
| | $14 \div 2$ | |

34 $(8 \times 10) \div (2 \times 4)$

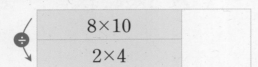

| ÷ | 8×10 | |
| | 2×4 | |

35 $(8 \div 2) \times (4 \times 7)$

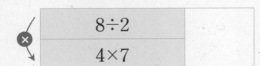

| × | $8 \div 2$ | |
| | 4×7 | |

36 $8 \div (2 \times 4) \times 7$

| × | $8 \div (2 \times 4)$ | |
| | 7 | |

37 $(5 \times 28) \div (7 \times 2)$

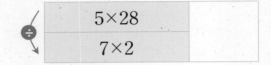

| ÷ | 5×28 | |
| | 7×2 | |

38 $(10 \times 28) \div (7 \times 2)$

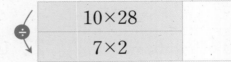

| ÷ | 10×28 | |
| | 7×2 | |

39 $(3 \times 7) \div (6 \div 2)$

| ÷ | 3×7 | |
| | $6 \div 2$ | |

40 $(20 \div 5) \times (8 \div 2)$

| × | $20 \div 5$ | |
| | $8 \div 2$ | |

서술형 풀어보기

41 찹쌀떡이 50개씩 든 상자가 6개 있습니다. 상자에서 떡을 다 꺼낸 후 떡을 12개씩 작은 상자에 포장하려고 할 때, 작은 상자로 몇 개가 나올까요?

풀이과정

(1) 식으로 표현하면 (☐ × ☐) ÷ ☐ 입니다.

(2) 그러므로 작은 상자는 ☐ 상자가 나옵니다.

÷ ☐☐

? (42~45) 풀이과정을 쓰고 답을 구하세요.

42 편의점에서 우유가 24팩씩 들어있는 상자 5개를 한 줄에 15팩씩 진열할 때 몇 줄로 진열할 수 있을까요?

풀이 _____

답 _____ 줄

44 김밥을 싸는데 김밥 1줄에 치즈를 2장씩 넣습니다. 한 봉지에 14장씩 들어있는 치즈 9봉지를 사서 김밥을 만든다면 김밥은 몇 줄 만들 수 있을까요?

풀이 _____

답 _____ 줄

43 [16과 9의 곱을 12로 나눈 수]를 식으로 나타낸 뒤 답을 쓰세요.

풀이 _____

답 _____

45 [64를 4로 나눈 뒤 8을 곱한 수]를 식으로 나타낸 뒤 답을 쓰세요.

풀이 _____

답 _____

연마 Check 칭찬이나 노력할 점을 써 주세요.

맞힌 개수	지도 의견		확인란
개	나의 생각		

덧셈, 뺄셈, 곱셈이 섞여 있는 식

03 일차

   월   일

- ( )부터 계산을 하고 ( )가 없으면 곱셈부터 계산합니다.
- 덧셈, 뺄셈, 곱셈이 섞여 있는 식은 곱셈부터 계산합니다.
- 28+12×4의 계산
  ① 곱셈부터 계산 ➡ 12×4=48 ➡ 28+48=76 (○)
  ② 순서대로 계산 ➡ 28+12=40 ➡ 40×4=160 (×)

  비교 식이 (28+12)×4라면, ( )부터 계산해야 하기 때문에 40×4=160입니다.

 핵심 포인트

- 덧셈, 뺄셈, 곱셈이 섞여 있는 식에서 곱셈부터 계산해야 하는데, 순서대로 계산하면 엉뚱한 답이 나옵니다.
- ①처럼 곱셈부터 계산하지 않고 ②와 같이 순서대로 계산하면 틀린 답이 나옵니다.
- (괄호) → 곱셈 → 덧셈 또는 뺄셈

⏳ **(01~12) 빈칸을 채우세요.**

01 $13+2×5$
$=13+\boxed{}$
$=\boxed{}$

02 $42-3×13$
$=42-\boxed{}$
$=\boxed{}$

03 $15+25×4$
$=15+\boxed{}$
$=\boxed{}$

04 $61-7×6$
$=61-\boxed{}$
$=\boxed{}$

05 $76-12×2$
$=76-\boxed{}$
$=\boxed{}$

06 $55-7×3$
$=55-\boxed{}$
$=\boxed{}$

07 $37-11×3+19$
$=37-\boxed{}+19$
$=\boxed{}+19=\boxed{}$

08 $193-15×6-16$
$=193-\boxed{}-16$
$=\boxed{}-16=\boxed{}$

09 $84+12-3×22$
$=96-\boxed{}$
$=\boxed{}$

10 $7×7-3×9$
$=\boxed{}-\boxed{}$
$=\boxed{}$

11 $21×3-15+3×6$
$=\boxed{}-15+\boxed{}$
$=\boxed{}$

12 $9×4+13×5-6×6$
$=\boxed{}+\boxed{}-\boxed{}$
$=\boxed{}$

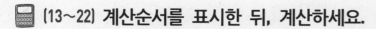 (13~22) 계산순서를 표시한 뒤, 계산하세요.

13 $5+(12-7)\times 3$

14 $6\times 3+(25-16)$

15 $28+(18-5)\times 3$

16 $(13+4)-6\times 2$

17 $(59-13)-4\times 8$

18 $123-15\times(14-8)$

19 $37+12\times(14-11)$

20 $37-(13\times 2)+15$

21 $(9\times 3)\times 5-111$

22 $124-(5\times 9)\times 2+14$

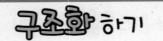

(23~30) 빈칸을 채우세요.

23 $(27-13)\times3-7$

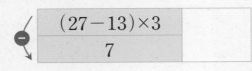

24 $(31\times2)-15-14$

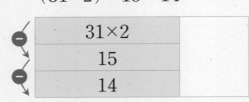

25 $9+(17-3)\times4$

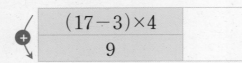

26 $150-11\times7-(4\times6)$

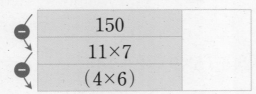

27 $7\times9-(17+22)-17$

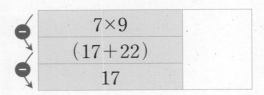

28 $13+8-(21-19)\times4$

29 $54-17\times2+(32+8)-7\times4$

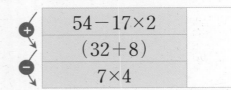

30 $22-(4\times3)+26-(3\times6)$

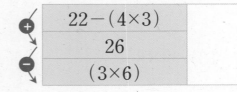

서술형 풀어보기

31 다희네 집엔 40켤레의 신을 수납할 수 있는 신발장이 있습니다. 1줄에는 4켤레가 들어간다고 합니다. 다희가 신발장의 6줄을 다 채워 사용했다가, 이 신발 중 5켤레를 친구에게 주어서 5켤레의 공간이 더 늘었습니다. 다희는 신발장에 몇 켤레의 신발을 더 넣을 수 있을까요?

풀이과정

(1) 식으로 나타내면

$\boxed{} - (\boxed{} \times \boxed{}) + \boxed{}$ 입니다.

(2) 식을 계산하면 $\boxed{}$ 켤레입니다.

−	40	
	(4×6)	
+	5	

(32~34) 풀이과정을 쓰고 답을 구하세요.

32 민재는 월요일부터 금요일까지는 8시간씩 자고, 토요일과 일요일은 9시간씩 잡니다. 일주일 중에 민재가 깨어 있는 시간을 구해보세요.

풀이 _____

답 _____ 시간

33 [9에 3과 8의 곱을 더하고 14를 뺀 수]를 식으로 나타낸 뒤 계산해서 구하세요.

풀이 _____

답 _____

34 세 친구의 계산 과정을 보고 물음에 답하세요.

도희: (21+12)−17+3×9는 21+12부터 계산하고 3×9를 계산한 뒤에 순서대로 계산하면 돼.

민아: 5×(13−3)−2×12는 13−3부터 계산한 것에 2×12를 뺀 다음 5를 곱해.

주하: 120−20×5+39는 20×5를 계산한 다음 120에서 빼. 그리고 39를 더하면 돼.

(1) 계산을 틀린 친구는 누구입니까?

답 _____

(2) 세 친구의 식을 계산해 보세요.

답 _____

연마 Check 칭찬이나 노력할 점을 써 주세요.

맞힌 개수	지도 의견		확인란
개	나의 생각		

04 일차 덧셈, 뺄셈, 나눗셈이 섞여 있는 식

월 일

- 덧셈, 뺄셈, 나눗셈이 섞여 있는 식은 나눗셈부터 계산합니다.
- $9+12÷3$의 계산

  $12÷3$부터 계산 합니다. $9+12÷3$ ➡ $9+4=13$

- ( )가 있다면 ( )먼저 계산합니다.

  $(9+12)÷3$은 $(9+12)$부터 계산합니다.

  $(9+12)÷3$ ➡ $21÷3=7$

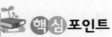

핵심포인트

· 혼합계산의 순서
① ( )부터 계산합니다.
② +, −는 순서대로 계산합니다.
③ +, −, ×가 섞이면 ×먼저 계산
   합니다.
④ +, −, ÷가 섞이면 ÷먼저 계산
   합니다.

⌛ **(01~12) 빈칸을 채우세요.**

01 $32+81÷9$

$=32+\boxed{}$

$=\boxed{}$

05 $28÷4+6÷2$

$=\boxed{}+\boxed{}$

$=\boxed{}$

09 $18÷6+34÷2$

$=\boxed{}+\boxed{}$

$=\boxed{}$

02 $17-8÷2$

$=17-\boxed{}$

$=\boxed{}$

06 $39÷3-10÷5$

$=\boxed{}-\boxed{}$

$=\boxed{}$

10 $155÷5-42÷6$

$=\boxed{}-\boxed{}$

$=\boxed{}$

03 $20-40÷4$

$=20-\boxed{}$

$=\boxed{}$

07 $48-32÷8-17$

$=48-\boxed{}-17$

$=\boxed{}$

11 $63÷9+12÷4-24÷3$

$=\boxed{}+\boxed{}-\boxed{}$

$=\boxed{}$

04 $16+12÷3$

$=16+\boxed{}$

$=\boxed{}$

08 $11+36÷9+32$

$=11+\boxed{}+32$

$=\boxed{}$

12 $512÷4-231÷3-108÷9$

$=\boxed{}-\boxed{}-\boxed{}$

$=\boxed{}$

(13~24) 계산순서를 표시한 뒤, 계산하세요.

13 $(42-7)\div5$

14 $(43-13)\div6$

15 $(56+40)\div6$

16 $81\div(14-5)\div3$

17 $120\div6-(3+16)$

18 $(19+45)\div8-(14\div7)$

19 $(32-4)\div14+6$

20 $40-(33+17)\div5$

21 $12+15-(80-17)\div7$

22 $32-(150-29)\div11$

23 $30-(44\div2)-7$

24 $17-(29+31)\div6$

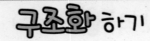

(25~34) 계산을 하세요.

25 ⊕
$46-(19+11)$
$32 \div 8 + (11+6)$

26 ⊕
$(15+3) \div 9 + 6$
$66 \div (17-11) - 9$

27 ⊕
$28 \div (16-9) + 5$
$15-(40-15) \div 5$

28 ⊕
$12+(37-5) \div 8$
$19+(80-8) \div 8$

29 ⊖
$13-(12+4) \div 4$
$(30 \div 3)-(12 \div 6)$

30 ⊖
$12+(37+12) \div 7$
$24-15 \div 3 - 6$

31 ⊖
$(79-23) \div 7$
$(21-9) \div (72 \div 12)$

32 ⊖
$135 \div (77-68)$
$61-84 \div 4 - 37$

33 ⊗
$144 \div 12 + 5$
$36 \div 6 - 22 \div 11$

34 ⊗
$21-9-28 \div 4$
$12-(16+18) \div 17$

서술형 풀어보기

구조화 해서 풀어보아요

35 도서관에 책을 기증하려고 친구 3명이 책을 모았습니다. 도헌이는 18권, 민아는 9권, 다희는 24권을 가져왔고, 너무 낡아서 볼 수 없는 책 1권을 빼고 도서관에 책을 기증했습니다. 도서관에 책을 5권을 기증하면 식권을 한 장 준다고 할 때, 세 친구가 받은 식권은 몇 장일까요?

풀이과정

(1) 식으로 나타내면

(□ + □ + □ − □) ÷ □

= □ ÷ □ = □

18 + 9 + 24 − □

÷ □

(2) 그러므로 세 친구가 받은 식권은 □ 장입니다.

💡 **(36~39) 풀이과정을 쓰고 답을 구하세요.**

36 유치원에 장난감 7개를 기증하면 우유를 1개 줍니다. 반 친구들이 안 쓰는 장난감을 모았더니 130개가 나왔습니다. 이 중 너무 낡아 쓸 수 없는 장난감 11개는 버렸습니다. 받을 수 있는 우유는 몇 개일까요?

풀이 _____

답 _____ 개

38 만두를 빚는데 수아는 31개, 도희는 52개를 빚었습니다. 빚은 만두를 모두 쪄서 그중 19개는 수아와 도희가 나눠 먹었습니다. 남은 만두를 똑같은 크기의 도시락통에 8개씩 담는다고 할 때, 몇 개의 도시락통이 필요할까요?

풀이 _____

답 _____ 개

37 [42와 21의 차를 7로 나누고 10을 더한 수]를 식으로 나타내고 계산하세요.

풀이 _____

답 _____

39 [38과 22를 더한 수를 12로 나눈 뒤 57에서 뺀 수]를 식으로 나타내고 계산하세요.

풀이 _____

답 _____

👍 연마 Check   칭찬이나 노력할 점을 써 주세요.

맞힌 개수	지도 의견		확인란
개	나의 생각		

05 일차 덧셈, 뺄셈, 곱셈, 나눗셈이 섞여 있는 식

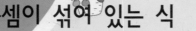

월   일

● ( )가 없다면 곱셈과 나눗셈을 먼저 계산한 뒤, 순서대로
계산합니다.

$30-4×3-30÷6=30-12-5=13$

● ( )가 있다면 ( )안의 수부터 계산합니다.

$(30-4)×3-30÷6=26×3-5=78-5=73$

 **핵심 포인트**

· 혼합 계산식의 순서
① 괄호가 없을 때: 곱셈과 나눗셈을
먼저 계산하고 순서대로 계산합니
다.
② 괄호가 있을 때: ( )를 먼저 계산
하고, 다음으로 곱셈과 나눗셈을 계
산하고, 나머지는 순서대로 계산합
니다.

⏳ (01~08) 빈칸을 채우세요.

01 $120÷24+17-6×2$

$= \boxed{} +17- \boxed{}$

$= \boxed{}$

02 $3×42-168÷14$

$= \boxed{} - \boxed{}$

$= \boxed{}$

03 $93-4×9-72÷9+4$

$=93- \boxed{} - \boxed{} +4$

$= \boxed{}$

04 $125÷5×4-75$

$= \boxed{} ×4-75$

$= \boxed{} -75= \boxed{}$

05 $(23+8×5)÷7-42÷6+13$

$=(23+ \boxed{})÷7-42÷6+13$

$= \boxed{} ÷7- \boxed{} +13$

$= \boxed{} - \boxed{} +13= \boxed{}$

06 $26÷13×11-(5×11-42)$

$= \boxed{} ×11-(\boxed{} -42)$

$= \boxed{} - \boxed{} = \boxed{}$

07 $4×6-72÷(12-7+3)$

$= \boxed{} -72÷ \boxed{}$

$= \boxed{} - \boxed{} = \boxed{}$

08 $(32+8)÷8+22-(27÷9)$

$= \boxed{} ÷8+22- \boxed{}$

$= \boxed{} +22- \boxed{} = \boxed{}$

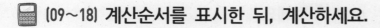 (09~18) 계산순서를 표시한 뒤, 계산하세요.

09 $12 \times 4 - 56 \div 7 + 19$

14 $41 - 6 \times 5 + 39 \div 3 - 8$

10 $16 \div 4 + 25 \div 5 + 9 \times 2 - 12$

15 $5 \times 8 - (26 - 11) \div 3 + 7$

11 $26 + 11 \times 3 - 62 \div 2$

16 $57 - (13 + 15) - 2 \times 14 \div 4$

12 $9 \times 9 - (40 + 14) \div 6$

17 $(31 - 17) \times 3 + 82 \div (45 - 4)$

13 $34 - 6 \times 2 + (3 + 6) \div 3$

18 $19 + (144 \div 4 - 12) \times 8 - 126 \div 6$

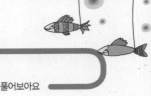

(19~28) 등식이 되도록 빈칸에 알맞은 수를 써보세요.

19 $7 \times 3 - 35 \div 7 + \boxed{} = 20$

20 $15 \times 3 - 48 \div 6 - \boxed{} = 30$

21 $(12+3) \times 2 - 22 + \boxed{} = 11$

22 $7 \times 2 - 30 \div 3 + \boxed{} = 9$

23 $60 \div 5 + 4 \times 5 - 27 + \boxed{} = 13$

24 $8 \times 4 - 10 - 26 \div 2 - \boxed{} = 6$

25 $24 \div 3 + 7 \times 2 - 16 + \boxed{} = 14$

26 $54 \div (14-5) + 11 - \boxed{} = 11$

27 $78 \div (6+7) + 32 - (8 \times 3) - \boxed{} = 9$

28 $(10+5) \times 3 - 20 - 30 \div 3 - \boxed{} = 12$

서술형 풀어보기

구조화 해서 풀어보아요

29 10000원으로 빵집에 가서 2200원짜리 마카롱 3개를 샀고, 8개에 4000원인 슈크림을 5개 샀습니다. 남은 돈을 구해보세요.

풀이과정

(1) 식을 세우세요.

(2) 식을 계산하여 남은 돈을 구하세요.

(3) 그러므로 [ ] 원이 남았습니다.

마카롱은 [ ] × [ ] = [ ] 원,

슈크림은 [ ] ÷8× [ ] = [ ] 원입니다.

💡 **(30~33) 풀이과정을 쓰고 답을 구하세요.**

30 가게에 가서 15개에 9000원인 초콜릿을 7개 사고, 한 개에 1600원인 과자를 3봉지 샀습니다. 만 원을 내면 거스름돈으로 얼마를 받을까요?

풀이

답 _____ 원

32 한 송이에 1200원인 빨간 장미를 7송이 사고, 4송이에 9000원인 파란 장미를 3송이를 샀습니다. 꽃 포장지를 추가해서 1500원이 더 들었습니다. 20000원을 내면 거스름돈은 얼마일까요?

풀이

답 _____ 원

31 [27과 53의 합을 16으로 나눈 몫의 3배를 한 후 14를 더한 수]를 식으로 나타내고 계산하세요.

풀이

답 _____

33 [81과 17의 차를 8로 나눈 몫의 10배를 한 후 26을 뺀 수]를 식으로 나타내고 계산하세요.

풀이

답 _____

👆 **연마 Check** 칭찬이나 노력할 점을 써 주세요.

맞힌 개수	지도 의견		확인란
개	나의 생각		

괄호가 있는 식의 계산

월 일

- ( ): 소괄호, { }: 중괄호의 계산순서
→ ( )를 먼저 계산한 뒤 { }를 계산합니다.

① $40-\{9+2\times4+(13-9)\}-17$
→ $40-\{9+2\times4+4\}-17=40-\{9+8+4\}-17$
$=40-21-17=19-17=2$

② $40-9+2\times4+(13-9)-17$
→ $40-9+8+4-17=31+8+4-17$
$=39+4-17=43-17=26$

 핵심 포인트

- 똑같은 연산 기호와 숫자를 사용했는데 ①과 ②의 계산 결과가 다릅니다. 그 이유는 중괄호 때문에 계산순서가 달라졌기 때문입니다.

(01~06) 빈칸을 채우세요.

01 $2\times\{10-27\div3+(16-13)+4\}-11$
$=2\times(10-\boxed{}+\boxed{}+4)-11$
$=2\times\boxed{}-11$
$=\boxed{}-11=\boxed{}$

02 $20-\{(6-2)\times3+5\}+7$
$=20-(\boxed{}\times3+5)+7$
$=20-\boxed{}+7=\boxed{}$

03 $\{(59-27)\times2-48\}+13$
$=(\boxed{}\times2-48)+13$
$=\boxed{}+13=\boxed{}$

04 $17+\{3\times(88\div22)-7\}-9$
$=17+(3\times\boxed{}-7)-9$
$=17+\boxed{}-9=\boxed{}$

05 $(75\div5)-6+\{4\times(2+7)-25\}$
$=\boxed{}-6+(4\times\boxed{}-25)$
$=\boxed{}+\boxed{}=\boxed{}$

06 $47-42\div3+\{6\times(19-13)-28\}+21$
$=47-\boxed{}+(6\times\boxed{}-28)+21$
$=\boxed{}+\boxed{}+21=\boxed{}$

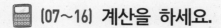 (07~16) 계산을 하세요.

07 $70-\{42+(3\times12)\div9-37\}-4\times3$

12 $\{131+(112\div56)\}-4\times\{(3+47)\div2\}$

08 $32-3\times(2+7)+\{24+(47-12)\div5\}$

13 $29\times2-\{288\div(4\times6)+17\}-$ $(24+32\div8)$

09 $24\div8+\{32+(5\times4)+8\}-7\times(3+5)$

14 $152\div(4\times5-1)+(12\times5\div6+23)-27$

10 $\{8\times9-(120\div4)+18\}\div2$

15 $40-20\div5+\{(30\times4)\div12\}$

11 $71-\{36\div(8\div2)+16\}+\{(49-14)\div5\}$

16 $\{(31-6)\div5+35\}\div8\times2$

구조화 하기

구조화 하기를 연습하면 서술형도 쉽게 풀어요

(17~26) 계산을 하세요.

17 $33 \div 3 - 7 + \{(4+12) \div 8 \times 6\}$

+
$33 \div 3 - 7$	
$(4+12) \div 8 \times 6$	

18 $87 - 56 \div \{2 \times (3+4)\}$

−
87	
$56 \div 2 \times (3+4)$	

19 $144 \div 12 + \{30 - 3 \times (18-11)\}$

+
$144 \div 12$	
$30 - 3 \times (18-11)$	

20 $44 \times 2 \div \{(6+5) \times 4 - 33\}$

÷
44×2	
$(6+5) \times 4 - 33$	

21 $(71+28) \div 11 \times \{(32 \div 8) + 16 - 13\}$

×
$(71+28) \div 11$	
$(32 \div 8) + 16 - 13$	

22 $(15+25) \times 3 \div 12 + 90$
$- \{16 \times (4 + 56 \div 8 - 5)\}$

−
$(15+25) \times 3 \div 12 + 90$	
$16 \times (4 + 56 \div 8 - 5)$	

23 $\{4 \times (3+16) \div 2 + 22\} + (12+30) \div 6$

+
$4 \times (3+16) \div 2 + 22$	
$(12+30) \div 6$	

24 $(32 \times 3 - 12) \div 7 + \{11 - (6 \times 15) \div 15\}$

+
$(32 \times 3 - 12) \div 7$	
$11 - (6 \times 15) \div 15$	

25 $4 \times \{(100-19) \div 9\} - 12$

−
$4 \times \{(100-19) \div 9\}$	
12	

26 $(4 \times 3 \times 10) \div \{(83-23) \div 6\}$

÷
$(4 \times 3 \times 10)$	
$\{(83-23) \div 6\}$	

서술형 풀어보기

구조화 해서 풀어보아요

27 세 친구가 사과농장에 갔습니다. 사과를 민아가 30개, 도희가 6개를 따고 민재는 도희의 3배를 땄습니다. 세 친구는 도희와 민재가 딴 사과의 개수의 반을 나눈 몫에서 5를 뺀 수만큼 먹었습니다. 남은 사과의 개수는 몇 개일까요?

풀이과정

(1) 식으로 나타내면 $30+6+\boxed{}\times\boxed{}-\{(6+6\times3)\div\boxed{}-\boxed{}\}$

(2) 중괄호부터 계산하면 $\{(6+6\times3)\div\boxed{}-\boxed{}\}$

$=24\div\boxed{}-\boxed{}=\boxed{}-\boxed{}=\boxed{}$

식을 정리하면 $30+6+\boxed{}\times\boxed{}-\boxed{}=\boxed{}$

(3) 그러므로 사과는 $\boxed{}$ 개가 남았습니다.

$30+6+\boxed{}\times\boxed{}\ \boxed{}$
$(6+6\times3)\div\boxed{}-\boxed{}$

(28~31) 풀이과정을 쓰고 답을 구하세요.

28 [50에서 19와 10의 차를 4배 한 수에 7을 더한 수를 뺀 수]를 식으로 나타내고 계산하세요.

풀이 _____

답 _____

29 [44에서 12를 뺀 수를 4로 나눈 몫에 3과 7의 합을 2배 하고 곱한 수]를 식으로 나타내고 계산하세요.

풀이 _____

답 _____

30 설탕 50 g을 그릇에 넣었다가 부족한 것 같아 30 g을 더 부었습니다. 그리고 8개의 접시에 나누어 담은 뒤 한 접시에서 설탕을 3 g을 뺐습니다. 이 접시에 담긴 설탕의 양은 몇 g일까요?

풀이 _____

답 _____ g

31 다람쥐가 매일 13개의 도토리를 14일 동안 모았습니다. 모은 도토리의 34개가 썩어서 버렸고 나머지 도토리를 네 개의 나무에 똑같이 나누어 숨겨 뒀을 때, 한 나무에 몇 개의 도토리가 있을까요?

풀이 _____

답 _____ 개

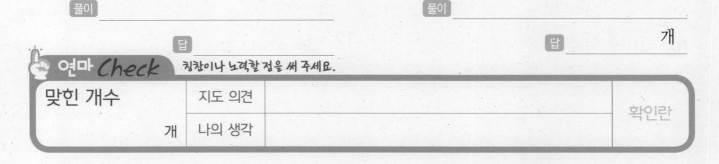

연마 Check 칭찬이나 노력할 점을 써 주세요.

맞힌 개수		지도 의견		확인란
	개	나의 생각		

07 일차

약수와 배수

• 약수: 어떤 수를 나누어떨어지게 하는 수

예 4를 1, 2, 4로 나누었을 때 나누어떨어지는 수 → 4의 약수

4÷1=4(1은 4의 약수)   4÷2=2(2는 4의 약수)

4÷4=1(4는 4의 약수)

→ 4의 약수는 1, 2, 4입니다.

• 배수: 어떤 수를 1배, 2배, 3배, 4배, …한 수

예 4의 배수는 4, 8, 12, 16, …입니다.

4×1=4, 4×2=8, 4×3=12, 4×4=16

핵심 포인트

• 약수 가운데 가장 작은 수는 1이며, 약수 가운데 가장 큰 수는 자기 자신(나눌 수)입니다.

• 곱셈으로도 약수를 구할 수 있습니다. 예를 들어, 1×8=8, 2×4=8이므로 8의 약수는 1, 2, 4, 8입니다.

• 곱하는 수가 셀 수 없이 많으므로 어떤 수의 배수도 셀 수 없이 많습니다.

• 4÷3은 나누어떨어지지 않으므로 3은 4의 약수가 아닙니다.

⏳ (01~06) 약수를 모두 구해보세요.

01 5의 약수 → 1, ☐

02 6의 약수 → 1, ☐, ☐, 6

03 27의 약수 → 1, ☐, ☐, ☐

04 8의 약수 → 1, ☐, ☐, 8

05 92의 약수 → 1, ☐, ☐,
☐, ☐, 92

06 10의 약수
→ ☐, ☐, ☐, 10

⏳ (07~12) 다음 수를 나누었을 때, 나누어떨어지게 하는 수를 구하세요.

07 12 → 1, 2, 3, ☐, ☐, 12

08 25 → 1, ☐, ☐

09 16 → 1, ☐, 4, ☐, ☐

10 32 → 1, 2, ☐, ☐, ☐, 32

11 27 → ☐, ☐, ☐, 27

12 36 → 1, 2, ☐, ☐, ☐,
9, ☐, ☐, 36

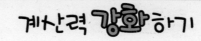 

정확하게 풀어보아요

🖩 (13~20) 배수를 가장 작은 수부터 5개까지만 구해보세요.

13 3의 배수
→ 3, ☐, ☐, 12, ☐

14 6의 배수
→ 6, ☐, ☐, ☐, ☐

15 4의 배수
→ 4, ☐, 12, ☐, ☐

16 8의 배수
→ 8, ☐, ☐, ☐, ☐

17 5의 배수
→ 5, ☐, ☐, ☐, 25

18 10의 배수 → ☐, ☐, ☐, ☐, ☐

19 7의 배수
→ 7, ☐, ☐, ☐, ☐

20 9의 배수 → ☐, ☐, ☐, ☐, ☐

🖩 (21~24) 빈칸을 채우세요.

21 9 → 9×☐=99이므로 99는 9의 ☐번째 배수입니다.

22 10 → 10×☐=70이므로 70은 10의 ☐번째 배수입니다.

23 17 → 17×☐=51이므로 51은 17의 ☐번째 배수입니다.

24 20 → 20×☐=280이므로 280은 20의 ☐번째 배수입니다.

🖩 (25~28) 다음 수에 가장 가까운 4의 배수를 빈칸을 채워보며 구하세요.

25 47 → 4×☐=40, 4×☐=44, 4×☐=48, 그러므로 ☐

26 73 → 4×☐=68, 4×☐=72, 그러므로 ☐

27 127 → 4×☐=120, 4×☐=124, 4×☐=128, 그러므로 ☐

28 403 → 4×☐=400, 4×☐=404, 그러므로 ☐

구조화 하기

구조화 하기를 연습하면 서술형도 쉽게 풀어요

 (29~37) 빈칸을 채우세요.

29 72의 약수

72	÷1	
	÷2	
	÷3	
	÷4	
	÷6	
	÷8	

→ 그러므로 72의 약수는 ☐ 개

30 18의 약수

18	÷1	
	÷2	
	÷3	

→ 그러므로 18의 약수는 ☐ 개

31 46의 약수

46	÷1	
	÷2	

→ 그러므로 46의 약수는 ☐ 개

32 100의 약수

100	÷1	
	÷2	
	÷4	
	÷5	
	÷10	

→ 그러므로 100의 약수는 ☐ 개

33 3의 배수

3			
×1	×2	×3	×4

→ 3의 배수 중에 작은 수부터 37번째는 3× ☐ = ☐ 입니다.

34 12의 배수

12			
×1	×2	×3	×4

→ 12의 배수 중에 작은 수부터 20번째는 12× ☐ = ☐ 입니다.

35 36의 배수

36			
×1	×2	×3	×4

→ 36의 배수 중에 작은 수부터 13번째는 36× ☐ = ☐ 입니다.

36 14의 배수

14			
×1	×2	×3	×4

→ 14의 배수 중에 작은 수부터 15번째는 14× ☐ = ☐ 입니다.

37 28의 배수

28			
×1	×2	×3	×4

→ 28의 배수 중에 작은 수부터 37번째는 28× ☐ = ☐ 입니다.

서술형 풀어보기

구조화 해서 풀어보아요

38 36을 어떤 수로 나누었을 때 나누어떨어지게 하는 수는 모두 몇 개일까요?

풀이과정

(1) 36을 나누었을 때 나누어떨어지게 하는 수는

　36의 ☐ 입니다

(2) 그러므로 36의 약수는 ☐ , ☐ , ☐ , ☐ , ☐ ,

☐ , ☐ , ☐ , ☐ 이므로 모두 ☐ 개입니다.

1×36	36
2×☐	
3×☐	
4×☐	
6×☐	

(39~41) 풀이과정을 쓰고 답을 구하세요.

39 14를 어떤 수로 나누었을 때, 나누어떨어지게 하는 수의 개수는 모두 몇 개일까요?

풀이 ＿＿＿＿＿＿＿＿＿＿＿＿＿＿＿

답 ＿＿＿＿＿＿＿＿ 개

40 15의 배수 가운데 가장 작은 세 자리 자연수를 구하세요.

풀이 ＿＿＿＿＿＿＿＿＿＿＿＿＿＿＿

답 ＿＿＿＿＿＿＿＿

41 3은 9의 약수가 맞습니까? 맞다면 그림을 이용하여 그 이유를 설명해 보세요.

[그림]

→ 가로 ☐ 칸, 세로 ☐ 칸으로 그려진 위의 그림을 보면 모두 ☐ 칸임을 알 수 있습니다. 그러므로 ☐ 는 ☐ 으로 나눌 때, 나누어떨어집니다. 그래서 ☐ 은 ☐ 의 ☐ 입니다.

연마 Check 칭찬이나 노력할 점을 써 주세요.

맞힌 개수	지도 의견		확인란
개	나의 생각		

- $32 = 4 \times 8$

  32는 4의 배수이면서 8의 배수입니다. 4와 8은 32의 약수입니다.

- 5는 15의 약수입니다. 15의 배수는 5의 배수에 들어가므로 15의 배수는 모두 5의 배수입니다.

  → ■가 ★의 약수이면, ★의 배수는 모두 ■의 배수

핵심 포인트

- $32 = 2 \times 16$

  32는 2의 배수이면서 16의 배수, 2와 16은 32의 약수

- 5의 배수: 5, 10, 15, 20, 25, 30, 35, 40, 45…
- 15의 배수: 15, 30, 45, 60…

  [01~03] 빈칸을 채워 약수와 배수의 관계를 알아봅시다.

01
$12 = 1 \times \boxed{}$, $12 = 2 \times \boxed{}$
$12 = 3 \times \boxed{}$

→ 1, 2, 3, $\boxed{}$, $\boxed{}$, $\boxed{}$ 는 12의 $\boxed{}$수

→ 12는 1, 2, 3, $\boxed{}$, $\boxed{}$, $\boxed{}$의 $\boxed{}$수

02
$21 = 1 \times \boxed{}$, $21 = 3 \times \boxed{}$

→ 1, 3, $\boxed{}$, $\boxed{}$ 은 21의 $\boxed{}$수

→ 21은 1, 3, $\boxed{}$, $\boxed{}$의 $\boxed{}$수

03
$35 = 1 \times \boxed{}$, $35 = 5 \times \boxed{}$

→ 1, 5, $\boxed{}$, $\boxed{}$ 는 35의 $\boxed{}$수

→ 35는 1, 5, $\boxed{}$, $\boxed{}$의 $\boxed{}$수

 **[04~09]** 오른쪽 수가 왼쪽 수의 약수가 되고, 두 수는 약수와 배수의 관계에 있습니다. 빈칸에 알맞은 수를 모두 구해보세요.

04 24, $\boxed{}$
→

05 18, $\boxed{}$
→

06 15, $\boxed{}$
→

07 16, $\boxed{}$
→

08 39, $\boxed{}$
→

09 27, $\boxed{}$
→

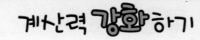
[10~19] 두 수가 약수와 배수의 관계인 것에 ○표하세요.

10 13, 36   (   )

11 8, 56   (   )

12 7, 28   (   )

13 11, 66   (   )

14 8, 91   (   )

15 22, 55   (   )

16 24, 48   (   )

17 2, 9   (   )

18 4, 8   (   )

19 21, 43   (   )

[20~30] 약수 또는 배수의 관계인 두 수를 찾아 ○표하세요.

20 32   7   8

21 11   13   77

22 125   17   5

23 36   6   15

24 14   31   93

25 122   12   144

26 9   17   3

27 100   13   260

28 24   11   120

29 96   49   16

30 13   2   82

구조화 하기

구조화 하기를 연습하면 서술형도 쉽게 풀어요

 (31~36) 배수를 약수의 곱으로 나타낸 빈칸을 채우세요.

31

배수	약수
40	2×☐

34

배수	약수
48	4×☐

32

배수	약수
51	3×☐

35

배수	약수
125	5×☐

33

배수	약수
☐	8×7

36

배수	약수
126	3×☐

(37~40) 빈칸을 채워 어떤 수를 구해보세요.

37 어떤 수는 3의 배수, 이 수의 약수를 모두 더하면 13

3의 배수	약수의 합
3	
6	
9	
12	

→ 어떤 수는 ☐ 입니다.

39 어떤 수는 7의 배수, 이 수의 약수를 모두 더하면 32

7의 배수	약수의 합
7	
14	
21	
28	

→ 어떤 수는 ☐ 입니다.

38 어떤 수는 5의 배수, 이 수의 약수를 모두 더하면 24

5의 배수	약수의 합
5	
10	
15	
20	

→ 어떤 수는 ☐ 입니다.

40 어떤 수는 6의 배수, 이 수의 약수를 모두 더하면 60

6의 배수	약수의 합
6	
12	
18	
24	

→ 어떤 수는 ☐ 입니다.

서술형 풀어보기

구조화 해서 풀어보아요

41 어떤 수는 9의 배수라고 합니다. 이 수의 약수를 모두 더하면 40이라고 할 때, 어떤 수는 몇 일까요?

(풀이과정)

(1) 어떤 수는 [ ]의 배수이므로 [ ], [ ], [ ], [ ], 45… 가운데 있습니다.

(2) 어떤 수의 약수의 합을 구해 [ ]이 되는 수를 찾습니다.

(3) 그러므로 어떤 수는 [ ]입니다.

9의 배수	약수의 합
9	
18	
27	

💡 **(42~45) 풀이과정을 쓰고 답을 구하세요.**

42 54의 약수도 되고, 3의 배수도 되는 수 가운데 작은 수부터 썼을 때, 네 번째 큰 수를 구해보세요.

풀이 _____

답 _____

44 [ ]는 16의 약수입니다. 그리고 16의 배수는 모두 [ ]의 배수입니다. 빈칸에 들어갈 수를 모두 구하세요.

풀이 _____

답 _____

43 어떤 수의 약수를 모두 더하면 31입니다. 이 수의 약수 가운데 8이 있다고 할 때, 어떤 수는 몇 일까요?

풀이 _____

답 _____

45 [ ]는 30의 약수입니다. 그리고 30의 배수는 모두 [ ]의 배수입니다. 1부터 9까지의 수 가운데 빈칸에 들어갈 수를 모두 구하세요.

풀이 _____

답 _____

👆 **연마 Check** 칭찬이나 노력할 점을 써 주세요.

맞힌 개수	지도 의견	
개	나의 생각	확인란

09 일차

공약수와 최대공약수

- 최대공약수: 두 수의 공약수 중에서 가장 큰 수
  → 6과 18의 공약수는 1, 2, 3, 6인데 이 중 가장 큰 수는 6이므로 6과 18의 최대공약수는 6입니다.
- 최대공약수를 구하는 방법 → 두 수의 공약수로 나누어 봅니다.

$$2)\underline{6\quad 18}$$
$$3)\underline{3\quad 9}$$
$$1\quad 3$$

최대공약수: $2\times3=6$

$6=2\times3=6\times1$
$18=2\times3\times3=6\times3$

핵심 포인트

6의 약수	1, 2, 3, 6
18의 약수	1, 2, 3, 6, 9, 18

- 두 수의 최대공약수를 이용하여 두 수의 공약수를 알 수 있습니다.
- 두 수의 공약수는 두 수의 최대공약수의 약수와 같습니다.
  6과 18의 공약수: 1, 2, 3, 6
  6과 18의 최대공약수: 6 → 6의 공약수: 1, 2, 3, 6

(01~08) 두 수의 공약수를 구하세요.

01 12, 14

12의 약수	
14의 약수	
공약수	

02 8, 12

8의 약수	
12의 약수	
공약수	

03 18, 27

18의 약수	
27의 약수	
공약수	

04 15, 25

15의 약수	
25의 약수	
공약수	

05 12, 18

12의 약수	
18의 약수	
공약수	

06 30, 36

30의 약수	
36의 약수	
공약수	

07 16, 28

16의 약수	
28의 약수	
공약수	

08 24, 42

24의 약수	
42의 약수	
공약수	

약수를 빠짐없이 구하는지 잘 살펴주세요.

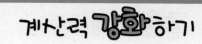
 (09~12) 가장 작은 수들의 곱으로 곱셈 식을 만들어 최대공약수를 구합시다.

(13~21) 최대공약수를 구해보세요.

09 16, 24

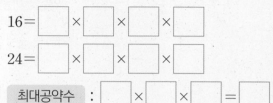

16 = ☐ × ☐ × ☐ × ☐

24 = ☐ × ☐ × ☐ × ☐

최대공약수 : ☐ × ☐ × ☐ = ☐

10 35, 21

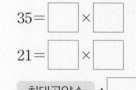

35 = ☐ × ☐

21 = ☐ × ☐

최대공약수 : ☐

11 81, 108

81 = ☐ × ☐ × ☐ × ☐

108 = ☐ × ☐ × ☐ × ☐ × ☐

최대공약수 : ☐ × ☐ × ☐ = ☐

12 18, 42

18 = ☐ × ☐ × ☐

42 = ☐ × ☐ × ☐

최대공약수 : ☐ × ☐ = ☐

13)‾42‾‾‾14‾ → ☐

14)‾63‾‾‾81‾ → ☐

15)‾54‾‾‾102‾ → ☐

16)‾40‾‾‾16‾ → ☐

17)‾50‾‾‾75‾ → ☐

18)‾72‾‾‾64‾ → ☐

19)‾22‾‾‾66‾ → ☐

20)‾12‾‾‾15‾ → ☐

21)‾45‾‾‾54‾ → ☐

(22~27) 어떤 두 수의 최대공약수를 보고 두 수의 공약수를 구하세요.

22 최대공약수 12

공약수

23 최대공약수 24

공약수

24 최대공약수 10

공약수

25 최대공약수 14

공약수

26 최대공약수 15

공약수

27 최대공약수 46

공약수

(28~32) 두 수의 최대공약수를 구하고, 두 수의 공약수도 구하세요.

28) 24 40

최대공약수	
공약수	

29) 35 65

최대공약수	
공약수	

30) 44 28

최대공약수	
공약수	

31) 111 81

최대공약수	
공약수	

32) 104 56

최대공약수	
공약수	

서술형 풀어보기

33 라면 42봉지, 즉석밥 28개를 최대한 많은 사람들이 똑같이 나누려고 할 때, 몇 명까지 나눌 수 있으며 라면과 즉석밥은 각각 몇 개씩 가지게 될까요?

풀이과정

라면과 즉석밥을 똑같이 나눠줘야 하므로 라면은 줬지만 즉석밥을 못 주는 일이 일어나서는 안 됩니다. 즉, 두 수의 최대공약수를 구하는 것과 같은 문제입니다.

$$2 \,)\overline{42 \quad 28}$$
$$\square \,)\overline{21 \quad 14}$$
$$\square \quad \square$$

(1) 42와 28의 최대공약수는 □입니다.

(2) 최대 □명까지 라면과 즉석밥을 똑같이 나누어줄 수 있습니다.

(3) □명은 라면을 □개씩, 즉석밥은 □개씩 가질 수 있습니다.

[34~35] 풀이과정을 쓰고 답을 구하세요.

34 햄버거 27개, 콜라 36개를 최대한 많은 사람이 똑같이 나누려고 합니다. 몇 명이 나눌 수 있으며 햄버거는 몇 개씩 가지게 될까요?

풀이

$$3 \,)\overline{27 \quad 36}$$
$$\square \,)\overline{\square \quad \square}$$
$$\square \quad \square$$

답 _____ 명 _____ 개씩

35 어떤 두 수의 최대공약수가 27이라고 합니다. 이 두 수의 공약수들의 합을 구해 보세요.

풀이 _____

답 _____

[36~37] 가로의 길이가 102 cm, 세로의 길이가 36 cm인 베란다가 있습니다. 이 베란다에 정사각형 모양의 타일을 깔려고 합니다. 물음에 답하세요.

36 베란다에 남는 부분이 없이 깔 수 있는 가장 큰 정사각형 타일의 한 변은 몇 cm일까요?

풀이 _____

답 _____ cm

37 가장 큰 정사각형 타일로 베란다의 가로줄에는 몇 개, 세로줄에는 몇 개를 깔 수 있을까요?

풀이 _____

답 _____

연마 Check 칭찬이나 노력할 점을 써 주세요.

맞힌 개수	지도 의견		확인란
개	나의 생각		

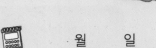

공배수와 최소공배수

월 일

○ 공배수: 두 수의 공통인 배수

방법① 최소공배수는 두 수의 공약수로 나누어 구할 수 있습니다. 4와 6의 공약수인 2로 두 수를 나눕니다.

$$2\,\underline{)\ 4\quad 6}$$
$$\quad\ 2\quad 3$$

2×2×3=12 그러므로 4와 6의 최소공배수는 12입니다.

방법② 가장 작은 수의 곱으로 4와 6을 나타내어 공통인 부분과 공통이 아닌 부분을 곱합니다.

4=2×2
6=2×3

→ 최소공배수=2×2×3=12

└ 공통인 부분
공통이 아닌 부분

→ 두 수의 공통인 부분은 두 수의 최대공약수이기도 합니다.

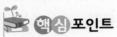 **핵심 포인트**

· 두 수의 공배수는 두 수의 최소공배수의 배수와 같습니다.
→ 4의 배수: 4, 8, 12, 16, 20, 24, 28, 32, 36, …
→ 6의 배수: 6, 12, 18, 24, 36, …
→ 4와 6의 공배수: 12, 24, 36, …
→ 4와 6의 최소공배수인 12의 배수: 12, 24, 36, …

⏳ (01~04) 방법①로 계산하여 빈칸을 채우세요.

01

$$\Box\,\underline{)\ 10\quad 25}$$
$$\quad\ \Box\quad \Box$$

최소공배수: □ × □ × □ = □

공배수: □ , □ , □ , …

02

$$\Box\,\underline{)\ 12\quad 16}$$
$$\Box\,\underline{)\ \Box\quad \Box}$$
$$\quad\ \Box\quad \Box$$

최소공배수: □ × □ × □ × □ = □

공배수: □ , □ , □ , …

03

$$\Box\,\underline{)\ 81\quad 27}$$
$$\Box\,\underline{)\ \Box\quad \Box}$$
$$\Box\,\underline{)\ \Box\quad \Box}$$
$$\quad\ \Box\quad \Box$$

최소공배수: □ × □ × □ × □ = □

공배수: □ , □ , □ , …

04

$$\Box\,\underline{)\ 45\quad 30}$$
$$\Box\,\underline{)\ \Box\quad \Box}$$
$$\quad\ \Box\quad \Box$$

최소공배수: □ × □ × □ × □ = □

공배수: □ , □ , □ , …

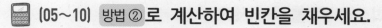

📱 (05~10) 방법 ② 로 계산하여 빈칸을 채우세요.

05 ⬜ 32, 28

32 = ☐ × ☐ × ☐ × ☐ × ☐

28 = ☐ × ☐ × ☐

최대공약수: ☐ × ☐ = ☐

최소공배수: ☐ × ☐ × ☐ × ☐ ×

☐ × ☐ = ☐

08 ⬜ 9, 15

9 = ☐ × ☐

15 = ☐ × ☐

최대공약수: ☐

최소공배수: ☐ × ☐ × ☐ = ☐

06 ⬜ 12, 30

12 = ☐ × ☐ × ☐

30 = ☐ × ☐ × ☐

최대공약수: ☐ × ☐

최소공배수: ☐ × ☐ × ☐ × ☐

= ☐

09 ⬜ 18, 36

18 = ☐ × ☐ × ☐

36 = ☐ × ☐ × ☐ × ☐

최대공약수: ☐ × ☐ × ☐ = ☐

최소공배수: ☐ × ☐ × ☐ × ☐

= ☐

07 ⬜ 18, 16

18 = ☐ × ☐ × ☐

16 = ☐ × ☐ × ☐ × ☐

최대공약수: ☐

최소공배수: ☐ × ☐ × ☐ × ☐ ×

☐ × ☐ = ☐

10 ⬜ 24, 42

24 = ☐ × ☐ × ☐ × ☐

42 = ☐ × ☐ × ☐

최대공약수: ☐ × ☐ = ☐

최소공배수: ☐ × ☐ × ☐ × ☐

× ☐ = ☐

 (11~18) 두 수의 최대공약수와 최소공배수를 구하세요.

11) 6 20

최대공약수	
최소공배수	

15) 15 40

최대공약수	
최소공배수	

12) 8 20

최대공약수	
최소공배수	

16) 24 30

최대공약수	
최소공배수	

13) 18 24

최대공약수	
최소공배수	

17) 36 12

최대공약수	
최소공배수	

14) 12 30

최대공약수	
최소공배수	

18) 48 60

최대공약수	
최소공배수	

서술형 풀어보기

19 돼지는 8분에 한 번씩 먹이를 줘야 하고, 양은 6분에 한 번씩 먹이를 줘야 합니다. 두 동물에게 먹이를 같이 주는 시간은 몇 분마다 돌아올까요?

풀이과정

(1) 8과 6의 최소공배수는 ☐ 입니다.

(2) ☐ 분마다 같이 먹이를 주게 됩니다.

☐) 8 6

☐ ☐

최소공배수: ☐ × ☐ × ☐ = ☐

💡 **(20~23) 풀이과정을 쓰고 답을 구하세요.**

20 도헌이는 12일에 한 번씩, 수아는 8일에 한 번씩 수영장에 갑니다. 도헌이와 수아는 수영장에서 며칠마다 만날 수 있을까요?

풀이

_____

답 _____ 일

21 민아는 12살이고, 민아의 엄마는 42살입니다. 민아와 엄마의 나이의 최소공배수는 몇 일까요?

풀이 _____

답 _____

22 두 친구가 말하는 수는 각각 무엇일까요?

| 다희: 16과 20의 최소공배수입니다. |
| 하나: 다희가 말한 수의 배수인데, 500에 가장 가깝습니다. |

(1) 다희: _____

(2) 하나: _____

23 어떤 두 수의 공통이 되는 최대공약수가 8이고, 공통이 아닌 부분의 수는 4와 5라고 합니다. 두 수와 두 수의 최소공배수를 구하세요.

풀이

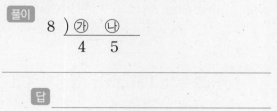

8) ㉮ ㉯
  4   5

_____

답 _____

👍 **연마 Check** 칭찬이나 노력할 점을 써 주세요.

맞힌 개수	지도 의견		확인란
개	나의 생각		

● 케이크 조각 하나에 딸기가 두 개씩 올라가는 조각 케이크를 10개 만들려고 합니다.

조각 수	1	2	3	4	5	…	9	10
딸기 수	2	4	6	8	10	…	18	20

→ 케이크의 수를 ■, 딸기의 수를 ▲라 하고 ■와 ▲사이의 대응 관계를 식으로 나타내면 ▲＝■×2

핵심포인트

· 케이크를 8조각 만들 때 필요한 딸기는 몇 개입니까? → ☐ 개

· 케이크를 30조각 만든다면, 필요한 딸기는 몇 개입니까? → ☐ 개

· 케이크가 1조각이 늘어날수록 딸기는 ☐ 개씩 늘어납니다.

⌛ (01~02) 물음에 답하세요.

01 1시간에 20 cm씩 이동하는 벌레가 있습니다. 이 벌레는 직선으로만 이동한다고 합니다.
(1) 표를 채워보세요.

시간(시간)	1	2	3	…
이동 거리(cm)				

(2) 벌레가 2시간을 이동하면, 벌레의 이동 거리는 ☐ cm입니다.

(3) 벌레가 3시간을 이동하면, 벌레의 이동 거리는 ☐ cm입니다.

(4) 시간을 ■, 벌레의 이동 거리를 ▲라 하고 ■와 ▲사이의 대응 관계를 식으로 나타내세요.
☐

(5) 벌레가 100 cm를 움직이려면 ☐ 시간이 걸립니다.

02 한 개에 800원인 우유가 있습니다.
(1) 표를 채워보세요.

개수	1	2	3	…
가격(원)				

(2) 우유를 2개 사려면 ☐ 원이 필요합니다.

(3) 우유를 5개 사려면 ☐ 원이 필요합니다.

(4) 우유의 개수와 가격의 관계를 식으로 나타내면
(가격)＝(우유의 개수)× ☐ 원이 됩니다.

(5) 우유의 개수를 ■, 가격을 ▲라 하고 ■와 ▲사이의 대응 관계를 식으로 나타내세요.
☐

(6) 우유를 8개 사려면 ☐ 원이 필요합니다.

(03~05) 두 수 ■와 ▲를 더했더니 3이 나왔습니다. 물음에 답하세요.

순서	식	계산한 값
1	(■ +▲)×1	3
2	(■ +▲)×2	6
3	(■ +▲)×3	9
4	(■ +▲)×4	12
5	(■ +▲)×5	15
⋮	⋮	⋮

03 처음 두 수의 합은 [ ] 입니다.

04 계속해서 계산을 해서 10번째까지 식을 세웠습니다. 빈칸을 채우세요.

순서	식	계산한 값
10	(■ +▲)× [ ]	

05 계산한 값이 48이라면 [ ] 번째 계산한 것입니다.
→ 3× [ ] =48

(06~08) 두 수 ■와 ▲를 더했더니 5가 나왔습니다. 물음에 답하세요.

순서	식	계산한 값
1	(■ +▲)×1	5
2	(■ +▲)×2	10
3	(■ +▲)×3	15
4	(■ +▲)×4	20
5	(■ +▲)×5	25
⋮	⋮	⋮

06 처음 두 수의 합은 [ ] 입니다.

07 계속해서 계산을 해서 13번째까지 식을 세웠습니다. 빈칸을 채우세요.

순서	식	계산한 값
13	(■ +▲)× [ ]	

08 계산한 값이 120이라면 [ ] 번째 계산한 것입니다.
→ 5× [ ] =120

(09~13) 나무토막 장난감을 가지고 쌓기 놀이를 합니다. 그림처럼 1층엔 2개, 2층엔 1개, 3층엔 2개, 4층에 1개 쌓기를 반복해서 쌓았습니다.

4층
3층
2층
1층

09 2층까지 쌓을 때 필요한 나무토막의 개수는 [ ] 개입니다.

10 4층까지 쌓을 때 필요한 나무토막의 개수는 [ ] 개입니다.

11 2층씩 쌓을 때마다 [ ] 개의 나무토막이 필요합니다.

12 6층까지 쌓는다면 [ ] 개의 나무토막이 필요합니다.

13 표를 완성해 보세요.

2층까지 쌓을 때	나무토막 [ ]	개 필요
4층까지 쌓을 때	나무토막 [ ]	개 필요
6층까지 쌓을 때	나무토막 [ ]	개 필요
8층까지 쌓을 때	나무토막 [ ]	개 필요

3
단
계

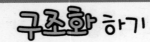

구조화 하기

구조화 하기를 연습하면 서술형도 쉽게 풀어요

(14~21) 두 수의 대응 관계를 식으로 표현하려고 합니다. 빈칸을 채우세요.

14

■	1	2	3	4	…
▲	3	4	5	6	…

(1) 3=1+ ☐   (2) 4=2+ ☐

(3) 5=3+ ☐   (4) ▲=■+ ☐

18

■	1	2	3	4	…
▲	6	12	18	24	…

(1) 6= ☐   (2) 12= ☐

(3) 18= ☐   (4) ▲= ☐

15

■	1	2	3	4	…
▲	5	6	7	8	…

(1) 5=1+ ☐   (2) 6= ☐

(3) 7= ☐   (4) ▲= ☐

19

■	1	2	3	4	…
▲	10	20	30	40	…

(1) 10= ☐   (2) 20= ☐

(3) 30= ☐   (4) ▲= ☐

16

■	1	2	3	4	…
▲	3	6	9	12	…

(1) 3=1× ☐   (2) 6= ☐

(3) 9= ☐   (4) ▲= ☐

20

■	…	16	17	18	19	…
▲	…	10	11	12	13	…

(1) 10= ☐   (2) 11= ☐

(3) 12= ☐   (4) ▲= ☐

17

■	1	2	3	4	…
▲	7	14	21	28	…

(1) 7= ☐   (2) 14= ☐

(3) 21= ☐   (4) ▲= ☐

21

■	…	15	14	13	12	…
▲	…	11	10	9	8	…

(1) 15= ☐   (2) 10= ☐

(3) 9= ☐   (4) ▲= ☐

서술형 풀어보기

구조화 해서 풀어보아요

22 한 척에 사람이 4명 탈 수 있는 배가 있습니다. 표를 보고 물음에 답하세요.

풀이과정

(1) 표의 빈칸을 채우세요.

(2) 배의 수를 ■, 사람 수를 ▲라 할 때, ▲와 ■ 사이의 대응 관계를 식으로 나타내보세요.

배(척)	1	2	3	4	5
사람(명)	4	8	12		

① 4=1×☐   ② 8=2×☐   ③ 12=3×☐   ④ ▲=☐

(3) 배가 17척일 때, 태울 수 있는 사람 수는 ☐ 명입니다.

(23~24) 풀이과정을 쓰고 답을 구하세요.

23 동생과 내 나이를 비교한 표입니다. 표를 보고 물음에 답해 보세요. 현재 동생은 7세, 나는 12세입니다.

동생 나이	7	8	9	10	11
내 나이	12	13	14		

(1) 동생이 11세일 때, 나는 몇 세입니까?

답 _____ 세

(2) 동생의 나이를 ■, 내 나이를 ▲라 할 때, ■와 ▲사이의 대응 관계를 식으로 나타내보세요.

답 _____

(3) 내 나이가 27세일 때, 동생의 나이를 구해보세요.

풀이 _____

답 _____ 세

24 어느 가게에서 사과를 3개 사면, 귤을 1개 주는 행사를 하고 있습니다.

(1) 표를 채워보세요.

사과(개)	3	6	9	12	15	…
귤(개)	1	2	3			…

(2) 귤의 수를 ■, 사과의 수를 ▲라 할 때, ■와 ▲사이의 대응 관계를 식으로 나타내보세요.

답 _____

(3) 이 가게에서 사과를 샀는데 귤을 10개 받았습니다. 사과를 몇 개 샀을까요?

풀이 _____

답 _____ 개

연마 Check 칭찬이나 노력할 점을 써 주세요.

맞힌 개수	지도 의견		확인란
개	나의 생각		

12 일차 일상생활에서 규칙이 있는 두 수의 대응 관계 ②

 월 일

● 세계 시간: 한국이 오후 1시 일 때, 로스앤젤레스(L.A.)는 오후 9시라고 합니다.

한국	오후 1시	오후 2시	오후 3시	오후 4시	…
L.A.	오후 9시	오후 10시	오후 11시	오후 12시	…

한국 시간을 ■ L.A.시간을 ▲로 놓고 식으로 나타내면
→ ▲=■ +8

(01~04) 한국이 오후 2시일 때, 체코 프라하는 오전 7시입니다. 물음에 답하세요.

01 표의 빈칸을 채워보세요.

한국	오후 2시	오후 3시	오후 4시	오후 5시
프라하	오전 7시	오전 8시		

02 오후 2시는 14시로 표현할 수 있습니다. 그렇다면 오후 8시는 [ ]시로 표현할 수 있습니다.

03 한국 시간을 ■, 프라하 시간을 ▲로 놓고 식을 써보세요.

04 프라하가 오후 1시라면, 한국은 오후 [ ]시입니다.

(05~08) 한국이 오후 1시일 때, 갈라파고스는 오후 10시입니다. 물음에 답하세요.

05 표의 빈칸을 채워보세요.

한국	오후 1시	오후 2시	오후 3시	오후 4시	오후 5시
갈라파고스	오후 10시	오후 11시			

06 오후 1시는 13시로 표현할 수 있습니다. 그렇다면 오후 10시는 [ ]시로 표현할 수 있습니다.

07 한국 시간을 ▲, 갈라파고스 시간을 ■로 놓고 식을 써보세요.

08 갈라파고스가 오전 11시라면, 한국은 [ ]시 입니다.

(09~13) 물고기 1마리에게 하루에 6개의 먹이를 줍니다. 물음에 답하세요.

09 물고기를 1마리 키울 때, 필요한 먹이의 개수를 표로 나타내세요.

■(일)	1	2	3	4	⋯
▲(개)	6				⋯

10 물고기를 키우는 날 수를 ■, 키우는데 필요한 먹이 수를 ▲라 할 때, ■와 ▲의 관계를 식으로 나타내면

▲=■× ☐ 입니다.

11 물고기 2마리를 키운다면, 4일 동안 필요한 먹이의 개수는 몇 개인지 표를 채워보세요.

■(일)	1일	2일	3일	4일	⋯
▲(개)					⋯

12 물고기가 2마리일 때, 물고기를 키우는 날 수를 ■, 키우는데 필요한 먹이 수를 ▲라 할 때, ■와 ▲의 관계를 식으로 나타내면 ▲=■× ☐ 입니다.

13 물고기 10마리를 키운다면, 첫날 필요한 먹이의 개수는 ☐ × ☐ = ☐ 개이고, 물고기 10마리를 10일 동안 키운다면 ☐ × ☐ = ☐ 개의 먹이가 필요합니다.

(14~19) 어느 농장에 오리와 양이 있다고 합니다. 다음 물음에 답하세요.

14 오리는 한 마리당 다리가 2개입니다. 표를 완성해 보세요.

오리의 수	1	2	3	4	5	⋯
다리 수	2	4				⋯

15 양의 다리 수를 세어봅시다. 양은 한 마리당 다리가 4개입니다. 표를 완성해 보세요.

양의 수	1	2	3	4	5	⋯
다리 수	4	8				⋯

16 농장에 오리가 12마리가 있다고 할 때, 오리 다리의 개수는 ☐ 개입니다.

17 농장에 양이 20마리가 있다고 할 때, 양의 다리의 개수는 ☐ 개입니다.

18 농장 오리의 수를 ■, 오리 다리의 수를 ▲라 할 때, ■와 ▲사이의 대응 관계를 식으로 나타내보세요.

19 농장의 양의 수를 ■, 양의 다리 수를 ▲라 할 때, ■와 ▲사이의 대응 관계를 식으로 나타내보세요.

구조화 하기

구조화 하기를 연습하면 서술형도 쉽게 풀어요

(20~25) ■와 ▲ 사이의 대응 관계식을 보고 규칙을 써보세요.

20 관계식 ■ =▲+5

규칙 ▲가 1, 2, 3, 4…로 늘어날 때,
■는 [   ]

21 관계식 ■ =▲+7

규칙 ▲가 1, 2, 3, 4…로 늘어날 때,
■는 [   ]

22 관계식 ■ =▲-3

규칙 ▲가 10, 9, 8, 7…로 줄어들 때,
■는 [   ]

23 관계식 ■ =▲×3

규칙 ▲가 1, 2, 3, 4…로 늘어날 때,
■는 [   ]

24 관계식 ■ =▲×10

규칙 ▲가 1, 2, 3, 4…로 늘어날 때,
■는 [   ]

25 관계식 ■ =▲÷2

규칙 ▲가 30, 29, 28, 27…로 줄어들 때,
■는 [   ]

(26~30) 표를 보고 ■와 ▲ 사이의 대응 관계를 식으로 나타내세요.

26

■	1	2	3	4	…
▲	3	6	9	12	…

→ _____

27

■	오후 2시	오후 3시	오후 4시	오후 5시	…
▲	오후 1시	오후 2시	오후 3시	오후 4시	…

→ _____

28

■	10	11	12	13	…
▲	17	18	19	20	…

→ _____

29

■	…	2	3	4	5	…
▲	…	16	24	32	40	…

→ _____

30

■	…	20	19	18	17	…
▲	…	16	15	14	13	…

→ _____

서술형 풀어보기

구조화 해서 풀어보아요

31 20 g의 추를 1개 매달면 용수철은 2 cm 늘어난다고 합니다. 용수철의 늘어난 길이를 $\triangle$, 매단 추의 개수를 $\blacksquare$로 놓고 식을 써봅시다.

풀이과정

(1) 식으로 나타내면 $\triangle = \blacksquare \times \boxed{}$ 입니다.

(2) 용수철을 9개 달았을 때, 늘어난 용수철은 $\boxed{}$ cm입니다.

추(개)	1	2	3	…
용수철 길이(cm)	2			…

(32~35) 풀이과정을 쓰고 답을 구하세요.

32 한 시간에 100km를 이동하는 기차가 7시간을 이동할 때, 시간을 $\blacksquare$, 거리를 $\triangle$로 놓고 $\blacksquare$와 $\triangle$ 사이의 대응 관계를 식으로 나타내세요. 그리고 기차의 이동 거리를 구해보세요.

답 _____

33 자동차 공장에서 똑같이 생긴 자동차 30대를 생산 중입니다. 자동차에는 바퀴가 4개 달려 있습니다. 자동차의 수를 $\blacksquare$, 바퀴 수를 $\triangle$로 놓고 $\blacksquare$와 $\triangle$ 사이의 대응 관계를 식으로 나타내고 바퀴 수를 쓰세요.

답 _____

34 어느 식당에서 식탁 하나에 의자를 5개씩 배치하기로 했습니다. 식탁의 개수를 $\blacksquare$로, 의자의 개수를 $\triangle$로 놓고 $\blacksquare$와 $\triangle$ 사이의 대응 관계를 식으로 나타내세요. 그리고 의자 90개를 배치할 때 필요한 식탁의 개수를 쓰세요.

답 _____

35 한국이 오후 3시일 때, 스위스 제네바는 오전 8시입니다. 한국을 $\blacksquare$시로, 제네바를 $\triangle$시로 놓고 $\blacksquare$와 $\triangle$ 사이의 대응 관계를 식으로 나타내보고 제네바가 오후 3시일 때 한국은 몇 시인지 구하세요.

답 _____

연마 Check 칭찬이나 노력할 점을 써 주세요.

맞힌 개수	지도 의견		확인란
개	나의 생각		

● 성냥개비로 정사각형 만들기

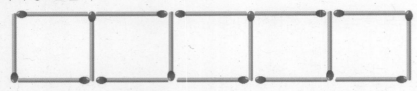

정사각형과 성냥개비의 수 사이의 대응 관계를 표로 나타내면

정사각형의 수	1	2	3	4	5
성냥개비의 수	4	7	10	13	16

정사각형의 수를 ■ , 성냥개비의 수를 ▲라 할 때, ■ 와 ▲의 대응 관계를 식으로 나타내면

→ ▲=1+■ ×3

⧗ [01~03] 성냥개비로 삼각형을 만들었습니다. 물음에 답하세요.

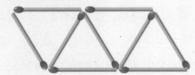

01 표를 채워보세요.

삼각형의 수	1	2	3	4	5
성냥개비의 수	3	5	7		

02 삼각형의 수를 ■ , 성냥개비의 수를 ▲라 할 때, ■ 와 ▲의 대응 관계를 식으로 나타내면 ▲=■ ×☐ +☐ 입니다.

03 삼각형 13개를 만들었을 때 필요한 성냥개비의 개수는 ☐ 개입니다.

⧗ [04~06] 직사각형의 넓이는 (가로 길이) × (세로 길이)를 하면 구할 수 있습니다.

가로

세로   (직사각형의 넓이)
        =(가로)×(세로)

가로의 길이를 ■ , 세로의 길이를 ▲라 할 때 넓이가 30인 직사각형을 그리려고 합니다.

04 빈칸을 채우세요.

가로	세로	넓이
1		30
2		30
3		30
4		30
5		30
⋮		⋮

05 ■ 와 ▲의 대응 관계를 식으로 나타내면 ▲×■ =☐ → ▲=☐ ÷■ 입니다.

06 가로가 10일 때, 세로의 길이는 ☐ 입니다.

(07~11) 물음에 답하세요.

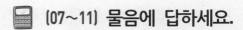

<색테이프>

07 색 테이프를 한 번 자르면 ☐ 도막이 됩니다.

08 색 테이프를 두 번 자르면 ☐ 도막이 됩니다.

09 색 테이프를 세 번 자르면 ☐ 도막이 됩니다.

10 색 테이프를 자른 횟수를 ■, 잘라진 색 테이프의 도막 수를 ▲라 할 때, ■와 ▲의 대응 관계를 식으로 나타내보세요.

(1) 표 만들기

자른 횟수	1	2	3	4	5	…
도막 수	2					…

(2) 식으로 나타내면

■ = ▲ - ☐ 또는 ▲ = ■ + ☐ 입니다.

11 색 테이프가 9도막이 되려면 ☐ 번 잘라야 합니다.

(12~16) 성냥개비 1개로 한 변을 이루는 정사각형을 이어서 만들었습니다.

12 정사각형은 모두 ☐ 개입니다.

13 정사각형을 만든 성냥개비의 개수는 모두 몇 개인지 표를 완성하세요.

정사각형 개수	1	2	3	4	5	6
성냥개비 개수	4					19

14 정사각형의 수를 ■, 필요한 성냥개비의 수를 ▲라 할 때, ■와 ▲의 대응 관계를 식으로 나타내면

▲ = ■ × ☐ + ☐ 입니다.

15 정사각형의 수가 12개일 때, 필요한 성냥개비 수는 ☐ 개입니다.

16 성냥개비의 수가 28개일 때, 만들 수 있는 정사각형의 수는 ☐ 개입니다.

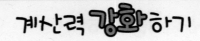

(17~20) 제일 작은 정삼각형의 한 변은 1입니다. 두 번째 정삼각형은 한 변이 2입니다. 세 번째 정삼각형은 한 변이 3입니다. 물음에 답하세요.

17 빈칸을 채워보세요.

정삼각형 순서	1	2	3	4	5	⋯
세 변의 길이	3	6	9			⋯

18 정삼각형의 순서를 ■, 세 변의 길이를 ▲라 할 때, ■와 ▲의 대응 관계를 식으로 나타내면 ▲=■× ☐ 입니다.

19 8번째 정삼각형의 세 변의 길이는 ☐ 입니다.

20 세 변의 길이가 108인 정삼각형은 ☐ 번째 정삼각형입니다.

(21~25) 정사각형의 둘레는 〈한 변×4〉입니다. 표의 빈칸을 채우고 물음에 답하세요.

21

정사각형의 한 변의 길이	1	2	3	4	5	⋯
정사각형의 둘레의 길이	4	8	12			⋯

22 정사각형의 한 변의 길이를 ■, 정사각형의 둘레의 길이를 ▲라 할 때, ■와 ▲의 대응 관계를 식으로 나타내면 ▲=■× ☐ 입니다.

23 둘레가 100인 정사각형의 한 변의 길이는 ☐ 입니다.

24 정사각형의 한 변의 길이가 13일 때, 정사각형의 둘레의 길이는 ▲= ☐ × ☐ 이므로 ☐ 입니다.

25 정사각형의 한 변의 길이가 27일 때, 정사각형의 둘레의 길이는 ☐ 입니다.

서술형 풀어보기

26 그림과 같이 동그라미의 개수가 어떤 규칙을 가지고 늘어난다고 할 때, 7번째의 동그라미 개수는 몇 개일까요?

[순서 ①]　　　[순서 ②]　　　[순서 ③]　　…

풀이과정

(1) 순서를 ■, 동그라미의 개수를 ▲라 할 때, ■와 ▲의 관계를 식으로 나타내면
▲ = ■ × ☐ + ☐ 입니다.

(2) 7번째의 동그라미 개수는 ☐ × ☐ + ☐ 이므로 ☐ 개입니다.

(27~29) 풀이과정을 쓰고 답을 구하세요.

27 달걀을 한 줄에 6개씩 넣을 때 줄의 수를 ■, 달걀의 수를 ▲라 하면 ■와 ▲의 대응 관계를 식으로 나타내세요.

답 _____

28 처음 길이가 11 cm인 식물이 하루에 2 cm씩 자라났다고 합니다. 이 식물의 길이를 ▲, 자라나는 날 수를 ■라 할 때, ■와 ▲의 대응 관계를 식으로 나타내세요. 그리고 식물의 길이가 29 cm가 되는 때는 며칠 동안 자라난 것일까요?

답 _____

29 그림과 같이 한 변의 길이가 5cm인 정사각형을 겹치지 않게 이어 붙였습니다.

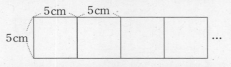

(1) 6개까지 이어 붙일 때, 만들어지는 도형의 가로 길이를 표로 나타냈습니다. 표를 채워보세요.

정사각형 개수	1	2	3	4	5	6
가로의 길이	5	10				

(2) 정사각형의 개수를 ■, 만들어진 도형의 가로의 길이를 ▲라 할 때, ■와 ▲의 관계를 식으로 나타내세요.

답 _____

(3) 정사각형을 19개까지 이어 붙이면 만들어진 도형의 가로의 길이는 ☐ cm입니다.

연마 Check 칭찬이나 노력할 점을 써 주세요.

맞힌 개수		지도 의견		확인란
	개	나의 생각		

약분

● 크기가 같은 분수 만들기

분모와 분자에 0이 아닌 같은 수를 곱합니다.

→ $\dfrac{1}{2} = \dfrac{1 \times 2}{2 \times 2} = \dfrac{1 \times 3}{2 \times 3}$

● 약분

분모와 분자를 그들의 공약수로 나누어 간단히 하는 것

→ $\dfrac{3}{6} = \dfrac{3 \div 3}{6 \div 3} = \dfrac{1}{2}$

분모와 분자의 공약수가 1뿐인 분수를 <u>기약분수</u>라 합니다.

더 이상 약분되지 않는 분수

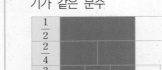

핵심포인트

· 크기가 같은 분수란?

$\dfrac{1}{2} = \dfrac{2}{4} = \dfrac{3}{6}$ 처럼 색칠한 부분의 크기가 같은 분수

$\frac{1}{2}$			
$\frac{2}{4}$			
$\frac{3}{6}$			

⏳ **(01~15) 빈칸에 알맞은 수를 써넣어 크기가 같은 분수를 만들어 보세요.**

01 $\dfrac{1 \times \boxed{}}{3 \times \boxed{}} = \dfrac{\boxed{}}{9}$

06 $\dfrac{8}{9} = \dfrac{16 \div \boxed{}}{18 \div \boxed{}}$

11 $\dfrac{13}{14} = \dfrac{26}{14 \times \boxed{}}$

02 $\dfrac{1 \times \boxed{}}{4 \times \boxed{}} = \dfrac{\boxed{}}{8}$

07 $\dfrac{2}{7} = \dfrac{2 \times \boxed{}}{28}$

12 $\dfrac{5}{7} = \dfrac{10}{7 \times \boxed{}}$

03 $\dfrac{2 \times \boxed{}}{10 \times \boxed{}} = \dfrac{20}{\boxed{}}$

08 $\dfrac{5}{6} = \dfrac{5 \times \boxed{}}{12}$

13 $2\dfrac{3}{5} = 2\dfrac{12}{5 \times \boxed{}}$

04 $\dfrac{1 \times \boxed{}}{3 \times \boxed{}} = \dfrac{\boxed{}}{21}$

09 $\dfrac{10}{11} = \dfrac{10 \times \boxed{}}{77}$

14 $\dfrac{3}{8} = \dfrac{3 \times \boxed{}}{64}$

05 $\dfrac{\boxed{} \div \boxed{}}{25 \div \boxed{}} = \dfrac{4}{5}$

10 $\dfrac{3}{14} = \dfrac{9}{14 \times \boxed{}}$

15 $\dfrac{5}{9} = \dfrac{5 \times \boxed{}}{81}$

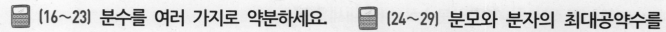

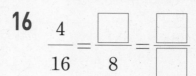 (16~23) 분수를 여러 가지로 약분하세요.

16 $\dfrac{4}{16} = \dfrac{\square}{8} = \dfrac{\square}{\square}$

17 $\dfrac{12}{84} = \dfrac{\square}{42} = \dfrac{\square}{21} = \dfrac{\square}{\square}$

18 $\dfrac{9}{27} = \dfrac{\square}{9} = \dfrac{\square}{\square}$

19 $\dfrac{12}{20} = \dfrac{\square}{10} = \dfrac{\square}{\square}$

20 $\dfrac{12}{36} = \dfrac{\square}{18} = \dfrac{\square}{9} = \dfrac{\square}{\square}$

21 $\dfrac{14}{98} = \dfrac{\square}{49} = \dfrac{\square}{\square}$

22 $\dfrac{12}{124} = \dfrac{6}{\square} = \dfrac{\square}{\square}$

23 $\dfrac{42}{72} = \dfrac{\square}{36} = \dfrac{\square}{\square}$

(24~29) 분모와 분자의 최대공약수를 구하고 기약분수로 나타내세요.

24 $\dfrac{27}{54}$

| 최대공약수: $\square$ |
| 기약분수: $\square$ |

25 $\dfrac{34}{102}$

| 최대공약수: $\square$ |
| 기약분수: $\square$ |

26 $\dfrac{36}{56}$

| 최대공약수: $\square$ |
| 기약분수: $\square$ |

27 $\dfrac{21}{66}$

| 최대공약수: $\square$ |
| 기약분수: $\square$ |

28 $\dfrac{32}{36}$

| 최대공약수: $\square$ |
| 기약분수: $\square$ |

29 $\dfrac{12}{124}$

| 최대공약수: $\square$ |
| 기약분수: $\square$ |

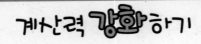
(30~59) 약분하여 기약분수로 나타내세요.

30 $\dfrac{6}{8} = \dfrac{6 \div \boxed{}}{8 \div 2}$

40 $\dfrac{17}{85}$

50 $\dfrac{6}{38}$

31 $\dfrac{12}{24}$

41 $\dfrac{8}{20}$

51 $\dfrac{15}{30}$

32 $\dfrac{24}{64}$

42 $\dfrac{12}{16}$

52 $\dfrac{14}{16}$

33 $\dfrac{18}{72}$

43 $\dfrac{36}{48}$

53 $\dfrac{55}{150}$

34 $\dfrac{10}{12}$

44 $\dfrac{80}{100}$

54 $\dfrac{8}{88}$

35 $\dfrac{12}{42}$

45 $\dfrac{14}{36}$

55 $\dfrac{32}{42}$

36 $\dfrac{22}{44}$

46 $\dfrac{56}{108}$

56 $\dfrac{27}{36}$

37 $\dfrac{16}{28}$

47 $\dfrac{81}{111}$

57 $\dfrac{40}{64}$

38 $\dfrac{13}{39}$

48 $\dfrac{12}{72}$

58 $\dfrac{25}{105}$

39 $\dfrac{35}{50}$

49 $\dfrac{24}{82}$

59 $\dfrac{66}{120}$

서술형 풀어보기

구조화 해서 풀어보아요

60 여러 색의 단추가 120개 있습니다. 그 가운데 파란 단추는 32개라고 합니다. 파란 단추는 전체 단추의 몇 분의 몇인지 기약분수로 나타내보세요.

(풀이과정)

(1) 32와 120의 최대공약수는 ☐ 입니다.

(2) 최대공약수 ☐ 로 분모와 분자를 나누면 $\dfrac{\square}{\square}$ 입니다.

$$\dfrac{\text{파란 단추}}{\text{전체 단추}} = \dfrac{\square}{\square}$$

(3) 그러므로 $\dfrac{\square}{\square}$ 의 기약분수는 $\dfrac{\square}{\square}$ 입니다.

💡 **(61~64) 풀이과정을 쓰고 답을 구하세요.**

61 민아는 50분 동안 수학 문제를 풀었습니다. 민아가 수학 문제를 푼 50분을 시간으로 나타내보세요. (단, 기약분수로 나타냅니다.)

풀이

_____

답 _____ 시간

62 $\dfrac{1}{14}$, $\dfrac{2}{14}$, $\dfrac{3}{14}$, ..., $\dfrac{13}{14}$ 까지 기약분수는 모두 몇 개입니까?

풀이

_____

답 _____ 개

63 $\dfrac{13}{16}$ 보다 작은 분수 중에서 분모가 16이면서 기약분수인 것은 모두 몇 개입니까?

풀이

_____

답 _____ 개

64 분모가 81인 진분수 중에서 약분하여 기약분수 $\dfrac{7}{9}$ 이 되는 분수를 구해보세요.

풀이

_____

답 _____

 🖐 **연마 Check** 칭찬이나 노력할 점을 써 주세요.

맞힌 개수	지도 의견		확인란
개	나의 생각		

4단계

$\dfrac{1}{2}$과 $\dfrac{2}{3}$를 통분 ➡ 분수의 분모를 같게 해야 하므로

2와 3의 최소공배수인 6을 공통분모로 하여 통분합니다.

$$\dfrac{1\times3}{2\times3}, \dfrac{2\times2}{3\times2} \rightarrow \dfrac{3}{6}, \dfrac{4}{6}$$

핵심 포인트

· 통분: 분수의 분모를 같게 하는 것

· 공통분모: 통분한 분모

· 분모의 최소공배수는 공통분모의 가장 작은 수입니다.

(01~04) 다음 분수를 크기가 같은 분수를 만들어 통분해 보세요.

01 $\dfrac{1}{2}$, $\dfrac{1}{4}$

➡ $\dfrac{1}{2} = \dfrac{2}{4} = \dfrac{\square}{6} = \dfrac{\square}{8} = \dfrac{\square}{10}$

$= \dfrac{\square}{12}$ …

➡ $\dfrac{1}{4} = \dfrac{2}{8} = \dfrac{\square}{12} = \dfrac{\square}{16}$ …

➡ 분모가 같은 것끼리 짝지으면

$\left(\dfrac{2}{4}, \dfrac{1}{4} \right), \left(\dfrac{\square}{8}, \dfrac{\square}{8} \right),$ …

02 $\dfrac{1}{3}$, $\dfrac{3}{4}$

➡ $\dfrac{1}{3} = \dfrac{2}{6} = \dfrac{\square}{9} = \dfrac{\square}{12} = \dfrac{\square}{15}$ …

➡ $\dfrac{3}{4} = \dfrac{6}{8} = \dfrac{\square}{12} = \dfrac{\square}{16}$ …

➡ 분모가 같은 것끼리 짝지으면

$\left(\dfrac{\square}{12}, \dfrac{\square}{12} \right),$ …

03 $\dfrac{2}{3}$, $\dfrac{1}{6}$

➡ $\dfrac{2}{3} = \dfrac{4}{6} = \dfrac{\square}{9} = \dfrac{\square}{12} = \dfrac{\square}{15}$ …

➡ $\dfrac{1}{6} = \dfrac{\square}{12} = \dfrac{3}{\square} = \dfrac{4}{24}$ …

➡ 분모가 같은 것끼리 짝지으면

$\left(\dfrac{\square}{6}, \dfrac{1}{6} \right), \left(\dfrac{\square}{12}, \dfrac{\square}{12} \right),$ …

04 $\dfrac{2}{5}$, $\dfrac{3}{10}$

➡ $\dfrac{2}{5} = \dfrac{\square}{10} = \dfrac{\square}{15} = \dfrac{\square}{20} = \dfrac{\square}{25}$ …

➡ $\dfrac{3}{10} = \dfrac{\square}{20} = \dfrac{\square}{30} = \dfrac{\square}{40}$ …

➡ 분모가 같은 것끼리 짝지으면

$\left(\dfrac{\square}{10}, \dfrac{3}{10} \right), \left(\dfrac{\square}{20}, \dfrac{\square}{20} \right),$ …

정확하게 풀어보아요

(05~13) 분모의 곱을 공통분모로 하여 통분하세요.

05 $\dfrac{1}{5}$, $\dfrac{1}{7}$

→ $\dfrac{1\times\boxed{}}{5\times7}=\dfrac{1\times\boxed{}}{7\times5}$ → $\dfrac{\boxed{}}{35}$, $\dfrac{\boxed{}}{35}$

06 $\dfrac{1}{2}$, $\dfrac{5}{12}$

→ $\dfrac{1\times\boxed{}}{2\times12}=\dfrac{5\times\boxed{}}{12\times2}$ → $\dfrac{\boxed{}}{24}$, $\dfrac{\boxed{}}{24}$

07 $\dfrac{3}{8}$, $\dfrac{2}{5}$

08 $\dfrac{1}{3}$, $\dfrac{5}{14}$

09 $\dfrac{3}{11}$, $\dfrac{2}{3}$

10 $\dfrac{2}{5}$, $\dfrac{5}{6}$

11 $\dfrac{7}{10}$, $\dfrac{2}{15}$

12 $\dfrac{3}{8}$, $\dfrac{5}{9}$

13 $\dfrac{3}{10}$, $\dfrac{7}{8}$

(14~23) 분모의 최소공배수를 공통분모로 하여 통분하세요.

14 $\dfrac{5}{6}$, $\dfrac{7}{12}$

6과 12의 최소공배수=12

→ $\dfrac{\boxed{}}{12}$, $\dfrac{\boxed{}}{12}$

15 $\dfrac{4}{9}$, $\dfrac{7}{18}$

16 $\dfrac{17}{32}$, $\dfrac{1}{4}$

17 $\dfrac{3}{17}$, $\dfrac{1}{34}$

18 $\dfrac{7}{75}$, $\dfrac{9}{25}$

19 $\dfrac{9}{13}$, $\dfrac{5}{52}$

20 $\dfrac{3}{4}$, $\dfrac{3}{100}$

21 $\dfrac{1}{12}$, $\dfrac{3}{15}$

22 $\dfrac{5}{14}$, $\dfrac{5}{21}$

23 $\dfrac{5}{16}$, $\dfrac{7}{20}$

구조화 하기

구조화 하기를 연습하면 서술형도 쉽게 풀어요

(24~33) 두 분수의 최소공배수를 공통분모로 하여 통분하세요.

24

$\dfrac{1}{2}, \dfrac{3}{8}$	분모의 최소공배수	통분

25

$\dfrac{3}{4}, \dfrac{1}{6}$	분모의 최소공배수	통분

26

$\dfrac{1}{50}, \dfrac{1}{75}$	분모의 최소공배수	통분

27

$1\dfrac{3}{4}, 2\dfrac{1}{7}$	분모의 최소공배수	통분

28

$3\dfrac{1}{2}, 1\dfrac{3}{5}$	분모의 최소공배수	통분

29

$2\dfrac{5}{14}, 3\dfrac{1}{21}$	분모의 최소공배수	통분

30

$1\dfrac{2}{15}, 4\dfrac{1}{3}$	분모의 최소공배수	통분

31

$1\dfrac{5}{6}, \dfrac{2}{7}$	분모의 최소공배수	통분

32

$1\dfrac{7}{20}, 3\dfrac{1}{15}$	분모의 최소공배수	통분

33

$2\dfrac{5}{9}, 3\dfrac{5}{12}$	분모의 최소공배수	통분

서술형 풀어보기

구조화 해서 풀어보아요

34 둥근 케이크를 같은 크기의 12조각으로 나눴습니다. 민아가 전체 케이크의 $\frac{1}{3}$을 먹었다면, 민아가 먹은 케이크의 조각 수는 모두 몇 개입니까?

풀이과정

(1) 민아가 먹은 케이크 전체의 $\frac{1}{3}$은 $\frac{\square}{12}$로 나타낼 수 있습니다.

$\dfrac{1\times\square}{3\times\square}=\dfrac{\square}{12}$

(2) 그러므로 민아는 12조각의 케이크 중에 $\square$조각을 먹었습니다.

💡 **(35~36) 풀이과정을 쓰고 답을 구하세요.**

35 아침으로 비엔나소시지 반찬이 나왔습니다. 비엔나소시지는 모두 16개였습니다. 내가 16개 중에 $\frac{1}{4}$을 먹고, 동생은 16개 중에 $\frac{3}{8}$을 먹었습니다. 내가 먹은 소시지의 개수와 동생이 먹은 소시지의 개수는 각각 몇 개인가요?

풀이 _____

_____

답 _____

36 어떤 두 분수를 통분하였더니 $\frac{25}{60}$, $\frac{8}{60}$이 되었다고 합니다. 빈칸을 채워 어떤 두 분수의 기약분수를 구해보세요.

어떤 두 분수의 기약분수: $\dfrac{5}{\square}$, $\dfrac{2}{\square}$

(1) $\dfrac{5}{\square}$에서 통분 전의 기약분수의 분자 5가 통분 후 $\square$가 되었으므로 60을 $\square$로 나누면 기약분수의 분모는 $\square$입니다.

(2) $\dfrac{2}{\square}$에서 통분 전의 기약분수의 분자 2가 통분 후 $\square$이 되었으므로 60을 $\square$로 나눈 $\square$가 통분 전의 분모입니다.

👆 **연마 Check** 칭찬이나 노력할 점을 써 주세요.

맞힌 개수	지도 의견		확인란
개	나의 생각		

16 일차 분수의 크기 비교

월 일

● 분모가 다른 두 분수의 크기 비교

방법① 분모를 통분하면 분자의 크기에 따라 분수의 크기를 비교할 수 있습니다.

$\frac{1}{2}$과 $\frac{2}{3}$의 크기 비교

→ 통분하면 $\frac{3}{6}$, $\frac{4}{6}$

→ 분자가 더 큰 쪽이 큰 분수이므로

$\frac{1}{2} < \frac{2}{3}$

방법② 분자를 같게 만들어 분수의 크기를 비교

$\frac{2}{5}$와 $\frac{3}{7}$의 크기 비교

→ 분자를 같게 만들면 $\frac{2\times3}{5\times3}=\frac{6}{15}$, $\frac{3\times2}{7\times2}=\frac{6}{14}$

→ 분자가 같을 땐, 분모가 작을수록 큰 분수이므로

$\frac{6}{15} < \frac{6}{14}$, 그러므로 $\frac{2}{5} < \frac{3}{7}$

※ 분모가 분자보다 1 큰 분수는 분모가 클수록 큰 분수입니다.

(01~10) 분모를 통분하여 두 분수의 크기를 비교해 보세요.

01 $\frac{5}{12}$ ◯ $\frac{11}{21}$ → 분모 통분:

02 $\frac{4}{11}$ ◯ $\frac{1}{3}$ → 분모 통분:

03 $\frac{19}{30}$ ◯ $\frac{7}{10}$ → 분모 통분:

04 $\frac{5}{6}$ ◯ $\frac{3}{4}$ → 분모 통분:

05 $1\frac{5}{7}$ ◯ $1\frac{1}{5}$ → 분모 통분:

06 $2\frac{2}{3}$ ◯ $2\frac{3}{5}$ → 분모 통분:

07 $1\frac{7}{12}$ ◯ $1\frac{17}{24}$ → 분모 통분:

08 $2\frac{5}{10}$ ◯ $2\frac{3}{7}$ → 분모 통분:

09 $\frac{9}{21}$ ◯ $\frac{1}{3}$ → 분모 통분:

10 $2\frac{3}{12}$ ◯ $2\frac{5}{14}$ → 분모 통분:

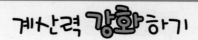

(11~19) 분수의 크기를 비교해 보세요.

11 $\dfrac{2}{3}$ $\bigcirc$ $\dfrac{4}{5}$

12 $\dfrac{6}{7}$ $\bigcirc$ $\dfrac{7}{8}$

13 $\dfrac{10}{11}$ $\bigcirc$ $\dfrac{12}{13}$

14 $\dfrac{14}{15}$ $\bigcirc$ $\dfrac{11}{12}$

15 $\dfrac{22}{23}$ $\bigcirc$ $\dfrac{20}{21}$

16 $\dfrac{42}{43}$ $\bigcirc$ $\dfrac{46}{47}$

17 $\dfrac{82}{83}$ $\bigcirc$ $\dfrac{16}{17}$

18 $\dfrac{19}{20}$ $\bigcirc$ $\dfrac{39}{40}$

19 $\dfrac{106}{107}$ $\bigcirc$ $\dfrac{99}{100}$

(20~24) 다음 조건에 맞는 분수를 구해 보세요.

20 $\dfrac{2}{3}$ 와 $\dfrac{11}{12}$ 사이에 있는 분수 중에 분모가 12인 분수

→

21 $\dfrac{2}{5}$ 와 $\dfrac{4}{7}$ 사이에 있는 분수 중에 분모가 35인 분수

→

22 $\dfrac{2}{7}$ 와 $\dfrac{2}{3}$ 사이에 있는 분수 중에 분모가 21인 기약분수

→

23 $\dfrac{3}{11}$ 보다 크고 $\dfrac{1}{2}$ 보다 작은 분수 중에 분모가 22인 기약분수

→

24 $\dfrac{3}{7}$ 보다 크고 $\dfrac{13}{14}$ 보다 작은 분수 중에 분모가 14인 기약분수

→

구조화 하기

구조화 하기를 연습하면 서술형도 쉽게 풀어요

(25~34) 분수의 크기를 빠르게 비교할 수 있는 방법을 [보기]에서 찾아 번호를 고르고, 크기를 비교하세요.

| 보기 |

① 분모의 최소공배수로 통분하여 분자의 크기를 비교 ➡ 분자가 클수록 큰 분수

② '분자＋1＝분모'인 두 분수 비교에서, 분모가 클수록 큰 분수

③ 분자가 같을 땐, 분모가 작을수록 큰 분수

25

크기 비교	보기
$\dfrac{3}{4}$ ◯ $\dfrac{6}{7}$	

26

크기 비교	보기
$\dfrac{11}{14}$ ◯ $\dfrac{11}{17}$	

27

크기 비교	보기
$\dfrac{3}{16}$ ◯ $\dfrac{1}{4}$	

28

크기 비교	보기
$\dfrac{11}{25}$ ◯ $\dfrac{13}{100}$	

29

크기 비교	보기
$\dfrac{7}{9}$ ◯ $\dfrac{16}{27}$	

30

크기 비교	보기
$\dfrac{4}{5}$ ◯ $\dfrac{7}{8}$	

31

크기 비교	보기
$\dfrac{11}{42}$ ◯ $\dfrac{4}{7}$	

32

크기 비교	보기
$\dfrac{33}{87}$ ◯ $\dfrac{33}{112}$	

33

크기 비교	보기
$\dfrac{5}{12}$ ◯ $\dfrac{5}{11}$	

34

크기 비교	보기
$2\dfrac{2}{7}$ ◯ $2\dfrac{5}{6}$	

서술형 풀어보기

구조화 해서 풀어보아요

35 수아네 집에서 민아 집까지는 $\frac{2}{5}$ km입니다. 수아네 집에서 도헌이 집까진 $\frac{4}{11}$ km입니다. 수아네 집에서 더 가까운 집은 어디일까요?

풀이과정

(1) 통분한 두 분수는 ☐ , ☐ 입니다.

(2) $\frac{2}{5}$ ◯ $\frac{4}{11}$ 이므로 수아네 집에선

☐ 네 집이 더 가깝습니다.

• $\frac{2}{5}$ 와 $\frac{4}{11}$ 의 크기 비교

→ 분모를 통분하여 두 분수의 크기를 비교합니다.

$$\frac{2 \times \square}{5 \times \square} = \frac{\square}{\square}, \quad \frac{4 \times \square}{11 \times \square} = \frac{\square}{\square}$$

💡 **(36~37) 풀이과정을 쓰고 답을 구하세요.**

36 두 친구가 분수가 적힌 카드를 가지고 여행을 하던 중, 스핑크스의 앞을 지나게 되었습니다. 스핑크스는 두 친구 중, 더 큰 분수를 가진 친구만 지나가게 해주겠다고 합니다. 두 친구 중에 스핑크스 앞을 지나갈 수 있는 친구는 누구일까요?

$$\boxed{\frac{6}{7}} \qquad \boxed{\frac{9}{14}}$$

[도희의 카드] [민재의 카드]

37 엄마가 두부 1모와 돼지고기 1근을 사오라고 시켜서 형과 심부름을 다녀오기로 했습니다. 그런데 두부 가게와 정육점은 집을 기준으로 반대 방향에 있어서 형과 나는 따로따로 한 군데씩 다녀오기로 했습니다. 나는 더 짧은 거리에 있는 가게로 심부름을 가고 싶습니다. 어디로 가면 좋을까요?

〈집〉
$\frac{7}{10}$ km $\frac{11}{25}$ km
정육점   두부 가게

풀이 _____

답 _____

풀이 _____

답 _____

 **연마 Check** 칭찬이나 노력할 점을 써 주세요.

맞힌 개수	지도 의견		확인란
개	나의 생각		

$\dfrac{2}{3}$, $\dfrac{3}{4}$, $\dfrac{5}{6}$ 의 크기 비교

방법① 두 개씩 묶어 비교

㉮ $\dfrac{2}{3}$, $\dfrac{3}{4}$ → $\dfrac{8}{12}$, $\dfrac{9}{12}$ → $\dfrac{2}{3} < \dfrac{3}{4}$

㉯ $\dfrac{3}{4}$, $\dfrac{5}{6}$ → $\dfrac{9}{12}$, $\dfrac{10}{12}$ → $\dfrac{3}{4} < \dfrac{5}{6}$

㉮와 ㉯를 통해 $\dfrac{2}{3} < \dfrac{3}{4} < \dfrac{5}{6}$ 임을 알 수 있습니다.

방법② 세 분수의 분모의 최소공배수로 한 번에 통분하고, 한 번에 비교하기

$\dfrac{2 \times 4}{3 \times 4}$, $\dfrac{3 \times 3}{4 \times 3}$, $\dfrac{5 \times 2}{6 \times 2}$ → $\dfrac{8}{12}$, $\dfrac{9}{12}$, $\dfrac{10}{12}$ 그러므로 $\dfrac{2}{3} < \dfrac{3}{4} < \dfrac{5}{6}$

핵심 포인트

· 3, 4, 6의 최소공배수 구하기

```
2 ) 3   4   6
3 ) 3   2   3
    1   2   1
```

→ 2×3×2=12 그러므로 3, 4, 6의 최소공배수는 12입니다.

(01~03) 세 수의 최소공배수를 구해보세요.

01

```
□ ) 18   12   24
□ ) □    □    □
□ ) □    □    □
    □    □    □
```

→ □ × □ × □ × □ × □ = □

02

```
□ ) 10   15   25
    □    □    □
```

→ □ × □ × □ × □ = □

03

```
□ ) 14   7   28
□ ) □    □   □
    □    □   □
```

→ □ × □ × □ = □

(04~07) 방법② 로 세 분수를 크기가 작은 순서부터 쓰세요.

04 $\dfrac{1}{3}$, $\dfrac{1}{6}$, $\dfrac{5}{12}$ →

분모의 최소공배수: □

05 $\dfrac{1}{4}$, $\dfrac{3}{24}$, $\dfrac{5}{16}$ →

분모의 최소공배수: □

06 $\dfrac{3}{8}$, $\dfrac{1}{4}$, $\dfrac{5}{12}$ →

분모의 최소공배수: □

07 $\dfrac{3}{4}$, $\dfrac{7}{16}$, $\dfrac{5}{12}$ →

분모의 최소공배수: □

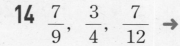

(08~19) 다음 세 분수의 분모를 최소공배수로 통분하여 크기가 큰 순서부터 써 보세요.

08 $\dfrac{3}{16}$, $\dfrac{1}{8}$, $\dfrac{3}{4}$ →

분모의 최소공배수: ☐

14 $\dfrac{7}{9}$, $\dfrac{3}{4}$, $\dfrac{7}{12}$ →

분모의 최소공배수: ☐

09 $\dfrac{7}{8}$, $\dfrac{5}{6}$, $\dfrac{7}{12}$ →

분모의 최소공배수: ☐

15 $\dfrac{13}{18}$, $\dfrac{5}{9}$, $\dfrac{11}{15}$ →

분모의 최소공배수: ☐

10 $\dfrac{5}{12}$, $\dfrac{7}{20}$, $\dfrac{1}{4}$ →

분모의 최소공배수: ☐

16 $1\dfrac{2}{3}$, $1\dfrac{5}{12}$, $1\dfrac{13}{16}$ →

분모의 최소공배수: ☐

11 $\dfrac{2}{3}$, $\dfrac{1}{6}$, $\dfrac{5}{12}$ →

분모의 최소공배수: ☐

17 $2\dfrac{1}{4}$, $2\dfrac{7}{10}$, $2\dfrac{2}{5}$ →

분모의 최소공배수: ☐

12 $\dfrac{5}{8}$, $\dfrac{3}{20}$, $\dfrac{7}{10}$ →

분모의 최소공배수: ☐

18 $3\dfrac{3}{5}$, $3\dfrac{1}{6}$, $3\dfrac{7}{10}$ →

분모의 최소공배수: ☐

13 $\dfrac{5}{7}$, $\dfrac{6}{21}$, $\dfrac{9}{14}$ →

분모의 최소공배수: ☐

19 $2\dfrac{7}{20}$, $2\dfrac{3}{10}$, $2\dfrac{2}{5}$ →

분모의 최소공배수: ☐

(20~27) 빈칸을 채우세요.

20 → $\dfrac{10}{13}$, $\dfrac{19}{26}$, $\dfrac{3}{4}$

분모의 최소공배수	통분	가장 큰 수

24 → $\dfrac{5}{9}$, $\dfrac{5}{8}$, $\dfrac{7}{12}$

분모의 최소공배수	통분	가장 큰 수

21 → $\dfrac{9}{14}$, $\dfrac{5}{7}$, $\dfrac{5}{8}$

분모의 최소공배수	통분	가장 큰 수

25 → $\dfrac{3}{8}$, $\dfrac{11}{28}$, $\dfrac{5}{7}$

분모의 최소공배수	통분	가장 큰 수

22 → $\dfrac{5}{6}$, $\dfrac{7}{9}$, $\dfrac{5}{8}$

분모의 최소공배수	통분	가장 큰 수

26 → $1\dfrac{3}{8}$, $1\dfrac{5}{12}$, $1\dfrac{7}{20}$

분모의 최소공배수	통분	가장 큰 수

23 → $\dfrac{3}{10}$, $\dfrac{4}{15}$, $\dfrac{1}{3}$

분모의 최소공배수	통분	가장 큰 수

27 → $1\dfrac{1}{2}$, $1\dfrac{11}{36}$, $1\dfrac{5}{9}$

분모의 최소공배수	통분	가장 큰 수

서술형 풀어보기

28 세 친구가 초콜릿을 먹었습니다. 수아는 $\frac{1}{6}$ kg을 먹고 도경이는 $\frac{7}{15}$ kg을 먹었습니다. 우현이가 $\frac{11}{18}$ kg을 먹었다고 할 때 누가 가장 많이 먹었습니까?

풀이과정

(1) 세 분수의 분모를 한 번에 통분하면 ☐ 입니다.
  분모를 통분한 뒤, 분자의 크기를 비교하면 됩니다.

$$\boxed{}) \quad 6 \quad 15 \quad 18$$
$$\boxed{}) \boxed{} \quad \boxed{} \quad \boxed{}$$
$$\boxed{} \quad \boxed{} \quad \boxed{}$$

(2) $\frac{1}{6} = \boxed{}$, $\frac{7}{15} = \boxed{}$, $\frac{11}{18} = \boxed{}$

(3) 그러므로 ☐ 이가 가장 많이 먹었습니다.

$\boxed{} \times \boxed{} \times \boxed{} \times \boxed{} = \boxed{}$

[29~31] 풀이과정을 쓰고 답을 구하세요.

29 학교에서 소풍을 가는데 1반은 학교로 부터 $\frac{3}{7}$ km 떨어진 곳에 갔고, 2반은 $\frac{5}{14}$ km 떨어진 곳으로 갔습니다. 3반은 $\frac{11}{42}$ km 떨어진 곳에 갔다고 할 때, 학교로부터 가장 멀리 소풍을 간 반은 몇 반입니까?

(1) 세 분수의 분모의 최소공배수는 ☐ 입니다.

(2) 통분한 세 분수는 $\boxed{}$, $\boxed{}$, $\boxed{}$ 입니다.

(3) 그러므로 ☐ 반이 가장 멀리 소풍을 갔습니다.

30 $\frac{5}{8}$, $\frac{7}{11}$, $\frac{13}{44}$ 을 수직선 위에 나타내보세요.

0 ───────────────►

풀이 _____

31 $\frac{7}{12}$, $\frac{11}{18}$, $\frac{8}{15}$ 을 수직선 위에 나타내보세요.

0 ───────────────►

풀이 _____

연마 Check 칭찬이나 노력할 점을 써 주세요.

맞힌 개수	지도 의견		확인란
개	나의 생각		

진분수의 덧셈

- 분모가 같은 진분수의 덧셈: 분모를 통분할 필요 없이 분자끼리 덧셈을 하면 됩니다.

$$\frac{1}{3}+\frac{1}{3}=\frac{2}{3}$$

- 분모가 다른 진분수의 덧셈: 분모를 통분한 뒤, 분자끼리 덧셈합니다. 계산 결과를 기약분수로 고칩니다.

$$\frac{2}{5}+\frac{2}{20}=\frac{8}{20}+\frac{2}{20}=\frac{10}{20}=\boxed{}$$ ← 기약분수로 고침

↑ 분모 통분 후 분자끼리 덧셈

핵심 포인트

· 진분수: 분자가 분모보다 작은 분수
(반대: 가분수)

· 분모를 통분 ➡ 분자끼리 덧셈
➡ 기약분수로 고치기

(01~09) 계산을 하세요.

01
$$\frac{1}{3}+\frac{1}{2}=\frac{1\times\boxed{}}{3\times\boxed{}}+\frac{1\times\boxed{}}{2\times\boxed{}}=\frac{2+3}{\boxed{}}$$

02
$$\frac{2}{7}+\frac{3}{14}$$
$$=\frac{2\times\boxed{}}{7\times\boxed{}}+\frac{3}{14}=\frac{4+3}{\boxed{}}=\frac{\boxed{}}{\boxed{}}=\frac{\boxed{}}{\boxed{}}$$

03
$$\frac{1}{6}+\frac{2}{5}=\frac{1\times\boxed{}}{6\times\boxed{}}+\frac{2\times\boxed{}}{5\times\boxed{}}$$
$$=\frac{\boxed{}}{\boxed{}}+\frac{\boxed{}}{\boxed{}}=\frac{\boxed{}}{\boxed{}}$$

04 $\dfrac{1}{3}+\dfrac{1}{6}$

05 $\dfrac{3}{10}+\dfrac{3}{5}$

06 $\dfrac{1}{6}+\dfrac{3}{7}$

07 $\dfrac{3}{11}+\dfrac{1}{2}$

08 $\dfrac{3}{5}+\dfrac{3}{8}$

09 $\dfrac{1}{5}+\dfrac{5}{12}$

정확하게 풀어보아요

(10~23) 계산을 하세요.

10 $\dfrac{2}{3} + \dfrac{2}{13}$

11 $\dfrac{2}{7} + \dfrac{1}{4}$

12 $\dfrac{3}{14} + \dfrac{5}{12}$

13 $\dfrac{2}{11} + \dfrac{1}{4}$

14 $\dfrac{1}{10} + \dfrac{3}{20}$

15 $\dfrac{4}{7} + \dfrac{3}{14}$

16 $\dfrac{1}{9} + \dfrac{7}{12}$

17 $\dfrac{1}{12} + \dfrac{3}{8}$

18 $\dfrac{5}{12} + \dfrac{1}{9}$

19 $\dfrac{3}{28} + \dfrac{5}{14}$

20 $\dfrac{4}{45} + \dfrac{2}{15}$

21 $\dfrac{3}{14} + \dfrac{2}{3}$

22 $\dfrac{3}{7} + \dfrac{3}{8}$

23 $\dfrac{3}{16} + \dfrac{3}{20}$

〔24~33〕 분수를 통분하여 계산한 후, 약분이 필요하면 약분을 하고 필요 없으면 ×표 하세요.

24

$\dfrac{2}{5} + \dfrac{3}{10}$

통분	약분

29

$\dfrac{1}{2} + \dfrac{5}{12}$

통분	약분

25

$\dfrac{1}{6} + \dfrac{1}{4}$

통분	약분

30

$\dfrac{1}{4} + \dfrac{1}{3}$

통분	약분

26

$\dfrac{1}{6} + \dfrac{7}{12}$

통분	약분

31

$\dfrac{3}{25} + \dfrac{2}{5}$

통분	약분

27

$\dfrac{3}{8} + \dfrac{1}{2}$

통분	약분

32

$\dfrac{3}{14} + \dfrac{3}{4}$

통분	약분

28

$\dfrac{1}{3} + \dfrac{1}{15}$

통분	약분

33

$\dfrac{3}{10} + \dfrac{1}{6}$

통분	약분

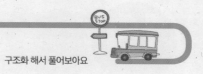

서술형 풀어보기

구조화 해서 풀어보아요

34 민재와 주희가 고구마를 캐러 갔습니다. 민재는 $\frac{2}{15}$ kg을, 주희는 $\frac{4}{9}$ kg을 캤습니다. 민재와 주희가 캔 고구마의 무게는 모두 몇 kg입니까?

풀이과정

(1) 두 분수를 통분하면 ⬜ , ⬜ 입니다.

(2) 계산하면 ⬜ 입니다.

(3) 그러므로 민재와 주희가 캔 고구마는 ⬜ kg입니다.

$$\frac{2}{15} + \frac{4}{9}$$

$$= \boxed{} + \boxed{}$$

$$= \boxed{}$$

💡 (35~38) 풀이과정을 쓰고 답을 구하세요.

35 도헌이의 집에서 약국까지는 $\frac{5}{12}$ km이고, 약국에서 수아네 집까지는 $\frac{3}{14}$ km 라고 합니다. 도헌이가 집에서 약국을 거쳐 수아네 집까지 가려면 얼마나 걷게 될까요?

풀이 _____

답 _____ km

36 빈 병에 $\frac{25}{36}$ L의 탄산수를 넣고, $\frac{2}{9}$ L의 레몬 시럽을 넣어 레모네이드를 만들었습니다. 병에 든 레모네이드 모두 몇 L입니까?

풀이 _____

답 _____ L

37 사육사가 원숭이들에게는 $\frac{5}{18}$ kg의 바나나를, 토끼들에게는 $\frac{7}{45}$ kg의 당근을 주려고 합니다. 사육사가 옮길 바나나와 당근의 무게는 모두 몇 kg일까요?

풀이 _____

답 _____ kg

38 민아는 $\frac{3}{8}$ km를 달린 후에 $\frac{3}{14}$ km는 걸었습니다. 민아의 이동 거리는 모두 몇 km 일까요?

풀이 _____

답 _____ km

연마 Check 칭찬이나 노력할 점을 써 주세요.

맞힌 개수		지도 의견		확인란
	개	나의 생각		

19
일차

받아 올림이 있는 진분수의 덧셈

월 일

진분수끼리 덧셈을 했는데 결과가 가분수가 되면, 가분수를 대분수로 고칩니다.

가분수를 대분수로 고침

$$\to \frac{1}{4} + \frac{5}{6} = \frac{3+10}{12} = \frac{13}{12} = 1\frac{1}{12}$$

진분수

분모 통분 후 분자끼리 덧셈

핵심포인트

· 가분수는 분자 > 분모 인 분수입니다.

· $\frac{11}{5}$ 은 가분수이므로 대분수로 고칠 수 있습니다.

$$\frac{11}{5} = \frac{10+1}{5} = 2 + \frac{1}{5} = 2\frac{1}{5}$$

⏳ (01~07) 대분수로 고치세요.　⏳ (08~19) 계산을 하세요.

01 $\frac{10}{7}$

02 $\frac{7}{4}$

03 $\frac{15}{11}$

04 $\frac{16}{5}$

05 $\frac{17}{6}$

06 $\frac{13}{8}$

07 $\frac{80}{9}$

08 $\frac{2}{3} + \frac{6}{11}$

09 $\frac{3}{4} + \frac{4}{7}$

10 $\frac{7}{12} + \frac{5}{6}$

11 $\frac{7}{9} + \frac{5}{12}$

12 $\frac{5}{14} + \frac{5}{7}$

13 $\frac{7}{10} + \frac{5}{6}$

14 $\frac{3}{4} + \frac{4}{5}$

15 $\frac{5}{14} + \frac{20}{21}$

16 $\frac{11}{13} + \frac{2}{3}$

17 $\frac{8}{9} + \frac{11}{15}$

18 $\frac{11}{20} + \frac{79}{100}$

19 $\frac{11}{32} + \frac{7}{8}$

(20~37) 계산을 하세요.

20 $\dfrac{4}{5} + \dfrac{6}{11}$

21 $\dfrac{8}{9} + \dfrac{7}{8}$

22 $\dfrac{11}{16} + \dfrac{3}{4}$

23 $\dfrac{13}{25} + \dfrac{41}{75}$

24 $\dfrac{3}{10} + \dfrac{5}{7}$

25 $\dfrac{17}{30} + \dfrac{13}{20}$

26 $\dfrac{10}{13} + \dfrac{7}{26}$

27 $\dfrac{7}{18} + \dfrac{11}{15}$

28 $\dfrac{7}{12} + \dfrac{3}{5}$

29 $\dfrac{11}{15} + \dfrac{3}{4}$

30 $\dfrac{9}{11} + \dfrac{5}{9}$

31 $\dfrac{5}{6} + \dfrac{13}{66}$

32 $\dfrac{5}{8} + \dfrac{2}{3}$

33 $\dfrac{17}{45} + \dfrac{13}{18}$

34 $\dfrac{15}{32} + \dfrac{7}{12}$

35 $\dfrac{7}{10} + \dfrac{5}{8}$

36 $\dfrac{13}{16} + \dfrac{11}{48}$

37 $\dfrac{7}{9} + \dfrac{11}{12}$

 사고력 확장

구조화 하기

구조화 하기를 연습하면 서술형도 쉽게 풀어요

 (38~42) 빈칸을 채우세요.

38

$\dfrac{5}{6}+\dfrac{3}{4}$	통분	대분수

39

$\dfrac{7}{22}+\dfrac{9}{11}$	통분	대분수

40

$\dfrac{6}{7}+\dfrac{4}{5}$	통분	대분수

41

$\dfrac{2}{3}+\dfrac{19}{33}$	통분	대분수

42

$\dfrac{45}{81}+\dfrac{10}{18}$	통분	대분수

(43~45) 빈칸에 알맞은 수를 써넣으세요.

43

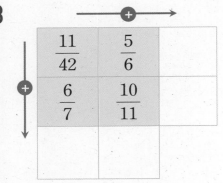

$+$		
$\dfrac{11}{42}$	$\dfrac{5}{6}$	
$\dfrac{6}{7}$	$\dfrac{10}{11}$	

44

$+$		
$\dfrac{13}{32}$	$\dfrac{5}{8}$	
$\dfrac{7}{16}$	$\dfrac{17}{24}$	

45

$+$		
$\dfrac{4}{9}$	$\dfrac{5}{7}$	
$\dfrac{6}{7}$	$\dfrac{11}{28}$	

서술형 풀어보기

46 유리병에 노란색 모래를 $\frac{12}{27}$ g, 파란색 모래를 $\frac{8}{9}$ g 넣었습니다. 유리병에 담긴 모래는 모두 몇 g일까요?

풀이과정

(1) 노란색 모래는 [ ] g입니다.

(2) 파란색 모래는 [ ] g입니다.

(3) 병에 담긴 모래는 [ ] + [ ] = [ ] g입니다.

$\frac{12}{27} + \frac{8}{9}$	통분	대분수

💡 **(47~50) 풀이과정을 쓰고 답을 구하세요.**

47 $\frac{7}{12}$ L의 물에 $\frac{5}{9}$ L의 간장을 넣었습니다. 용액은 모두 몇 L일까요?

풀이 _____

답 _____ L

48 동생이 초콜릿 $\frac{5}{8}$ kg을, 내가 초콜릿 $\frac{7}{12}$ kg을 먹었습니다. 동생과 내가 먹은 초콜릿 양은 몇 kg일까요?

풀이 _____

답 _____ kg

49 수아는 주말 동안 게임을 했습니다. 토요일에 $\frac{9}{13}$ 시간을 하고, 일요일엔 $\frac{24}{39}$ 시간을 했습니다. 수아가 주말 동안 게임을 한 시간은 대분수로 나타내면 몇 시간일까요?

풀이 _____

답 _____ 시간

50 동생과 나는 아침 식사로 시리얼을 먹었습니다. 동생은 $\frac{5}{8}$ kg을, 나는 $\frac{7}{9}$ kg을 먹었습니다. 동생과 내가 먹은 시리얼 양은 대분수로 나타내면 몇 kg일까요?

풀이 _____

답 _____ kg

👆 **연마 Check** 칭찬이나 노력할 점을 써 주세요.

맞힌 개수	지도 의견	
개	나의 생각	확인란

20 일차 대분수의 덧셈

월 일

방법① 분모를 통분한 뒤 자연수는 자연수끼리, 분수는 분수끼리 더하는 방법

$$1\frac{1}{4} + 2\frac{1}{3} = 1\frac{3}{12} + 2\frac{4}{12} \quad \longleftarrow \text{분모를 통분}$$

$$= 1 + 2 + \frac{3}{12} + \frac{4}{12} \quad \longleftarrow \begin{array}{l}\text{자연수는 자연수끼리,}\\ \text{분수는 분수끼리 더하기}\end{array}$$

$$= 3 + \frac{7}{12} = 3\frac{7}{12}$$

방법② 대분수를 가분수로 고쳐서 계산하는 방법

$$1\frac{1}{4} + 2\frac{1}{3} = \frac{5}{4} + \frac{7}{3} \quad \longleftarrow \text{대분수를 가분수로 고치기}$$

$$= \frac{15}{12} + \frac{28}{12} \quad \longleftarrow \text{분모를 통분하여 계산}$$

$$= \frac{43}{12} = 3\frac{7}{12} \quad \longleftarrow \text{가분수를 대분수로 고치기}$$

 핵심 포인트

· 통분은 분모의 곱 또는 분모의 최소공 배수로 할 수 있습니다.

· 계산 결과는 대분수로 나타냅니다.

⏳ (01~12) 계산을 하세요.

01 $\dfrac{1}{2} + \dfrac{1}{2}$

02 $\dfrac{2}{3} + \dfrac{2}{3}$

03 $\dfrac{3}{4} + \dfrac{3}{4}$

04 $\dfrac{6}{5} + \dfrac{3}{5}$

05 $1\dfrac{3}{5} + 1\dfrac{3}{5}$

06 $1\dfrac{1}{6} + 1\dfrac{5}{6}$

07 $1\dfrac{3}{6} + 1\dfrac{3}{6}$

08 $1\dfrac{4}{6} + 1\dfrac{4}{6}$

09 $1\dfrac{2}{7} + 1\dfrac{5}{7}$

10 $1\dfrac{5}{7} + 1\dfrac{5}{7}$

11 $2\dfrac{5}{6} + 2\dfrac{3}{6}$

12 $2\dfrac{3}{8} + 2\dfrac{7}{8}$

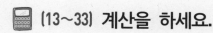 (13~33) 계산을 하세요.

13 $2\dfrac{3}{4} + 2\dfrac{1}{6}$

14 $3\dfrac{1}{2} + 1\dfrac{6}{7}$

15 $2\dfrac{7}{11} + 1\dfrac{5}{33}$

17 $4\dfrac{3}{7} + 2\dfrac{9}{14}$

18 $3\dfrac{4}{5} + 1\dfrac{2}{3}$

19 $2\dfrac{11}{70} + 1\dfrac{4}{7}$

20 $3\dfrac{7}{10} + 2\dfrac{5}{12}$

21 $1\dfrac{2}{3} + 2\dfrac{4}{9}$

22 $4\dfrac{1}{2} + 1\dfrac{11}{15}$

23 $3\dfrac{17}{40} + 4\dfrac{19}{20}$

24 $5\dfrac{4}{7} + 2\dfrac{3}{5}$

25 $2\dfrac{13}{18} + 5\dfrac{2}{3}$

26 $3\dfrac{5}{8} + 1\dfrac{5}{9}$

27 $10\dfrac{5}{9} + 3\dfrac{5}{7}$

28 $1\dfrac{4}{5} + 1\dfrac{23}{40}$

29 $3\dfrac{6}{7} + 2\dfrac{3}{5}$

30 $1\dfrac{37}{48} + 3\dfrac{1}{3}$

31 $1\dfrac{8}{11} + 3\dfrac{4}{9}$

32 $4\dfrac{17}{18} + 3\dfrac{2}{9}$

33 $11\dfrac{7}{9} + 3\dfrac{11}{12}$

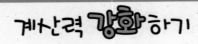

(34~47) 계산을 하세요.

34 $3\dfrac{6}{7} + 2\dfrac{1}{6}$

35 $2\dfrac{3}{5} + 1\dfrac{9}{10}$

36 $1\dfrac{13}{16} + 3\dfrac{11}{32}$

37 $2\dfrac{19}{35} + 2\dfrac{13}{14}$

38 $3\dfrac{3}{5} + 10\dfrac{7}{8}$

39 $3\dfrac{11}{12} + 20\dfrac{8}{15}$

40 $11\dfrac{17}{24} + 2\dfrac{7}{9}$

41 $16\dfrac{9}{10} + 3\dfrac{13}{16}$

42 $4\dfrac{1}{3} + 2\dfrac{7}{20}$

43 $5\dfrac{3}{7} + 2\dfrac{3}{4}$

44 $2\dfrac{1}{6} + 3\dfrac{5}{8}$

45 $7\dfrac{3}{4} + 2\dfrac{13}{24}$

46 $4\dfrac{9}{13} + 5\dfrac{22}{39}$

47 $7\dfrac{5}{6} + 1\dfrac{13}{21}$

서술형 **풀어**보기

구조화 해서 풀어보아요

48 파란 리본은 $3\frac{2}{7}$ cm이고, 노란 리본은 파란 리본 보다 $2\frac{4}{5}$ cm 더 길다고 합니다. 노란 리본의 길이는 몇 cm일까요?

풀이과정

(1) 노란 리본의 길이 = ☐ + ☐

(2) 그러므로 노란 리본의 길이는 ☐ cm입니다.

$$3\frac{2}{7} + 2\frac{4}{5} = 3 + ☐ + \frac{☐}{35} + \frac{☐}{35}$$

$$= ☐ + ☐ = ☐$$

💡 **(49~52) 풀이과정을 쓰고 답을 구하세요.**

49 민수는 $10\frac{5}{8}$ cm의 붕어를 잡고 아리는 민수가 잡은 붕어보다 $5\frac{6}{11}$ cm 더 큰 붕어를 잡았습니다. 아리가 잡은 붕어의 길이는 몇 cm일까요?

풀이 _____

답 _____ cm

50 음표의 길이를 다음과 같이 나타낼 때,

음표	♩	♩	♪	♪
길이	2	1	$\frac{1}{2}$	$\frac{1}{4}$

다음 음표 길이의 합을 구해보세요.

풀이 _____

답 _____

51 주하는 $3\frac{7}{8}$ km를 걷다가 잠시 쉬고 다시 $2\frac{7}{12}$ km를 걸어 목적지에 도착했습니다. 주하가 걸은 거리는 몇 km일까요?

풀이 _____

답 _____ km

52 다정이네 강아지는 사료를 $25\frac{3}{4}$ g 을 먹고, 고양이는 $17\frac{9}{10}$ g을 먹었습니다. 두 동물이 먹은 사료는 모두 몇 g일까요?

풀이 _____

답 _____ g

👍 **연마 Check** 칭찬이나 노력할 점을 써 주세요.

맞힌 개수	지도 의견		확인란
개	나의 생각		

5
단
계

진분수의 뺄셈

 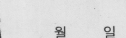

월   일

 두 분수의 분모를 통분한 뒤, 분자끼리 뺄셈합니다.

$$\frac{3}{4} - \frac{1}{5} = \frac{15}{20} - \frac{4}{20} = \frac{11}{20}$$

분모를 통분 ➜ 분자끼리의 뺄셈

 핵심포인트

· 분모의 통분은 두 분모의 곱 또는 두 분모의 최소공배수로 할 수 있습니다.
· 계산의 결과는 기약분수로 나타냅니다.
· $\frac{15}{20} - \frac{4}{20} = \frac{15-4}{20}$

⏳ (01~12) 계산을 하세요.

01 $\frac{3}{2} - \frac{1}{3} = \frac{\square}{6} - \frac{2}{\square} = \frac{\square}{\square} = \square$

02 $\frac{4}{5} - \frac{3}{15} = \frac{\square}{\square} - \frac{3}{15} = \frac{\square}{\square}$

03 $\frac{2}{3} - \frac{1}{6} = \frac{\square}{\square} - \frac{1}{6} = \square$

04 $\frac{6}{7} - \frac{1}{3} = \frac{\square}{\square} - \frac{\square}{\square} = \square$

05 $\frac{1}{6} - \frac{1}{9} = \frac{\square}{\square} - \frac{\square}{\square} = \square$

06 $\frac{7}{8} - \frac{1}{12} = \frac{\square}{\square} - \frac{\square}{\square} = \square$

07 $\frac{24}{25} - \frac{3}{5}$

08 $\frac{3}{5} - \frac{3}{7}$

09 $\frac{7}{15} - \frac{1}{3}$

10 $\frac{17}{18} - \frac{5}{12}$

11 $\frac{3}{4} - \frac{3}{8}$

12 $\frac{11}{12} - \frac{3}{10}$

(13~28) 계산을 하세요.

13 $\dfrac{7}{8} - \dfrac{1}{2}$

14 $\dfrac{4}{5} - \dfrac{1}{3}$

15 $\dfrac{9}{11} - \dfrac{7}{22}$

16 $\dfrac{1}{2} - \dfrac{3}{14}$

17 $\dfrac{4}{5} - \dfrac{7}{20}$

18 $\dfrac{3}{5} - \dfrac{3}{15}$

19 $\dfrac{10}{11} - \dfrac{1}{3}$

20 $\dfrac{3}{5} - \dfrac{3}{10}$

21 $\dfrac{9}{10} - \dfrac{1}{6}$

22 $\dfrac{11}{15} - \dfrac{1}{3}$

23 $\dfrac{17}{20} - \dfrac{1}{4}$

24 $\dfrac{13}{16} - \dfrac{5}{12}$

25 $\dfrac{19}{34} - \dfrac{5}{17}$

26 $\dfrac{2}{6} - \dfrac{4}{33}$

27 $\dfrac{11}{13} - \dfrac{7}{26}$

28 $\dfrac{7}{8} - \dfrac{11}{30}$

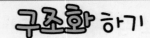 구조화 하기

구조화 하기를 연습하면 서술형도 쉽게 풀어요

📖 (29~44) 빈칸에 알맞은 수를 써넣으세요.

29 $\dfrac{6}{5}$ $\boxed{-\dfrac{1}{4}}$ → ☐

30 $\dfrac{7}{9}$ $\boxed{-\dfrac{3}{5}}$ → ☐

31 $\dfrac{1}{5}$ $\boxed{-\dfrac{1}{10}}$ → ☐

32 $\dfrac{1}{8}$ $\boxed{-\dfrac{1}{9}}$ → ☐

33 $\dfrac{1}{10}$ $\boxed{-\dfrac{1}{20}}$ → ☐

34 $\dfrac{1}{3}$ $\boxed{-\dfrac{1}{9}}$ → ☐

35 $\dfrac{1}{6}$ $\boxed{-\dfrac{1}{14}}$ → ☐

36 $\dfrac{2}{5}$ $\boxed{-\dfrac{3}{25}}$ → ☐

37 $\dfrac{5}{8}$ $\boxed{-\dfrac{5}{32}}$ → ☐

38 $\dfrac{8}{13}$ $\boxed{-\dfrac{1}{5}}$ → ☐

39 $\dfrac{13}{28}$ $\boxed{-\dfrac{15}{56}}$ → ☐

40 $\dfrac{7}{8}$ $\boxed{-\dfrac{3}{10}}$ → ☐

41 $\dfrac{2}{9}$ $\boxed{-\dfrac{2}{11}}$ → ☐

42 $\dfrac{8}{11}$ $\boxed{-\dfrac{2}{5}}$ → ☐

43 $\dfrac{17}{28}$ $\boxed{-\dfrac{3}{14}}$ → ☐

44 $\dfrac{3}{4}$ $\boxed{-\dfrac{4}{9}}$ → ☐

서술형 풀어보기

구조화 해서 풀어보아요

45 가래떡이 $\frac{10}{17}$ m가 있었는데 $\frac{5}{34}$ m를 먹었습니다. 남은 가래떡은 몇 m일까요?

풀이과정

(1) 남은 가래떡의 길이 = ☐ m − ☐ m입니다.

(2) 식을 계산하면 ☐ m입니다.

$$\frac{10}{17} - \frac{5}{34} = \frac{\square}{\square} - \frac{\square}{\square} = \frac{\square}{\square}$$

💡 **[46~49] 풀이과정을 쓰고 답을 구하세요.**

46 병에 우유가 $\frac{5}{8}$ L 있었는데 민아가 $\frac{7}{24}$ L 를 마셨습니다. 병에 남은 우유는 몇 L 일까요?

풀이 _____

답 _____ L

47 가로가 $\frac{29}{40}$ cm이고, 세로가 $\frac{3}{16}$ cm인 직사각형이 있습니다. 가로와 세로 중 어느 것이 얼마나 더 길까요?

풀이 _____

답 _____

48 A 문구점은 집으로부터 $\frac{5}{12}$ km 떨어져 있고, B 문구점은 집으로부터 $\frac{7}{16}$ km 떨어져 있습니다. 어느 문구점이 얼마나 더 가까운가요?

풀이 _____

답 _____

49 어떤 일을 하는데 민재는 $\frac{39}{81}$ 시간이 걸리고, 지원이는 $\frac{19}{54}$ 시간이 걸린다고 합니다. 누가 몇 시간 더 빨리 끝내게 될까요?

풀이 _____

답 _____ 시간

👆 **연마 Check** 칭찬이나 노력할 점을 써 주세요.

맞힌 개수		지도 의견		확인란
	개	나의 생각		

대분수의 뺄셈 ①

월 일

● 대분수의 뺄셈

방법 ① 자연수는 자연수끼리, 분수는 분수끼리 계산합니다.

$$2\frac{1}{2} - 1\frac{1}{4} = (2-1) + \frac{1}{2} - \frac{1}{4} = 1 + \frac{2-1}{4} = 1\frac{1}{4}$$

방법 ② 대분수를 가분수로 고친 뒤, 계산합니다.

$$2\frac{1}{2} - 1\frac{1}{4} = \frac{4+1}{2} - \frac{4+1}{4} = \frac{5}{2} - \frac{5}{4} = \frac{10}{4} - \frac{5}{4} = 1\frac{1}{4}$$

 핵심 포인트

· 대분수의 뺄셈은 대분수의 덧셈과 계산 방법이 같습니다.

$$\cdot \frac{10-5}{4} = \frac{10}{4} - \frac{5}{4}$$

⏳ **(01~06) 빈칸에 알맞은 수를 써넣으세요.**

01 $2\frac{1}{3} - 1\frac{1}{6} = (2-\boxed{}) + \left(\frac{1}{3} - \frac{1}{6}\right) = \boxed{} + \frac{1}{6} = \boxed{}$

02 $3\frac{1}{3} - 1\frac{1}{9} = (\boxed{}-1) + \left(\frac{1}{\boxed{}} - \frac{1}{9}\right) = \boxed{} + \frac{\boxed{}-1}{9} = \boxed{}$

03 $3\frac{3}{10} - 1\frac{3}{20} = (3-\boxed{}) + \left(\frac{3}{\boxed{}} - \frac{3}{20}\right) = \boxed{} + \frac{\boxed{}-3}{20} = \boxed{}$

04 $4\frac{3}{4} - 2\frac{2}{5} = (4-\boxed{}) + \left(\frac{\boxed{}}{4} - \frac{\boxed{}}{5}\right) = \boxed{} + \frac{\boxed{}-\boxed{}}{20} = \boxed{}$

05 $3\frac{5}{6} - 2\frac{5}{12} = \frac{3\times\boxed{}+5}{6} - \frac{2\times\boxed{}+5}{12} = \frac{\boxed{}}{6} - \frac{\boxed{}}{12} = \frac{\boxed{}-\boxed{}}{12} = \frac{\boxed{}}{12} = \boxed{}$

06 $4\frac{5}{8} - 3\frac{1}{10} = \frac{4\times\boxed{}+\boxed{}}{8} - \frac{3\times\boxed{}+\boxed{}}{10} = \frac{\boxed{}}{40} - \frac{\boxed{}}{40} = \frac{\boxed{}}{40} = \boxed{}$

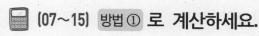 (07~15) 방법 ① 로 계산하세요.

07 $4\frac{3}{4} - 2\frac{1}{6}$

08 $5\frac{2}{3} - 1\frac{1}{12}$

09 $4\frac{4}{9} - 1\frac{7}{18}$

10 $7\frac{1}{2} - 1\frac{3}{8}$

11 $4\frac{11}{14} - 2\frac{5}{7}$

12 $6\frac{6}{7} - 3\frac{1}{2}$

13 $4\frac{5}{6} - 1\frac{3}{18}$

14 $7\frac{1}{2} - 2\frac{1}{5}$

15 $8\frac{7}{9} - 5\frac{7}{12}$

(16~24) 방법 ② 로 계산하세요.

16 $6\frac{7}{9} - 1\frac{1}{4}$

17 $6\frac{4}{5} - 3\frac{3}{8}$

18 $6\frac{5}{6} - 2\frac{1}{4}$

19 $8\frac{2}{3} - 2\frac{2}{7}$

20 $4\frac{5}{11} - 2\frac{2}{5}$

21 $7\frac{4}{5} - 3\frac{1}{6}$

22 $1\frac{41}{45} - 1\frac{2}{3}$

23 $4\frac{11}{12} - 1\frac{5}{6}$

24 $5\frac{5}{9} - 1\frac{3}{11}$

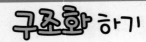

(25~34) 앞의 수에서 뒤의 수를 뺄셈하여 빈칸에 쓰세요.

25
$5\dfrac{10}{13}$	$3\dfrac{1}{3}$

30
$7\dfrac{4}{5}$	$1\dfrac{3}{10}$

26
$7\dfrac{5}{6}$	$1\dfrac{3}{16}$

31
$5\dfrac{6}{7}$	$3\dfrac{1}{2}$

27
$7\dfrac{3}{4}$	$2\dfrac{3}{5}$

32
$8\dfrac{9}{14}$	$5\dfrac{1}{4}$

28
$7\dfrac{11}{12}$	$2\dfrac{5}{18}$

33
$1\dfrac{17}{28}$	$1\dfrac{3}{14}$

29
$5\dfrac{11}{14}$	$1\dfrac{4}{7}$

34
$5\dfrac{3}{4}$	$2\dfrac{4}{9}$

서술형 풀어보기

구조화 해서 풀어보아요

35 민아가 집에서 $4\frac{3}{5}$ km 떨어진 할머니 댁에 가는데 버스를 타고 $3\frac{1}{4}$ km 이동한 뒤 나머지 거리는 걸어갔습니다. 민아가 걸어서 이동한 거리를 구해보세요.

풀이과정

(1) (할머니 댁까지 거리)−(버스로 이동한 거리)
　　=(걸어서 이동한 거리)이므로
　　□−□ 을 하면 됩니다.

(2) 계산하면 □ 이 됩니다.

(3) 그러므로 민아가 걸어간 거리는 □ km입니다.

$$4\frac{3}{5}-3\frac{1}{4}=\left(4-\boxed{}\right)+\left(\frac{3}{5}-\boxed{}\right)$$
$$=\boxed{}+\boxed{}=\boxed{}$$

 **[36~39] 풀이과정을 쓰고 답을 구하세요.**

36 우유 $8\frac{3}{4}$ L에서 먹고 남은 양이 $3\frac{2}{5}$ L 입니다. 먹은 우유는 몇 L일까요?

풀이 _____

답 _____ L

38 $8\frac{5}{6}$ 톤의 물건을 실은 배가 울산에서 출발해 울릉도에서 $6\frac{3}{5}$ 톤의 물건을 내렸다면 배에 남은 물건은 몇 톤일까요?

풀이 _____

답 _____ 톤

37 버섯 $4\frac{12}{55}$ kg 중에 $2\frac{6}{35}$ kg을 먹었습니다. 남은 버섯은 몇 kg일까요?

풀이 _____

답 _____ kg

39 $18\frac{3}{4}$ g의 참치 중에 $5\frac{3}{10}$ g을 고양이에게 주었습니다. 남은 참치는 몇 g일까요?

풀이 _____

답 _____ g

연마 Check 칭찬이나 노력할 점을 써 주세요.

맞힌 개수		지도 의견		확인란
	개	나의 생각		

● 받아 내림이 있는 대분수의 뺄셈: 대분수의 (분수−분수)
부분이 앞의 분수보다 뒤의 분수가 더 큰 경우

방법① 앞의 분수가 자신의 자연수 부분에서 1을 받아 내림하기

— 3에서 1을 분수로 내림

$$3\frac{1}{2}-1\frac{3}{4}=(2-1)+\left(\frac{6}{4}-\frac{3}{4}\right)=1+\frac{3}{4}=1\frac{3}{4}$$

방법② 대분수를 가분수로 고쳐 계산하기

$$3\frac{1}{2}-1\frac{3}{4}=\frac{7}{2}-\frac{7}{4}=\frac{14-7}{4}=\frac{7}{4}=1\frac{3}{4}$$

핵심 포인트

- $\frac{1}{2}<\frac{3}{4}$ 이라서 뺄 수가 없습니다. 이럴 땐, 앞의 분수의 자연수 부분에서 1을 받아 내림합니다.

- $(2-1)+\left(\frac{3}{2}-\frac{3}{4}\right)=1+\left(\frac{6}{4}-\frac{3}{4}\right)$

- 받아 내림을 통해 대분수의 뺄셈을 할 수도 있지만 처음부터 대분수를 가분수로 고치면 받아 내림을 하지 않고 계산할 수 있습니다.

⌛ **(01~06) 빈칸을 채우세요.**

01 $4\dfrac{2}{5}-2\dfrac{2}{3}=(\square-2)+\left(\dfrac{\square}{5}-\dfrac{\square}{3}\right)$

$=\square+\left(\dfrac{\square}{}-\dfrac{10}{15}\right)=\square$

02 $4\dfrac{1}{6}-1\dfrac{5}{12}=(\square-1)+\left(\square-\dfrac{5}{12}\right)$

$=\square+\left(\dfrac{\square}{12}-\dfrac{5}{12}\right)=\square=\square$

03 $7\dfrac{1}{3}-2\dfrac{5}{6}=(\square-2)+\left(\dfrac{\square}{3}-\dfrac{5}{6}\right)$

$=\square+\left(\square-\dfrac{5}{6}\right)=\square=\square$

04 $5\dfrac{2}{7}-2\dfrac{4}{5}=\dfrac{\square}{7}-\dfrac{\square}{5}$

$=\dfrac{\square-\square}{\square}=\square$

05 $4\dfrac{1}{6}-1\dfrac{7}{12}=\dfrac{\square}{6}-\dfrac{\square}{12}$

$=\dfrac{\square-\square}{12}=\square$

06 $5\dfrac{1}{4}-1\dfrac{5}{8}=\dfrac{\square}{4}-\dfrac{\square}{8}$

$=\dfrac{\square-\square}{8}=\square$

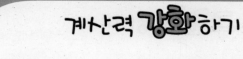
ㄴ단계

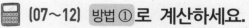 (07~12) 방법①로 계산하세요.

07 $4\dfrac{3}{8} - 2\dfrac{2}{3}$

08 $6\dfrac{1}{4} - 2\dfrac{3}{5}$

09 $7\dfrac{1}{8} - 2\dfrac{7}{20}$

10 $8\dfrac{1}{4} - 1\dfrac{14}{15}$

11 $3\dfrac{1}{2} - 1\dfrac{4}{7}$

12 $5\dfrac{2}{9} - 2\dfrac{2}{3}$

 (13~18) 방법②로 계산하세요.

13 $7\dfrac{2}{9} - 2\dfrac{11}{18}$

14 $4\dfrac{3}{10} - 1\dfrac{7}{15}$

15 $9\dfrac{1}{5} - 3\dfrac{5}{6}$

16 $5\dfrac{1}{12} - 1\dfrac{7}{24}$

17 $3\dfrac{1}{8} - 1\dfrac{7}{12}$

18 $6\dfrac{1}{5} - 3\dfrac{1}{3}$

(19~28) 빈칸에 알맞은 수를 써넣으세요.

19 $7\dfrac{1}{3}$ $\boxed{-2\dfrac{4}{5}}$ → □

20 $8\dfrac{2}{5}$ $\boxed{-4\dfrac{7}{10}}$ → □

21 $7\dfrac{3}{10}$ $\boxed{-3\dfrac{7}{12}}$ → □

22 $4\dfrac{1}{6}$ $\boxed{-1\dfrac{4}{15}}$ → □

23 $7\dfrac{1}{24}$ $\boxed{-1\dfrac{5}{12}}$ → □

24 $5\dfrac{1}{36}$ $\boxed{-2\dfrac{5}{12}}$ → □

25 $7\dfrac{3}{20}$ $\boxed{-2\dfrac{17}{30}}$ → □

26 $7\dfrac{3}{8}$ $\boxed{-2\dfrac{11}{12}}$ → □

27 $9\dfrac{1}{3}$ $\boxed{-4\dfrac{10}{11}}$ → □

28 $5\dfrac{4}{9}$ $\boxed{-2\dfrac{11}{12}}$ → □

서술형 풀어보기

구조화 해서 풀어보아요

29 환경보호 포스터를 만드는데 초록 물감 $3\frac{5}{7}$ g을 사용하였습니다. 초록 물감은 처음에 $7\frac{3}{14}$ g이 있었다고 합니다. 남은 초록 물감은 몇 g일까요?

풀이과정

(1) (처음에 있던 초록 물감의 양) − (사용한 초록 물감 양) = (남은 초록 물감 양)이므로

$\boxed{}$ − $\boxed{}$ 를 계산하면 됩니다.

(2) 그러므로 남은 초록 물감의 양은

$\boxed{}$ g입니다.

$$7\frac{3}{14} - 3\frac{5}{7} = \frac{\boxed{}\times14+3}{14} - $$

$$\frac{\boxed{}\times7+5}{7} = \frac{\boxed{}}{14} - \frac{\boxed{}}{7}$$

$$= \frac{\boxed{}}{14} - \frac{\boxed{}}{14} = \frac{\boxed{}}{14} = \boxed{}$$

💡 (30~33) 풀이과정을 쓰고 답을 구하세요.

30 전체 쪽수가 $50\frac{1}{6}$ 쪽인 책이 있습니다. 도희는 이 책을 $20\frac{5}{8}$ 쪽까지 읽었다고 합니다. 책의 남은 부분은 몇 쪽일까요?

풀이 _____

답 _____ 쪽

32 민재는 총 $4\frac{5}{9}$ 시간 동안 수학을 공부하면서 $1\frac{13}{18}$ 시간을 쉬었습니다. 민재가 쉬는 시간을 제외하고 공부한 시간은 몇 시간일까요?

풀이 _____

답 _____ 시간

31 강아지 두 마리의 몸무게를 한꺼번에 쟀을 때는 $5\frac{3}{13}$ kg이었고, 한 마리만 쟀을 때는 $3\frac{2}{3}$ kg이었다고 합니다. 다른 한 마리는 몇 kg일까요?

풀이 _____

답 _____ kg

33 $3\frac{3}{40}$ kg의 팥죽이 있었는데 $1\frac{7}{8}$ kg을 먹었습니다. 남은 팥죽은 몇 kg일까요?

풀이 _____

답 _____ kg

🐰 **연마 Check** 칭찬이나 노력할 점을 써 주세요.

맞힌 개수	지도 의견		확인란
개	나의 생각		

세 분수의 계산

- $\dfrac{1}{2}+\dfrac{1}{3}+\dfrac{1}{4}$ 을 계산하는 방법은 두 가지가 있습니다.

방법① 두 분수씩 묶어 차례로 통분하여 계산하기

$$\dfrac{1}{2}+\dfrac{1}{3}+\dfrac{1}{4}=\left(\dfrac{1}{2}+\dfrac{1}{3}\right)+\dfrac{1}{4}=\left(\dfrac{3}{6}+\dfrac{2}{6}\right)+\dfrac{1}{4}$$

$$=\dfrac{5}{6}+\dfrac{1}{4}=\dfrac{10}{12}+\dfrac{3}{12}=\dfrac{13}{12}=1\dfrac{1}{12}$$

방법② 세 분수를 한꺼번에 통분하여 계산하기

$$\dfrac{1}{2}+\dfrac{1}{3}+\dfrac{1}{4}=\dfrac{6}{12}+\dfrac{4}{12}+\dfrac{3}{12}=\dfrac{13}{12}=1\dfrac{1}{12}$$

핵심포인트

- $\dfrac{3}{6}+\dfrac{2}{6}=\dfrac{2+3}{6}$

- 세 분수의 분자를 한꺼번에 통분하려면 세 수의 최소공배수를 이용하는 것이 편리합니다.

- 2, 3, 4의 최소공배수

$$\begin{array}{r}2\,)\underline{\,2\quad 3\quad 4\,}\\ 1\quad 3\quad 2\end{array}$$

→ $2\times3\times2=12$

(01~07) 방법① 로 계산을 하세요.

01 $\dfrac{1}{2}+\dfrac{1}{3}+\dfrac{1}{6}$

02 $\dfrac{1}{4}+\dfrac{2}{3}+\dfrac{1}{6}$

03 $\dfrac{2}{5}+\dfrac{3}{20}+\dfrac{3}{4}$

04 $\dfrac{1}{2}+\dfrac{3}{5}+\dfrac{1}{10}$

05 $\dfrac{1}{10}+\dfrac{2}{3}+\dfrac{5}{6}$

06 $\dfrac{5}{6}+\dfrac{2}{8}+\dfrac{3}{4}$

07 $\dfrac{2}{3}-\dfrac{1}{6}-\dfrac{1}{12}$

計算力 강화하기

정확하게 풀어보아요

 (08~21) 방법②로 계산을 하세요.

08 $1\dfrac{3}{4} - \dfrac{1}{3} - \dfrac{5}{12}$

15 $6\dfrac{1}{10} - 1\dfrac{1}{4} + \dfrac{7}{8}$

09 $2\dfrac{7}{12} - 1\dfrac{3}{16} + 1\dfrac{3}{4}$

16 $\dfrac{3}{8} - \dfrac{3}{16} + \dfrac{7}{12}$

10 $\dfrac{2}{3} + \dfrac{11}{30} - \dfrac{1}{6}$

17 $2\dfrac{1}{3} - 1\dfrac{4}{5} + 2\dfrac{13}{15}$

11 $\dfrac{4}{5} - \dfrac{3}{8} + \dfrac{7}{20}$

18 $\dfrac{16}{21} - \dfrac{1}{7} + 1\dfrac{1}{6}$

12 $2\dfrac{3}{7} - \dfrac{9}{14} + \dfrac{5}{21}$

19 $\dfrac{1}{2} - \dfrac{3}{14} + 1\dfrac{5}{28}$

13 $5\dfrac{4}{9} - \dfrac{5}{6} - \dfrac{5}{18}$

20 $\dfrac{3}{4} - \dfrac{1}{9} + \dfrac{1}{2}$

14 $2\dfrac{1}{3} - \dfrac{2}{11} + \dfrac{1}{6}$

21 $3\dfrac{2}{15} + 1\dfrac{1}{5} - \dfrac{9}{10}$

세 분수의 계산 **105**

구조화 하기

구조화 하기를 연습하면 서술형도 쉽게 풀어요

(22~29) 분모를 최소공배수로 통분하여 세 분수를 한꺼번에 계산해 보세요.

22

$$\frac{2}{3} + \frac{1}{2} - \frac{5}{6}$$

	+ →	- →	
분자 계산			
분모 통분			

26

$$3\frac{1}{6} - 1\frac{3}{4} - \frac{5}{8}$$

	- →	- →	
분자 계산			
분모 통분			

23

$$\frac{1}{5} + \frac{7}{10} - \frac{3}{20}$$

	+ →	- →	
분자 계산			
분모 통분			

27

$$\frac{1}{4} + \frac{5}{12} + \frac{5}{8}$$

	+ →	+ →	
분자 계산			
분모 통분			

24

$$1\frac{3}{4} - \frac{3}{5} + \frac{9}{10}$$

	- →	+ →	
분자 계산			
분모 통분			

28

$$\frac{4}{5} + \frac{9}{10} - \frac{5}{6}$$

	+ →	- →	
분자 계산			
분모 통분			

25

$$2\frac{1}{3} + 1\frac{1}{9} - \frac{5}{12}$$

	+ →	- →	
분자 계산			
분모 통분			

29

$$1\frac{5}{6} - \frac{5}{9} + \frac{5}{12}$$

	- →	+ →	
분자 계산			
분모 통분			

서술형 풀어보기

구조화 해서 풀어보아요

30 삼각형의 세 변의 길이의 합을 구하세요.

풀이과정

(1) 식으로 나타내면 ☐ + ☐ + ☐ 입니다.

(2) 식을 계산하면 ☐ 입니다.

(3) 그러므로 삼각형의 세 변의 길이
   의 합은 ☐ cm입니다.

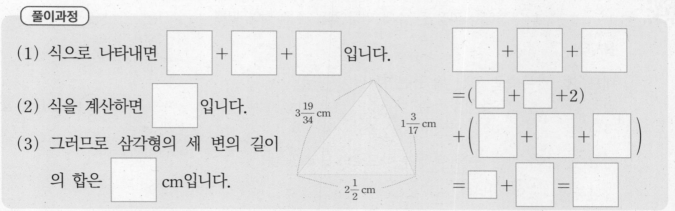

$3\frac{19}{34}$ cm $1\frac{3}{17}$ cm $2\frac{1}{2}$ cm

☐ + ☐ + ☐

$= ($ ☐ + ☐ $+ 2)$

$+ ($ ☐ + ☐ + ☐ $)$

$=$ ☐ $+$ ☐ $=$ ☐

💡 **(31~34) 풀이과정을 쓰고 답을 구하세요.**

31 빈 물통에 민수가 $3\frac{2}{7}$ L의 물을 부었습니다. 그 뒤에 도희가 $1\frac{1}{4}$ L의 물을 퍼갔습니다. 민수가 다시 $2\frac{3}{28}$ L의 물을 더 부었다고 할 때, 물통에 물은 몇 L일까요?

풀이 _____

답 _____ L

32 만두가 $5\frac{3}{4}$ kg이 있습니다. 민아가 $2\frac{1}{6}$ kg을 먹고, 수아가 $2\frac{3}{8}$ kg을 먹었다고 할 때, 남은 만두는 몇 kg일까요?

풀이 _____

답 _____ kg

33 ㉮에서 ㉳지점의 길이를 구해보세요.

㉮ ——— ㉯ ㉰ ——— ㉳

• ㉮에서 ㉰까지의 거리: $3\frac{1}{2}$ km

• ㉯에서 ㉰까지의 거리: $1\frac{1}{7}$ km

• ㉯에서 ㉳까지의 거리: $2\frac{11}{14}$ km

풀이 _____

답 _____ km

34 둘레의 길이가 $9\frac{1}{2}$ cm인 삼각형의 두 변의 길이가 각각 $3\frac{2}{5}$ cm, $2\frac{7}{10}$ cm일 때, 나머지 한 변의 길이는 몇 cm일까요?

풀이 _____

답 _____ cm

🐸 **연마 Check** 칭찬이나 노력할 점을 써 주세요.

맞힌 개수	지도 의견		확인란
개	나의 생각		

● 분수의 계산과 크기 비교

→ $1\frac{2}{3}$, $2\frac{1}{2}$, $1\frac{5}{6}$ 중에서 가장 큰 수와 가장 작은 수를 찾아 더해 봅시다.

① 대분수를 가분수로 고친 뒤 통분합니다.

$1\frac{2}{3}$, $2\frac{1}{2}$, $1\frac{5}{6}$ → $\frac{5}{3}$, $\frac{5}{2}$, $\frac{11}{6}$ → $\frac{10}{6}$, $\frac{15}{6}$, $\frac{11}{6}$

② 가장 큰 수와 작은 수를 더해야 하므로 $2\frac{1}{2}+1\frac{2}{3}$를 계산하면 $4\frac{1}{6}$이 됩니다.

핵심 포인트

• $2\frac{1}{2}+1\frac{2}{3}$

$= \frac{15}{6}+\frac{10}{6}=\frac{25}{6}=4\frac{1}{6}$

• 자연수 부분이 큰 분수가 더 큰 분수 입니다.

① $3\frac{1}{4} > 1\frac{1}{4}$

② $5\frac{1}{7} > 2\frac{2}{3}$

(01~06) 가장 큰 수를 찾아 동그라미 하세요.

01 $4\frac{1}{2}$, $\frac{11}{2}$, $4\frac{2}{3}$

02 $1\frac{1}{6}$, 2, $2\frac{1}{4}$

03 $1\frac{5}{6}$, $1\frac{5}{9}$, $1\frac{2}{3}$

04 $2\frac{1}{10}$, $1\frac{3}{4}$, $1\frac{5}{6}$

05 $3\frac{9}{11}$, 4, $3\frac{1}{3}$

06 $2\frac{3}{5}$, $2\frac{1}{10}$, $3\frac{2}{15}$

(07~11) 왼쪽과 오른쪽의 크기를 비교하여 >, =, < 표시를 하세요.

07 $\frac{5}{6}+1\frac{5}{12}$ ◯ $1\frac{7}{12}$

08 $1\frac{1}{3}-\frac{4}{15}$ ◯ $\frac{8}{15}$

09 $3\frac{3}{7}-1\frac{3}{14}$ ◯ $3\frac{1}{12}-1\frac{1}{6}$

10 $2\frac{4}{5}+1\frac{7}{12}$ ◯ $1\frac{11}{20}+2\frac{3}{4}$

11 $5\frac{5}{6}-3\frac{5}{7}$ ◯ $8\frac{2}{21}-5\frac{1}{7}$

정확하게 풀어보아요

📱 (12~27) 왼쪽과 오른쪽을 비교하여 >, =, < 표시를 하세요.

12 $2\dfrac{1}{9}+7\dfrac{1}{3}$ ◯ $10\dfrac{8}{9}-1\dfrac{5}{18}$

20 $2\dfrac{5}{6}+\dfrac{2}{3}-1\dfrac{11}{14}$ ◯ $1\dfrac{5}{12}$

13 $3\dfrac{5}{6}-1\dfrac{3}{4}-\dfrac{7}{12}$ ◯ $2\dfrac{1}{18}$

21 $\dfrac{7}{4}-\dfrac{1}{8}+2\dfrac{3}{10}$ ◯ $\dfrac{1}{5}+2\dfrac{3}{10}$

14 $\dfrac{5}{11}+1\dfrac{1}{2}+2\dfrac{3}{4}$ ◯ $3\dfrac{5}{8}$

22 $4\dfrac{3}{4}+\dfrac{1}{7}-3\dfrac{5}{28}$ ◯ $\dfrac{1}{7}+1\dfrac{1}{14}$

15 $2\dfrac{3}{7}-\dfrac{3}{4}+3\dfrac{5}{14}$ ◯ $4\dfrac{13}{21}$

23 $8\dfrac{4}{5}-3\dfrac{7}{12}+1\dfrac{7}{10}$ ◯ $9\dfrac{5}{6}-3\dfrac{7}{12}$

16 $3\dfrac{1}{4}+\dfrac{7}{8}-1\dfrac{5}{12}$ ◯ $3\dfrac{7}{16}$

24 $3\dfrac{2}{5}+1\dfrac{6}{7}-1\dfrac{11}{35}$ ◯ $2\dfrac{1}{7}+1\dfrac{3}{5}$

17 $3\dfrac{2}{3}-\dfrac{3}{4}+\dfrac{5}{6}$ ◯ $3\dfrac{1}{4}$

25 $3\dfrac{8}{5}-\dfrac{1}{2}-1\dfrac{1}{10}$ ◯ $\dfrac{5}{12}+2\dfrac{1}{4}$

18 $7\dfrac{1}{5}-1\dfrac{1}{2}+\dfrac{1}{6}$ ◯ $8-\dfrac{3}{4}$

26 $5\dfrac{5}{6}-3\dfrac{5}{7}$ ◯ $8\dfrac{2}{21}-5\dfrac{1}{7}$

19 $\dfrac{7}{8}+1\dfrac{2}{3}-\dfrac{5}{6}$ ◯ $3-1\dfrac{1}{5}$

27 $5\dfrac{1}{3}-1\dfrac{7}{12}$ ◯ $1\dfrac{1}{6}+1\dfrac{1}{10}+1\dfrac{4}{5}$

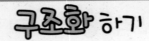

구조화 하기

구조화 하기를 연습하면 서술형도 쉽게 풀어요

(28~35) 가장 큰 수에서 가장 작은 수를 빼세요.

28

$$4, \ 5\frac{1}{4}, \ 1\frac{2}{3}+3\frac{1}{10}$$

큰 수	작은 수	큰 수 - 작은 수

32

$$1\frac{1}{5}+1\frac{7}{10}, \ 2\frac{11}{15}, \ 2\frac{1}{6}$$

큰 수	작은 수	큰 수 - 작은 수

29

$$1\frac{5}{11}, \ 1\frac{5}{8}, \ 3\frac{1}{3}-1\frac{7}{10}$$

큰 수	작은 수	큰 수 - 작은 수

33

$$1\frac{17}{18}-\frac{1}{6}, \ 1\frac{5}{12}+\frac{1}{4}, \ 1\frac{1}{2}$$

큰 수	작은 수	큰 수 - 작은 수

30

$$7\frac{2}{3}-2\frac{5}{6}, \ 4, \ 5\frac{1}{6}$$

큰 수	작은 수	큰 수 - 작은 수

34

$$2\frac{2}{3}, \ 3\frac{2}{7}-1\frac{1}{2}, \ \frac{1}{4}+1\frac{9}{14}$$

큰 수	작은 수	큰 수 - 작은 수

31

$$1\frac{5}{6}, \ 1\frac{1}{12}+\frac{7}{18}, \ 4\frac{11}{20}-1\frac{7}{12}$$

큰 수	작은 수	큰 수 - 작은 수

35

$$2\frac{1}{8}, \ 5\frac{1}{4}-2\frac{3}{8}, \ 7\frac{1}{2}-4\frac{3}{4}$$

큰 수	작은 수	큰 수 - 작은 수

서술형 풀어보기

36 민재는 $7\frac{7}{8}$에서 $1\frac{3}{4}$을 연속해서 두 번을 빼고, 수아는 $2\frac{1}{6}$에서 $1\frac{3}{4}$을 연속해서 두 번을 더했습니다. 계산 결과가 더 큰 수인 사람은 누구일까요?

(풀이과정)

(1) 식을 써보세요.

민재의 계산식	
수아의 계산식	

(2) 식을 계산해 보세요.

민재	
수아	

(3) ☐ 의 식의 결과가 ☐ 의 식의 결과보다 ☐ 만큼 더 큽니다.

[37~40] 풀이과정을 쓰고 답을 구하세요.

37 왼쪽 접시에는 사과가 $3\frac{3}{5}$kg이 있고, 오른쪽 접시에는 사과와 귤이 각각 $2\frac{2}{7}$kg, $1\frac{1}{2}$kg 있다고 할 때, 어느 쪽이 더 무거울까요?

풀이

답 _____ 접시

38 민아는 $3\frac{3}{4}$kg의 방어와 $1\frac{3}{8}$kg의 고등어를 낚았고, 도헌이는 고등어만 세 마리를 낚았는데 각각 $2\frac{1}{5}$kg, $1\frac{7}{10}$kg, $1\frac{2}{3}$kg 이었습니다. 잡은 물고기의 무게가 더 무거운 사람은 누구일까요?

풀이

답 _____

39 수아는 하루에 $7\frac{3}{11}-2\frac{1}{2}$시간 동안 공부를 하고, 도헌이는 $\frac{7}{14}+1\frac{3}{7}+3\frac{1}{2}$시간동안 공부를 했다고 합니다. 더 오랜 시간 공부한 사람은 누구입니까?

풀이

답 _____

40 첫 번째 카드에는 $4\frac{1}{3}$이, 두 번째 카드에는 $\frac{7}{2}+1\frac{1}{4}$이, 세 번째 카드에는 $8-4\frac{3}{5}$이 적혀 있다고 할 때, 세 장의 카드 중 가장 큰 수는 몇 번째 카드일까요?

풀이

답 _____

연마 Check 칭찬이나 노력할 점을 써 주세요.

맞힌 개수		지도 의견		확인란
	개	나의 생각		

26 일차 어떤 수 구하기

월 일

● 어떤 수에서 $\dfrac{3}{7}$ 을 빼었더니 $\dfrac{5}{14}$ 가 되었을 때, 어떤 수를 구해보세요.

→ 식 : $\boxed{} - \dfrac{3}{7} = \dfrac{5}{14}$

→ 덧셈과 뺄셈의 관계 이용: $\boxed{} = \dfrac{5}{14} + \dfrac{3}{7}$ 이면,

$\boxed{} = \dfrac{5+6}{14} = \dfrac{11}{14}$ 입니다. 그러므로 어떤 수는 $\dfrac{11}{14}$ 입니다.

 **핵심포인트**

· 덧셈과 뺄셈의 관계
① ■ − ▲ = ★ 이면, ■ = ★ + ▲ 입니다.
② ■ + ▲ = ★ 이면, ■ = ★ − ▲ 입니다.

· 어떤 수 구하는 방법
① 구하려는 어떤 수를 □로 놓습니다.
② 덧셈과 뺄셈의 관계를 이용하여 식을 세웁니다.

⏳ (01~10) 빈칸을 채우세요.

01 $\dfrac{3}{4} - \dfrac{\boxed{}}{4} = \dfrac{1}{2}$

02 $\dfrac{4}{5} - \dfrac{\boxed{}}{5} = \dfrac{2}{5}$

03 $\dfrac{7}{10} + \dfrac{\boxed{}}{5} = 1\dfrac{3}{10}$

04 $\dfrac{3}{7} + \dfrac{\boxed{}}{7} = 1\dfrac{2}{7}$

05 $\dfrac{1}{2} - \dfrac{\boxed{}}{6} = \dfrac{1}{3}$

06 $\boxed{} - \dfrac{1}{6} = \dfrac{1}{2}$

07 $\boxed{} + \dfrac{4}{5} = 1\dfrac{7}{15}$

08 $\boxed{} + \dfrac{3}{8} = 1\dfrac{5}{16}$

09 $\boxed{} - \dfrac{1}{2} = 1\dfrac{5}{12}$

10 $\boxed{} - \dfrac{7}{8} = \dfrac{9}{14}$

(11~22) 빈칸의 수를 구해보세요.

11 $2\dfrac{7}{33} - \boxed{} = \dfrac{2}{3}$

17 $\boxed{} + 1 = 3\dfrac{1}{5}$

12 $\dfrac{5}{6} + \boxed{} = 1\dfrac{7}{12}$

18 $\boxed{} + 1 = 4\dfrac{3}{10}$

13 $\dfrac{1}{3} + \dfrac{1}{3} + \dfrac{1}{4} + \boxed{} = \dfrac{\boxed{}}{3} + \dfrac{3}{4}$

19 $\boxed{} - 1 = 3\dfrac{3}{7}$

14 $7 - \boxed{} = 1\dfrac{1}{2}$

20 $\dfrac{2}{13} + \dfrac{2}{13} + \dfrac{1}{3} + \dfrac{1}{3} + \boxed{} = 1\dfrac{5}{39}$

15 $\boxed{} - 9 = 3\dfrac{2}{11}$

21 $1\dfrac{5}{12} - \boxed{} = \dfrac{2}{3}$

16 $5\dfrac{7}{13} - \boxed{} = 2$

22 $6\dfrac{3}{7} + \boxed{} = 10\dfrac{1}{2}$

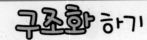

(23~30) 빈칸에 알맞은 수를 써넣으세요.

23 $\frac{1}{4}$ ┤ + □ ├ → $1\frac{3}{4}$

27 $4\frac{1}{9}$ ┤ − □ ├ → $2\frac{7}{12}$

24 $2\frac{5}{8}$ ┤ − □ ├ → $\frac{1}{4}$

28 $3\frac{5}{6}$ ┤ − □ ├ → $2\frac{1}{12}$

25 $1\frac{1}{6}$ ┤ + □ ├ → $3\frac{5}{12}$

29 $1\frac{1}{3}$ ┤ + □ ├ → $4\frac{1}{12}$

26 $\frac{7}{8}$ ┤ − □ ├ → $\frac{1}{2}$

30 $3\frac{7}{11}$ ┤ − □ ├ → $\frac{1}{2}$

서술형 풀어보기

구조화 해서 풀어보아요

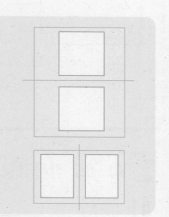

31 정사각형의 종이 1장의 크기를 1이라 하면, 반으로 1번 접은 것은 $\frac{1}{2}$로 나타낼 수 있습니다. $\frac{1}{2}$ 크기의 종이를 또 한 번 접으면 ☐ 으로 나타낼 수 있습니다. 빈칸에 알맞은 숫자를 써보세요.

풀이과정

(1) 전체 크기가 1인 정사각형의 종이를 반을 접으면 크기를 ☐ 로
나타낼 수 있습니다. → $1 = $ ☐ $+ \frac{1}{2}$

(2) ☐ 을 또 한 번 접으면 전체 크기의 ☐ 이 됩니다.

→ $\frac{1}{2} = $ ☐ $+ \frac{1}{4}$, $\frac{1}{4} + $ ☐ $+ $ ☐ $+ \frac{1}{4}$, $= 1$

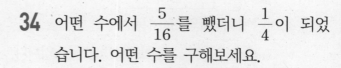

💡 **(32~35) 풀이과정을 쓰고 답을 구하세요.**

32 정사각형의 종이 1장의 크기를 1이라 하면, 반으로 1번 접은 것은 $\frac{1}{2}$로 나타낼 수 있습니다. 이 종이를 세 번을 접었을 때, 그 크기를 구하세요.

풀이 _____

답 _____

33 어떤 수에 $1\frac{2}{3}$를 더했더니 $4\frac{1}{9}$이 되었다고 합니다. 어떤 수를 구해보세요.

풀이 _____

답 _____

34 어떤 수에서 $\frac{5}{16}$를 뺐더니 $\frac{1}{4}$이 되었습니다. 어떤 수를 구해보세요.

풀이 _____

답 _____

35 어떤 수에서 $\frac{3}{7}$을 뺐더니 $\frac{1}{4}$이 되었습니다. 어떤 수를 구하세요

풀이 _____

답 _____

👍 **연마 Check** 칭찬이나 노력할 점을 써 주세요.

맞힌 개수	지도 의견		확인란
개	나의 생각		

직사각형, 정사각형의 둘레

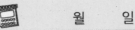 월   일

● 직사각형의 둘레

직사각형의 성질: 마주 보는 두 변의 길이가 같습니다.

(직사각형의 둘레)
= (가로) + (세로) + (가로) + (세로)
= {(가로) + (세로)} × 2

→ 위의 직사각형의 가로가 6 cm이고, 세로가 4 cm 라고 할 때, 이 직사각형의 둘레는 (6+4)×2=20 cm 입니다.

● 정사각형의 둘레

(정사각형의 둘레)
= (한 변) × 4

→ 위의 정사각형의 한 변의 길이가 4cm라 할 때 이 정사각형의 둘레는 4×4=16 cm입니다.

⏳ (01~06) **직사각형의 둘레를 구하세요.**

01
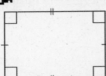
6 cm
4 cm

직사각형 둘레의 길이는
(☐ + ☐) × ☐ 이므로 ☐ cm입니다.

02 직사각형 둘레의 길이는
(☐ + ☐) × ☐
이므로 ☐ cm입니다.

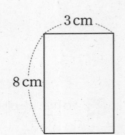
3 cm
8 cm

03 직사각형 둘레의 길이는
(☐ + ☐) × ☐
이므로 ☐ cm입니다.

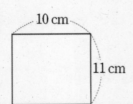
10 cm
11 cm

04
· 가로의 길이: 8 cm
· 세로의 길이: 12 cm

직사각형의 둘레는 (☐ + ☐) × ☐
이므로 ☐ cm입니다.

05
· 세로의 길이: 7 cm
· 가로의 길이: 5 cm

직사각형의 둘레는 (☐ + ☐) × ☐
이므로 ☐ cm입니다.

06
· 둘레의 길이: ☐ cm
· 세로의 길이: 9 cm

직사각형 가로의 길이는 32={(가로)+9}×2
이므로 16=(가로)+9, 가로는 ☐ cm입니다.

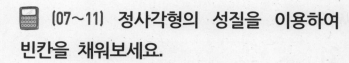

(07~11) 정사각형의 성질을 이용하여 빈칸을 채워보세요.

(12~15) 둘 중, 둘레가 더 긴 직사각형을 고르세요.

07

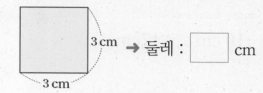

3 cm
3 cm

→ 둘레 : ☐ cm

12 ① ②

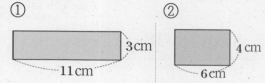

3cm
11 cm

4 cm
6 cm

08

5 cm
5 cm

→ 둘레 : ☐ cm

13 ① ②

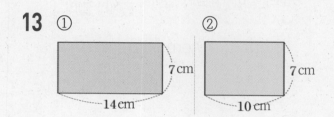

7cm
14 cm

7 cm
10 cm

09

7 cm
7 cm

→ 둘레 : ☐ cm

14 ① ②

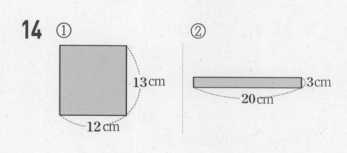

13cm
12 cm

3cm
20 cm

10

11 cm
11 cm

→ 둘레 : ☐ cm

15 ① ②

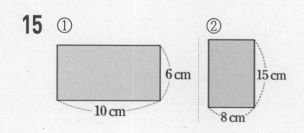

6 cm
10 cm

15 cm
8 cm

11

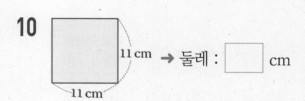

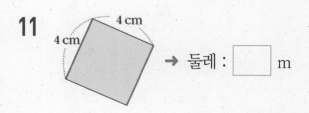

4 cm
4 cm

→ 둘레 : ☐ m

6
단
계

(16~25) 다음 직사각형의 빈칸을 채우세요.

16

가로의 길이	세로의 길이	직사각형의 둘레의 길이
8 cm	18 cm	

21

가로의 길이	세로의 길이	직사각형의 둘레의 길이
10 cm	17cm	

17

가로의 길이	세로의 길이	직사각형의 둘레의 길이
12 cm	9 cm	

22

가로의 길이	세로의 길이	직사각형의 둘레의 길이
3 cm	9 cm	

18

가로의 길이	세로의 길이	직사각형의 둘레의 길이
11 cm	1 cm	

23

가로의 길이	세로의 길이	직사각형의 둘레의 길이
9 cm	7 cm	

19

가로의 길이	세로의 길이	직사각형의 둘레의 길이
7 cm	8 cm	

24

가로의 길이	세로의 길이	직사각형의 둘레의 길이
	20 cm	54 cm

20

가로의 길이	세로의 길이	직사각형의 둘레의 길이
15 cm	22 cm	

25

가로의 길이	세로의 길이	직사각형의 둘레의 길이
5 cm		72 cm

서술형 풀어보기

26 그림과 같은 직사각형이 있습니다. 세로의 길이는 가로의 길이보다 2 cm 더 짧다고 합니다. 이 직사각형의 둘레를 구해보세요.

풀이과정

(1) 세로의 길이는 ☐ cm입니다.

(2) (직사각형의 둘레)={(가로의 길이)+(세로의 길이)}×☐ 입니다.

(3) 식으로 나타내면 (☐+☐)×☐ 입니다.

(4) 그러므로 직사각형의 둘레는 ☐ cm입니다.

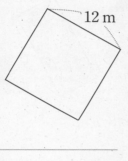

(27~30) 풀이과정을 쓰고 답을 구하세요.

27 다음 그림과 같이 한 변의 길이가 12 m인 정사각형이 있습니다. 이 정사각형의 둘레를 구하세요.

풀이 _____

답 _____ m

29 둘레가 168 m인 직사각형 모양의 수영장과 둘레가 같은 정사각형 모양의 수영장의 한 변의 길이는 몇 m일까요?

풀이 _____

답 _____ m

30 다음 직사각형과 정사각형은 둘레의 길이가 같다고 합니다. 그림을 보고 정사각형의 한 변의 길이를 구해보세요.

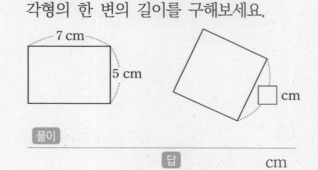

풀이 _____

답 _____ cm

28 둘레가 112 m인 직사각형 모양의 화단의 가로의 길이가 34 m라 할 때, 세로의 길이는 몇 m일까요?

풀이 _____

답 _____ m

연마 Check 칭찬이나 노력할 점을 써 주세요.

맞힌 개수		지도 의견		확인란
	개	나의 생각		

● (직사각형의 넓이)
　＝(가로)×(세로)

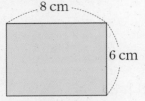

8 cm
6 cm

(직사각형의 넓이)
＝8×6＝48(cm²)

● (정사각형의 넓이)
　＝(한 변)×(한 변)

7 cm

(정사각형의 넓이)
＝7×7＝49(cm²)

 **핵심 포인트**

· 단위넓이 1 cm²(일 제곱센티미터):
한 변이 1 cm인 정사각형의 넓이

· 단위넓이 1 m²(일 제곱미터): 한 변이
1 m인 정사각형의 넓이
1 m=100 cm이므로
1m²=(100×100)cm²
　　＝10000 cm²

⏳ **(01~06) 직사각형의 둘레와 넓이를 구하세요. (단위까지 꼭 쓰세요.)**

01

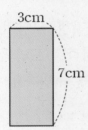
3cm
7cm

① 둘레 :
② 넓이 :

04

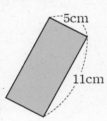
5cm
11cm

① 둘레 :
② 넓이 :

02

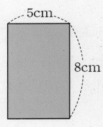
5cm
8cm

① 둘레 :
② 넓이 :

05

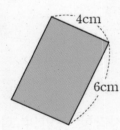
4cm
6cm

① 둘레 :
② 넓이 :

03

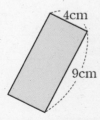
4cm
9cm

① 둘레 :
② 넓이 :

06

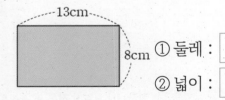
13cm
8cm

① 둘레 :
② 넓이 :

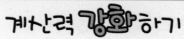
(07~14) 정사각형의 둘레와 넓이를 구하세요. (단위까지 꼭 쓰세요.)

07
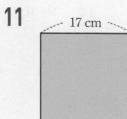
14cm

① 둘레 : ☐
② 넓이 : ☐

11
17 cm

① 둘레 : ☐
② 넓이 : ☐

08
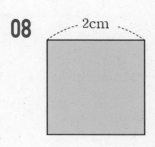
2cm

① 둘레 : ☐
② 넓이 : ☐

12
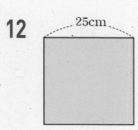
25cm

① 둘레 : ☐
② 넓이 : ☐

09
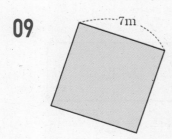
7m

① 둘레 : ☐
② 넓이 : ☐

13
9 m

① 둘레 : ☐
② 넓이 : ☐

10
6 cm

① 둘레 : ☐
② 넓이 : ☐

14
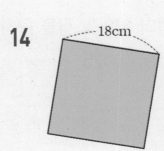
18cm

① 둘레 : ☐
② 넓이 : ☐

6
단
계

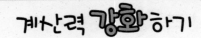

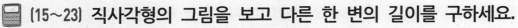

(15~23) 직사각형의 그림을 보고 다른 한 변의 길이를 구하세요.

15
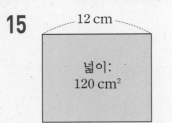
12 cm
넓이:
120 cm²

→ 다른 한 변: ☐ cm

18

6 cm
넓이:
66 cm²

→ 다른 한 변: ☐ cm

21
3 cm
넓이:
39 cm²

→ 다른 한 변: ☐ cm

16
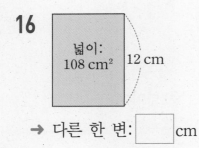
넓이:
108 cm²
12 cm

→ 다른 한 변: ☐ cm

19

7 m
넓이:
35 m²

→ 다른 한 변: ☐ m

22

넓이:
126 cm²
14 cm

→ 다른 한 변: ☐ cm

17
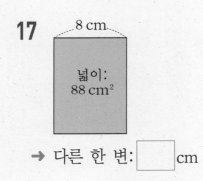
8 cm
넓이:
88 cm²

→ 다른 한 변: ☐ cm

20
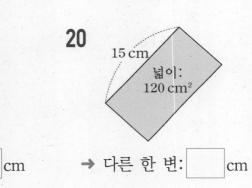
15 cm
넓이:
120 cm²

→ 다른 한 변: ☐ cm

23
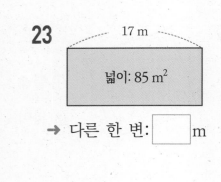
17 m
넓이: 85 m²

→ 다른 한 변: ☐ m

(24~26) 두 정사각형의 넓이의 합을 구하세요. (단위까지 꼭 쓰세요.)

24
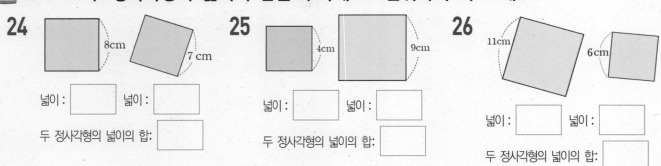
8cm
7 cm
넓이: ☐   넓이: ☐
두 정사각형의 넓이의 합: ☐

25
4cm
9cm
넓이: ☐   넓이: ☐
두 정사각형의 넓이의 합: ☐

26
11cm
6cm
넓이: ☐   넓이: ☐
두 정사각형의 넓이의 합: ☐

서술형 풀어보기

27 그림을 보고 물음에 답하세요.

풀이과정

(1) 정사각형 ㉮의 넓이와 정사각형 ㉯의 넓이를 구해보세요.

→ 정사각형 ㉮의 넓이: ☐ m^2

→ 정사각형 ㉯의 넓이: ☐ m^2

(2) 정사각형 ㉯의 넓이는 정사각형 ㉮의 넓이의 ☐ 배입니다.

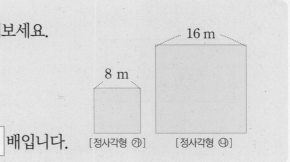

[정사각형 ㉮] [정사각형 ㉯]

[28~30] 풀이과정을 쓰고 답을 구하세요.

28 그림의 정사각형 ㉮와 ㉯를 보고, 정사각형 ㉮의 넓이는 ㉯의 몇 배인지 구해보세요.

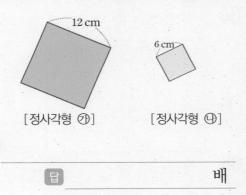

[정사각형 ㉮]   [정사각형 ㉯]

풀이 _____

답 _____ 배

29 두 정사각형의 넓이의 합을 구하세요.

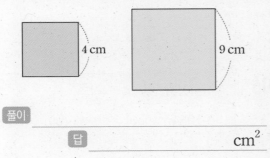

풀이 _____

답 _____ cm^2

30 다음 직사각형과 정사각형의 넓이가 같다고 할 때, 빈칸을 채워보세요.

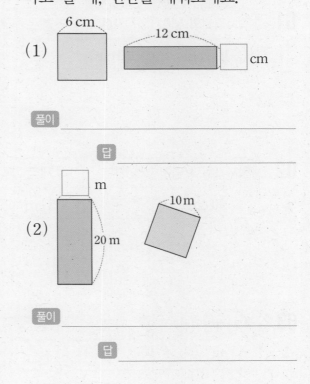

(1)

풀이 _____

답 _____

(2)

풀이 _____

답 _____

연마 *Check* 칭찬이나 노력할 점을 써 주세요.

맞힌 개수	지도 의견		확인란
개	나의 생각		

29 일차 직각 도형의 넓이 – 직사각형과 정사각형의 넓이②

 월 일

● 직사각형의 넓이와 한 변의 길이가 주어지면 다른 한 변의 길이를 알 수 있습니다.

넓이: 72cm²

12cm

$72 = 12 \times (세로) \rightarrow (세로) = \dfrac{72}{12} = 6\,cm$

● 둘레와 한 변의 길이가 주어지면 직사각형의 넓이를 알 수 있습니다.

5cm 둘레: 30cm

$30 = \{(가로) + 5\} \times 2$
→ $30 \div 2 = (가로) + 5$
→ $15 - 5 = (가로)$
→ $(가로) = 10\,cm,\ (넓이) = 50\,cm^2$

● 정사각형의 넓이로 한 변의 길이를 알 수 있습니다.

넓이: 64cm²

(정사각형의 넓이) = (한 변) × (한 변)이므로 같은 수의 곱셈을 생각하면 됩니다. 64가 나오는 같은 수의 곱은 8×8이므로 정사각형의 한 변의 길이는 8 cm입니다.

⧗ (01~06) 다음 직사각형의 빈칸을 채우세요. (단위까지 꼭 쓰세요.)

01

직사각형의 넓이	가로	세로
120 cm²	10 cm	

02

직사각형의 넓이	가로	세로
90 cm²		5 cm

03

직사각형의 넓이	가로	세로
28 cm²		14 cm

04

직사각형의 넓이	가로	세로
140 cm²	14 cm	

05

직사각형의 넓이	가로	세로
420 m²	42 m	

06

직사각형의 넓이	가로	세로
108 m²		9 m

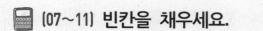

(07~11) 빈칸을 채우세요.

07

직사각형의 넓이	가로	세로
810 cm^2	90 cm	

08

직사각형의 넓이	가로	세로
84 m^2	12 m	

09

직사각형의 넓이	가로	세로
88 m^2	8 m	

10

직사각형의 넓이	가로	세로
720 m^2		9 m

11

직사각형의 넓이	가로	세로
100 m^2		4 m

(12~16) 직사각형의 넓이를 구하세요.

12

직사각형의 둘레	세로	넓이
28 cm	4 cm	

13

직사각형의 둘레	세로	넓이
30 cm	8 cm	

14

직사각형의 둘레	세로	넓이
20 m	6 m	

15

직사각형의 둘레	가로	넓이
46 cm	9 cm	

16

직사각형의 둘레	가로	넓이
38 cm	7 cm	

6단계

계산력 강화하기

정확하게 풀어보요

 (17~23) 빈칸을 채우세요.

(24~30) 정사각형(가)의 넓이는 정사각형(나)의 넓이의 4배일 때, 빈칸을 채우세요.

17

정사각형의 넓이	한 변의 길이
25 m^2	

24

정사각형(나)의 넓이	정사각형(가)의 한 변의 길이
25 cm^2	

18

정사각형의 넓이	한 변의 길이
49 cm^2	

25

정사각형(나)의 넓이	정사각형(가)의 한 변의 길이
9 cm^2	

19

정사각형의 넓이	한 변의 길이
100 cm^2	

26

정사각형(나)의 넓이	정사각형(가)의 한 변의 길이
16 cm^2	

20

정사각형의 넓이	한 변의 길이
16 m^2	

27

정사각형(나)의 넓이	정사각형(가)의 한 변의 길이
36 cm^2	

21

정사각형의 넓이	한 변의 길이
9 m^2	

28

정사각형(나)의 넓이	정사각형(가)의 한 변의 길이
225 m^2	

22

정사각형의 넓이	한 변의 길이
64 cm^2	

29

정사각형(나)의 넓이	정사각형(가)의 한 변의 길이
1 m^2	

23

정사각형의 넓이	한 변의 길이
81 cm^2	

30

정사각형(나)의 넓이	정사각형(가)의 한 변의 길이
49 m^2	

서술형 풀어보기

구조화 해서 풀어보아요

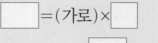

31 그림의 직사각형 가로의 길이는 몇 m일까요?

9 m | 넓이: 171m²

풀이과정

(1) (직사각형의 넓이) = (가로) × ☐ 입니다.

(2) 식으로 나타내면 ☐ = (가로) × ☐ 입니다.

(3) 그러므로 직사각형의 가로의 길이는 ☐ m입니다.

☐ = (가로) × ☐

→ (가로) = $\dfrac{\boxed{}}{\boxed{}}$ = ☐

💡 **(32~35) 풀이과정을 쓰고 답을 구하세요.**

32 넓이가 2000 m²인 직사각형 배추밭이 있습니다. 이 배추밭의 가로의 길이가 20 m라고 할 때, 세로의 길이는 몇 m입니까?

풀이 _____

답 _____ m

33 둘레가 50 cm인 직사각형이 있습니다. 이 직사각형의 가로의 길이가 15 cm라고 할 때, 넓이를 구해보세요.

직사각형의 둘레	가로	넓이
50 cm	15 cm	

풀이 _____

답 _____ cm²

34 넓이가 36 cm²인 정사각형 두 개를 가로로 이어 붙여 직사각형을 만들었습니다. 직사각형의 가로와 세로의 길이를 구하세요.(단, 가로 > 세로)

풀이 _____

답 가로: _____ cm   세로: _____ cm

35 넓이가 100 m²인 정사각형이 있습니다. 이 정사각형의 넓이보다 넓이가 4배 더 큰 정사각형의 한 변의 길이를 구해보세요.

풀이 _____

답 _____ m

👆 **연마 Check** 칭찬이나 노력할 점을 써 주세요.

맞힌 개수		지도 의견		확인란
	개	나의 생각		

6 단계

● 색칠된 부분의
넓이 구하기

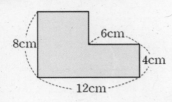

보조선을 이용하여 도형을 잘라 계산하거나 더 큰 도형을 만들어 작은 도형을 뺍니다.

방법① 직사각형 ㉮, ㉯로 나누기

→ ㉮의 (넓이)$=(12-6)\times(8-4)=24$ cm^2
→ ㉯의 (넓이)$=12\times4=48$ cm^2
→ ㉮+㉯의 (넓이)$=24+48=72$ cm^2

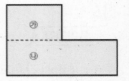

방법② (직각도형 전체 넓이)−(포함되지 않은 부분의 넓이)

→ (큰 직사각형)−(작은 직사각형㉮)
   $=(12\times8)-$㉮$=96-24=72$ cm^2

⧗ (01~03) **색칠된 도형의 넓이를 구하세요.**

01 방법①

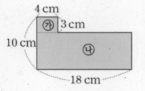

㉮의 (넓이)
$=4\times\boxed{}=\boxed{}$

㉯의 (넓이)$=18\times\boxed{}=\boxed{}$

㉮+㉯$=\boxed{}$ cm^2

방법② 보조선을
그어 큰 직사각형
을 만들기
(큰 직사각형)−(작은 직사각형)

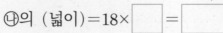

$=(18\times\boxed{})-(\boxed{}\times3)=\boxed{}$ m^2

02

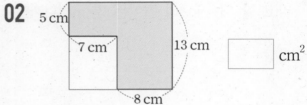

$\boxed{}$ cm^2

03

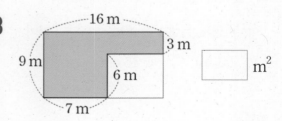

$\boxed{}$ m^2

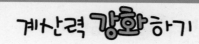

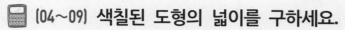

(04~09) 색칠된 도형의 넓이를 구하세요.

04

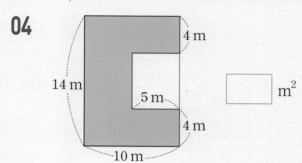

4 m
14 m
5 m
4 m
10 m

☐ m²

05

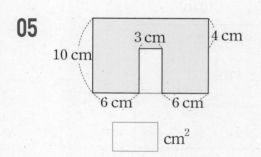

3 cm
4 cm
10 cm
6 cm   6 cm

☐ cm²

06

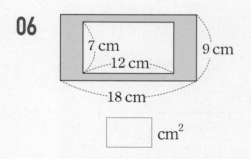

7 cm
12 cm
9 cm
18 cm

☐ cm²

07

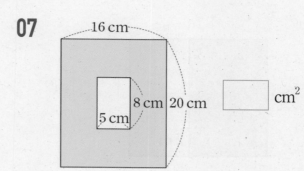

16 cm
8 cm   20 cm
5 cm

☐ cm²

08

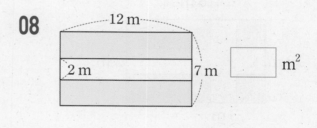

12 m
2 m   7 m

☐ m²

09

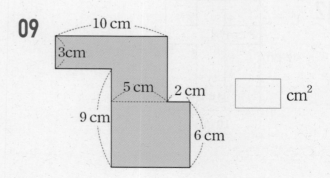

10 cm
3cm
5 cm   2 cm
9 cm   6 cm

☐ cm²

🧮 (10~15) 색칠된 부분의 도형의 넓이를 구하세요.

10

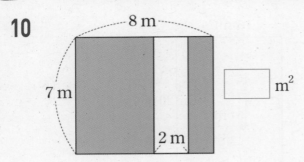

[ ] m²

13

[ ] cm²

11

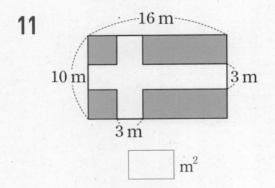

[ ] m²

14

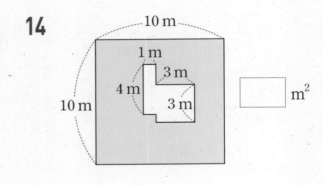

[ ] m²

12

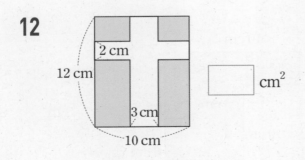

[ ] cm²

15

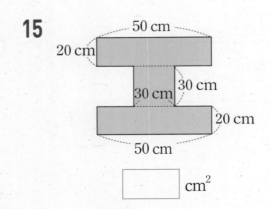

[ ] cm²

서술형 풀어보기

구조화 해서 풀어보아요

16 다음 그림과 같이 화단에 길을 만들었습니다. 길을 제외한 화단의 넓이를 구해보세요.

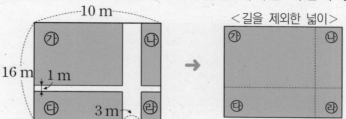

<길을 제외한 넓이>

풀이과정

(1) ㉮+㉯+㉰+㉱를 계산한 넓이는 (전체 직사각형)−(⬚)와 같습니다.

(2) 식으로 나타내면 ⬚ × ⬚ 입니다.

(3) 그러므로 길을 제외한 화단의 넓이는 ⬚ m²입니다.

• 길을 제외한 화단의 가로 길이
= ⬚ − ⬚ = ⬚

• 길을 제외한 화단의 세로 길이
= ⬚ − ⬚ = ⬚

(17~18) 풀이과정을 쓰고 답을 구하세요.

17 다음 그림과 같이 포도밭에 길을 내려고 합니다. 길을 제외한 포도밭의 넓이를 구해보세요.

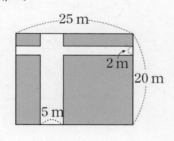

풀이 _____

답 _____ m²

18 도희가 인형 집을 만들려고 설계도를 그렸습니다. 그림을 보고 다음 물음에 답하세요. (단, 벽의 두께는 무시합니다.)

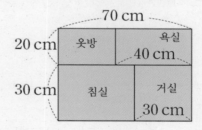

(1) 침실의 넓이를 구하세요.

풀이 _____

답 _____ cm²

(2) 옷방의 넓이를 구하세요.

풀이 _____

답 _____ cm²

연마 Check 칭찬이나 노력할 점을 써 주세요.

맞힌 개수		지도 의견	
	개	나의 생각	확인란

31 일차 평행사변형의 넓이 ①

월   일

● 평행사변형의 (넓이)＝(밑변)×(높이)

①을 ②로 옮기면 직사각형이
만들어집니다. 그러므로
(평행사변형의 넓이)
＝(직사각형의 넓이)
＝(밑변)×(높이)＝(가로)×(세로)

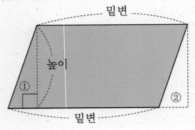

핵심포인트

● 평행사변형의 밑변과 높이는 서로 수
직입니다.

● 평행사변형의 밑변은 평행한 두 변입
니다.

● 평행사변형의 밑변 길이는 같습니다.

⏳ (01~06) 평행사변형의 넓이를 구하세요.

01

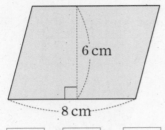

6 cm
8 cm

$\boxed{} \times \boxed{} = \boxed{}$ cm²

02

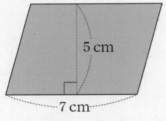

5 cm
7 cm

$\boxed{} \times \boxed{} = \boxed{}$ cm²

03

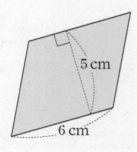

5 cm
6 cm

$\boxed{}$ cm²

04

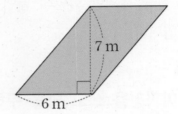

7 m
6 m

$\boxed{}$ m²

05

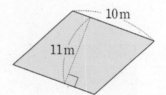

10 m
11 m

$\boxed{}$ m²

06

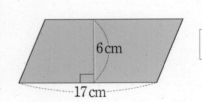

6 cm
17 cm

$\boxed{}$ cm²

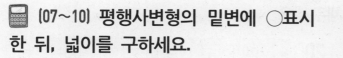

(07~10) 평행사변형의 밑변에 ◯표시 한 뒤, 넓이를 구하세요.

(11~14) 평행사변형을 보고 빈칸을 채우세요.

07

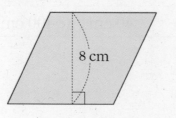

8 cm

밑변: 9 cm

☐ cm²

08

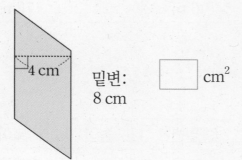

4 cm

밑변: 8 cm

☐ cm²

09

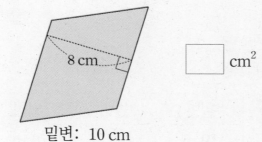

8 cm

밑변: 10 cm

☐ cm²

10

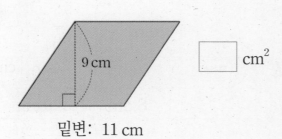

9 cm

밑변: 11 cm

☐ cm²

11

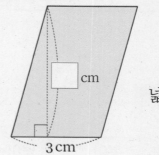

☐ cm

3 cm

넓이: 60 cm²

12

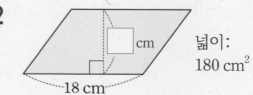

☐ cm

18 cm

넓이: 180 cm²

13

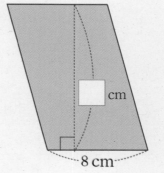

☐ cm

8 cm

넓이: 96 cm²

14

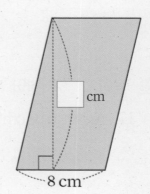

☐ cm

8 cm

넓이: 120 cm²

6
단
계

 (15~24) 다음 평행사변형의 빈칸을 채우세요.

15

밑변	높이	넓이
12 cm	5 cm	

20

밑변	높이	넓이
	40 cm	400 cm^2

16

밑변	높이	넓이
13 m	7 m	

21

밑변	높이	넓이
6 m		72 m^2

17

밑변	높이	넓이
5 m	4 m	

22

밑변	높이	넓이
12 m		144 m^2

18

밑변	높이	넓이
11 m	8 m	

23

밑변	높이	넓이
19 m		76 m^2

19

밑변	높이	넓이
	17 cm	510 cm^2

24

밑변	높이	넓이
	8 cm	120 cm^2

25 밑변의 길이가 같고, 높이가 같은 평행사변형은 넓이도 같습니다. 이 원리를 이용해서 빈칸을 채워 봅시다.

5 cm   ㉮   ㉯

6 cm   6 cm

(풀이과정)

(1) 평행사변형 ㉮와 ㉯는 높이가 ☐ cm로 같고, 밑변도 ☐ cm로 같습니다.

(2) 그러므로 평행사변형 ㉮와 ㉯의 넓이는 [같습니다 / 다릅니다].

(3) 평행사변형 ㉮와 ㉯의 넓이는 각각 ☐ cm², ☐ cm²입니다.

💡 **(26~29) 풀이과정을 쓰고 답을 구하세요.**

26 높이는 4 cm, 넓이는 12 cm²로 같고, 모양이 다른 평행사변형 2개가 있습니다. 두 평행사변형의 밑변의 길이를 각각 구하세요.

풀이 _____

답 _____ cm, _____ cm

27 잘라 붙이면 정사각형을 만들 수 있는 평행사변형의 넓이를 구하세요.

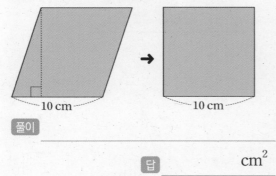

10 cm → 10 cm

풀이 _____

답 _____ cm²

28 평행사변형 ㉮와 ㉯ 둘 중에 넓이가 더 넓은 것은 무엇일까요?

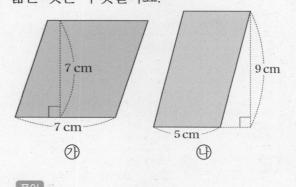

7 cm   9 cm

7 cm   5 cm

㉮   ㉯

풀이 _____

답 _____

29 밑변이 11 cm이고, 넓이가 110 cm²인 평행사변형의 높이는 몇 cm일까요?

풀이 _____

답 _____ cm

👆 **연마 Check** 칭찬이나 노력할 점을 써 주세요.

맞힌 개수	지도 의견		확인란
개	나의 생각		

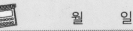

32 일차 삼각형의 넓이

월 일

- 삼각형의 넓이＝(밑변)×(높이)÷2

① 삼각형의 넓이＝직사각형의 넓이÷2

② 삼각형의 넓이＝평행사변형의 넓이÷2

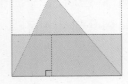

⏳ (01~06) **삼각형의 넓이를 구하세요.**

01

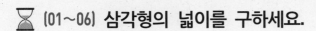

4 cm

6 cm

☐ cm²

04

10 cm

7 cm

☐ cm²

02

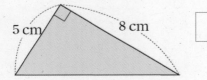

5 cm   8 cm

☐ cm²

05

3 cm   6 cm

☐ cm²

03

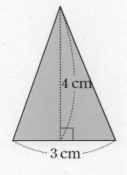

4 cm

3 cm

☐ cm²

06

6 m

2 m

☐ m²

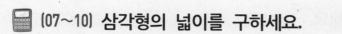
 (07~10) 삼각형의 넓이를 구하세요.

 (11~14) 삼각형을 보고 빈칸을 채우세요.

07

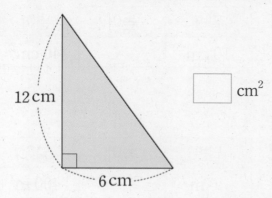

12 cm

6 cm

$\square$ cm²

11

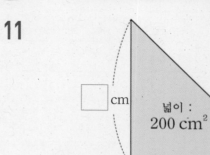

$\square$ cm

넓이 : 200 cm²

20 cm

08

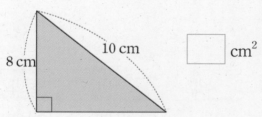

8 cm

10 cm

$\square$ cm²

12

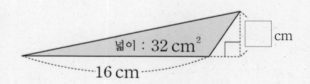

넓이 : 32 cm²

16 cm

$\square$ cm

09

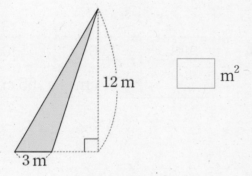

12 m

3 m

$\square$ m²

13

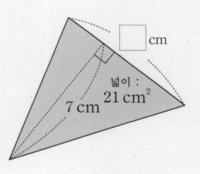

$\square$ cm

넓이 : 21 cm²

7 cm

10

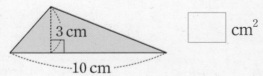

3 cm

10 cm

$\square$ cm²

14

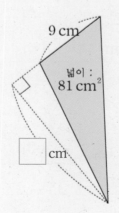

9 cm

넓이 : 81 cm²

$\square$ cm

6
단
계

 (15~26) 다음 삼각형의 빈칸을 채우세요.

15

밑변	높이	넓이
10 m	4 m	

16

밑변	높이	넓이
8 cm	7 cm	

17

밑변	높이	넓이
3 m	6 m	

18

밑변	높이	넓이
15 cm	4 cm	

19

밑변	높이	넓이
13 m	8 m	

20

밑변	높이	넓이
12 cm		24 cm^2

21

밑변	높이	넓이
10 cm		40 cm^2

22

밑변	높이	넓이
40 m		400 m^2

23

밑변	높이	넓이
	30 cm	150 cm^2

24

밑변	높이	넓이
	11 cm	55 cm^2

25

밑변	높이	넓이
5 m	6 m	

26

밑변	높이	넓이
6 m		30 m^2

서술형 풀어보기

구조화 해서 풀어보아요

27 삼각형은 밑변의 길이와 높이의 길이가 같으면 모양은 달라도 넓이가 같습니다. 삼각형 ㉮와 ㉯의 넓이를 구하세요.

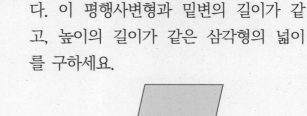

풀이과정

(1) 삼각형 ㉮의 밑변의 길이는 ☐ cm입니다.

(2) 삼각형 ㉯의 밑변의 길이는 ☐ cm입니다.

(3) 삼각형 ㉮와 ㉯의 높이는 각각 ☐ cm, ☐ cm입니다.

(4) 그러므로 삼각형 ㉮의 넓이는 ☐ cm², 삼각형 ㉯의 넓이는 ☐ cm²입니다.

(삼각형의 넓이)

= ☐ × ☐ ÷ 2 = ☐

(28~30) 풀이과정을 쓰고 답을 구하세요.

28 다음 세 삼각형 가운데 넓이가 같은 삼각형을 고르고 그 이유를 설명하세요.

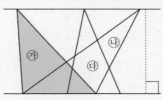

풀이 _____

답 _____

29 밑변이 19 m이고, 넓이가 57 m²인 삼각형이 있습니다. 이 삼각형의 높이를 구하세요.

풀이 _____

답 _____ m

30 다음 평행사변형의 넓이는 96 cm² 입니다. 이 평행사변형과 밑변의 길이가 같고, 높이의 길이가 같은 삼각형의 넓이를 구하세요.

풀이 _____

답 _____ cm²

연마 Check 칭찬이나 노력할 점을 써 주세요.

맞힌 개수		지도 의견		확인란
	개	나의 생각		

사다리꼴의 넓이 ①

● 사다리꼴은 윗변, 아랫변, 높이를 알면 넓이를
구할 수 있습니다.

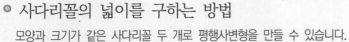

윗변 ← 위에 있으니까 윗변 → 윗변

아랫변   아랫변

● 사다리꼴의 넓이를 구하는 방법

모양과 크기가 같은 사다리꼴 두 개로 평행사변형을 만들 수 있습니다.

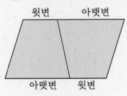

윗변 아랫변

아랫변 윗변

(사다리꼴의 넓이)=(평행사변형의 넓이)÷2

→ (밑변)×(높이)÷2 ＝{(윗변)＋(아랫변)}×(높이)÷2

⏳ (01~04) 사다리꼴의 윗변, 밑변, 높이를 표시하고 넓이를 구하세요.

01

윗변: 3 cm
아랫변: 5 cm
높이: 4 cm

(사다리꼴의 넓이)

$=(\boxed{}+\boxed{})\times\boxed{}\div2$

$=\boxed{}\times\boxed{}\div2=\boxed{}\ cm^2$

02

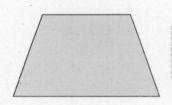

윗변: 5 cm
아랫변: 7 cm
높이: 4 cm

(사다리꼴의 넓이)

$=(\boxed{}+\boxed{})\times\boxed{}\div\boxed{}$

$=\boxed{}\times\boxed{}\div2=\boxed{}\ cm^2$

03

윗변: 6 cm
아랫변: 9 cm
높이: 8 cm

(사다리꼴의 넓이)

$=(\boxed{}+\boxed{})\times\boxed{}\div\boxed{}$

$=\boxed{}\times\boxed{}\div2=\boxed{}\ cm^2$

04

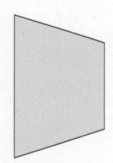

윗변: 7 cm
아랫변: 10 cm
높이: 8 cm

(사다리꼴의 넓이)

$=(\boxed{}+\boxed{})\times\boxed{}\div\boxed{}$

$=\boxed{}\times\boxed{}\div2=\boxed{}\ cm^2$

(05~08) 모양과 크기가 같은 사다리꼴 2개를 붙여서 평행사변형을 만들었습니다. 빈칸을 채우고 물음에 답하세요.

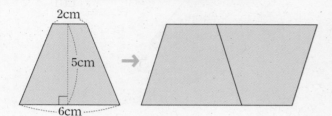

05 사다리꼴의 넓이를 구하세요.

→ (사다리꼴의 넓이)

$= \{(밑변)+(\boxed{})\}×(높이)÷\boxed{}$

$= (6+\boxed{})×5÷\boxed{} = 20 \text{ cm}^2$

06 평행사변형의 넓이를 구하세요.

→ (평행사변형의 넓이)

$= \boxed{}×(높이)$

$= \boxed{}×5 = \boxed{} \text{ cm}^2$

07 사다리꼴의 넓이의 2배가 평행사변형의 넓이와 [같습니다 / 다릅니다].

08 모양이 같은 사다리꼴 2개를 붙여서 만든 변형의 넓이가 108 cm^2라면, 사다리꼴 한 개의 넓이는 $\boxed{} \text{ cm}^2$입니다.

(09~12) 모양과 크기가 같은 사다리꼴 2개를 붙여서 직사각형을 만들었습니다. 물음에 답하세요.

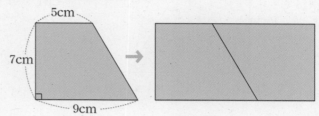

09 사다리꼴의 넓이를 구하세요.

10 직사각형의 넓이를 구하세요.

11 사다리꼴의 넓이의 2배가 직사각형의 넓이와 [같습니다 / 다릅니다].

12 모양이 같은 사다리꼴 2개를 붙여서 만든 직사각형의 넓이가 148 cm^2라면, 사다리꼴 한 개의 넓이는 $\boxed{} \text{ cm}^2$입니다.

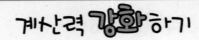
 (13~20) 사다리꼴의 넓이를 구하세요.

13

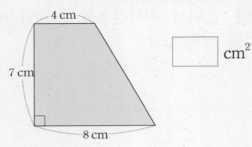

4 cm
7 cm
8 cm

☐ cm²

14

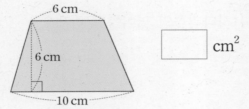

6 cm
6 cm
10 cm

☐ cm²

15

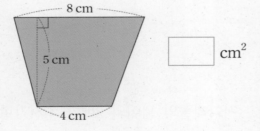

8 cm
5 cm
4 cm

☐ cm²

16

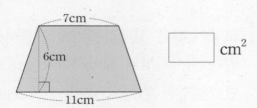

7cm
6cm
11cm

☐ cm²

17

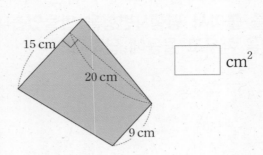

15 cm
20 cm
9 cm

☐ cm²

18

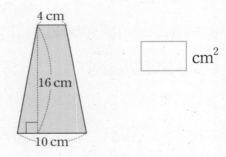

4 cm
16 cm
10 cm

☐ cm²

19

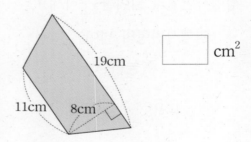

19cm
11cm
8cm

☐ cm²

20

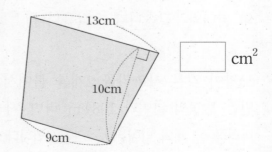

13cm
10cm
9cm

☐ cm²

서술형 풀어보기

21 사다리꼴①과 모양이 같은 사다리꼴을 2개 이어 붙여 평행사변형을 만들었습니다. 그림을 보고 빈칸에 알맞은 수를 써넣으세요.

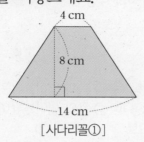

[사다리꼴①]

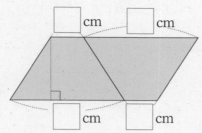

풀이과정

(1) 사다리꼴①의 넓이는 (⬚ + ⬚) × ⬚ ÷ 2 = ⬚ cm² 입니다.

(2) 평행사변형의 넓이는 (⬚ + ⬚) × ⬚ = ⬚ cm² 입니다.

(3) 그러므로 평행사변형의 넓이는 (사다리꼴①의 넓이) × ⬚ 입니다.

(22~24) 풀이과정을 쓰고 답을 구하세요.

22 평행사변형 모양의 땅에서 삼각형만큼의 넓이를 빼서 사다리꼴의 버섯농장을 만들었습니다. 버섯농장의 넓이는 몇 m²일까요?

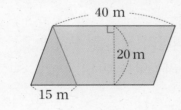

풀이

답 _____ m²

23 다음 직사각형과 사다리꼴의 넓이가 같다고 할 때, 사다리꼴의 높이를 구하세요.

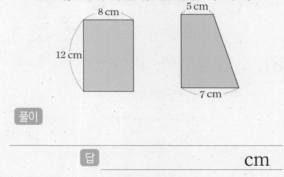

풀이

답 _____ cm

24 밑변이 13 cm, 윗변이 3 cm, 높이가 4 cm인 사다리꼴 두 개를 이어 붙여 평행사변형을 만들었습니다. 평행사변형의 넓이는 몇 cm² 일까요?

풀이

답 _____ cm²

연마 Check 칭찬이나 노력할 점을 써 주세요.

맞힌 개수	지도 의견		확인란
개	나의 생각		

34 일차 사다리꼴의 넓이 ②

 월 일

● 사다리꼴의 넓이 공식을 이용해서 사다리꼴의 윗변, 아랫변, 높이를 구할 수 있습니다.

→ 넓이가 51 cm²인 사다리꼴의 윗변의 길이 구하기

$(12+\boxed{})\times6\div2=51$

$(12+\boxed{})\times6=102$

$12+\boxed{}=17,\ \boxed{}=5$

그러므로 윗변의 길이는 5 cm입니다.

● 삼각형 두 개의 합으로 사다리꼴의 넓이를 구하는 방법

(삼각형 ㉠㉡㉣의 넓이)=(윗변)×(높이)÷2
(삼각형 ㉡㉢㉣의 넓이)=(아랫변)×(높이)÷2
그러므로
(삼각형 ㉠㉡㉣의 넓이)+(삼각형 ㉡㉢㉣의 넓이)
=(사다리꼴 ㉠㉡㉢㉣의 넓이)

⧗ (01~05) 그림을 보고 빈칸을 채우세요.

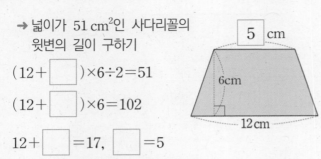

01 (삼각형①의 넓이)

$=\boxed{}\times(높이)\div\boxed{}$

$=\boxed{}\times\boxed{}\div\boxed{}=\boxed{}\ \text{cm}^2$

02 (삼각형②의 넓이)

$=\boxed{}\times(높이)\div\boxed{}$

$=\boxed{}\times\boxed{}\div\boxed{}=\boxed{}\ \text{cm}^2$

03 (삼각형①의 넓이)+(삼각형②의 넓이)

$=\boxed{}+\boxed{}=\boxed{}\ \text{cm}^2$

04 사다리꼴의 넓이를 구하면

(사다리꼴의 넓이)

$=(\boxed{}+\boxed{})\times\boxed{}\div\boxed{}$

$=\boxed{}\times\boxed{}\div\boxed{}=\boxed{}\ \text{cm}^2$

05 (삼각형①의 넓이)+(삼각형②의 넓이)

$=\boxed{}+\boxed{}=\boxed{}$이므로

사다리꼴의 넓이와 [같습니다/다릅니다].

 (06~13) 사다리꼴의 빈칸을 채우세요.

06
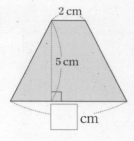
2 cm
5 cm
넓이: 25 cm²
□ cm

10
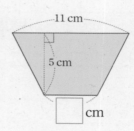
11 cm
5 cm
넓이: 45 cm²
□ cm

07

□ cm
10 cm
6 cm
넓이: 50 cm²

11
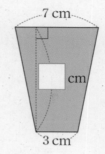
7 cm
□ cm
3 cm
넓이: 45 cm²

08
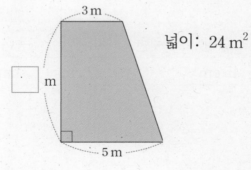
3 m
□ m
5 m
넓이: 24 m²

12
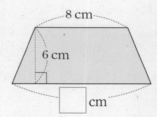
8 cm
6 cm
□ cm
넓이: 60 cm²

09
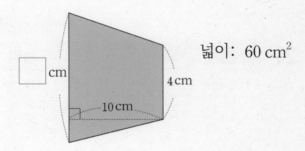
□ cm
4 cm
10 cm
넓이: 60 cm²

13
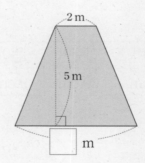
2 m
5 m
□ m
넓이: 20 m²

6단계

 (14~21) 다음 사다리꼴의 빈칸을 채우세요.

14

넓이	윗변	아랫변	높이
63 cm^2	12 cm	6 cm	

18

넓이	윗변	아랫변	높이
100 cm^2	6 cm		20 cm

15

넓이	윗변	아랫변	높이
40 cm^2	13 cm	7 cm	

19

넓이	윗변	아랫변	높이
120 cm^2	7 cm		12 cm

16

넓이	윗변	아랫변	높이
	15 cm	11 cm	10 cm

20

넓이	윗변	아랫변	높이
45 cm^2		22 cm	3 cm

17

넓이	윗변	아랫변	높이
	8 cm	20 cm	9 cm

21

넓이	윗변	아랫변	높이
105 cm^2		10 cm	10 cm

서술형 풀어보기

22 아랫변이 17 m, 높이가 16 m,
넓이가 184 m²인 사다리꼴 밭이 있습니다.
이 밭의 윗변은 몇 m일까요?

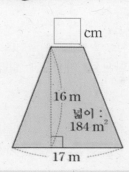

[ ] cm

16 m

넓이 :
184 m²

17 m

풀이과정

(1) 사다리꼴의 넓이 공식에 따라 ([ ] +윗변)× [ ] ÷2= [ ] m² 입니다.

(3) 그러므로 이 밭의 윗변의 길이는 [ ] m입니다.

(23~26) 풀이과정을 쓰고 답을 구하세요.

23 아랫변이 4 cm, 윗변이 8 cm, 넓이가 60 cm²인 사다리꼴의 높이는 몇 cm일까요?

풀이 _____

답 _____ cm

25 윗변이 7 m, 아랫변이 11 m, 넓이는 81 m²인 사다리꼴 고구마밭이 있습니다. 이 고구마밭의 윗변과 아랫변 사이의 수직인 거리를 구하세요.

풀이 _____

답 _____ m

24 사다리꼴의 넓이가 92 cm²일 때, 색칠된 삼각형의 넓이는 몇 cm²일까요?

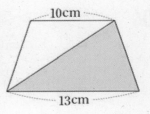

10cm

13cm

풀이 _____

답 _____ cm²

26 사다리꼴을 평행사변형과 삼각형으로 나누었습니다. 삼각형의 넓이를 구하세요.

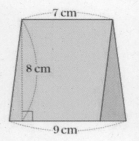

7 cm

8 cm

9 cm

풀이 _____

답 _____ cm²

연마 Check 칭찬이나 노력할 점을 써 주세요.

맞힌 개수	지도 의견		확인란
개	나의 생각		

6
단
계

마름모와 다각형의 넓이

 월 일

● 마름모의 넓이 구하기

| 방법① | 삼각형 2개의 넓이의 합으로 마름모 넓이 구하기 |

(삼각형 ㄱㄴㄹ)+(삼각형 ㄴㄷㄹ)
=(마름모의 넓이)

→ {선분 ㄴㄹ×(선분 ㄱㄷ÷2)÷2}×2
= 선분 ㄴㄹ×선분 ㄱㄷ÷2

그러므로 마름모의 넓이는
(한 대각선의 길이)×(다른 대각선의 길이) ÷2 입니다.

| 방법② | 마름모를 둘러싼 직사각형으로 구하기 |

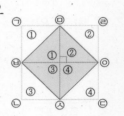

마름모의 넓이=직사각형 넓이÷2

→ 직사각형 ㄱㄴㄷㄹ의 넓이
=(①+②+③+④)×2

→ 마름모 ㅁㅂㅅㅇ의 넓이
=①+②+③+④

그러므로 마름모의 넓이는
마름모를 둘러싼 직사각형의 넓이÷2입니다.

⏳ **[01~05] 마름모의 넓이 공식을 이용하여 마름모의 넓이를 구하세요.**

01

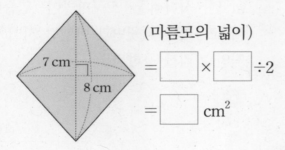

(마름모의 넓이)

= ☐ × ☐ ÷2

= ☐ cm²

02

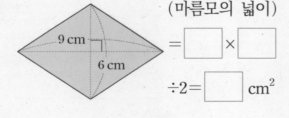

(마름모의 넓이)

= ☐ × ☐

÷2= ☐ cm²

03

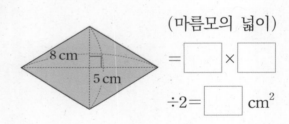

(마름모의 넓이)

= ☐ × ☐

÷2= ☐ cm²

04

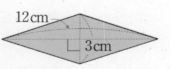

(마름모의 넓이)

= ☐ × ☐ ÷2= ☐ cm²

05

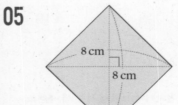

(마름모의 넓이)

= ☐ × ☐ ÷2

= ☐ cm²

(06~14) 마름모의 넓이를 구하세요.

06

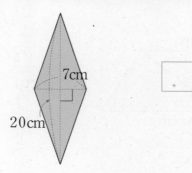

7cm

20cm

$\boxed{}$ cm^2

10

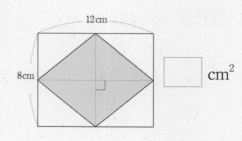

12cm

8cm

$\boxed{}$ cm^2

07

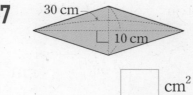

30 cm

10 cm

$\boxed{}$ cm^2

11

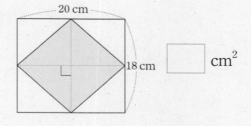

20 cm

18 cm

$\boxed{}$ cm^2

08

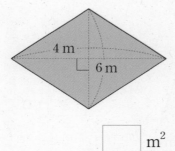

4 m

6 m

$\boxed{}$ m^2

12

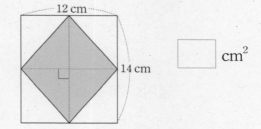

12 cm

14 cm

$\boxed{}$ cm^2

13

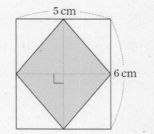

5 cm

6 cm

$\boxed{}$ cm^2

09

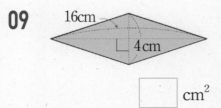

16cm

4cm

$\boxed{}$ cm^2

14

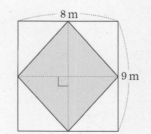

8 m

9 m

$\boxed{}$ m^2

6
단
계

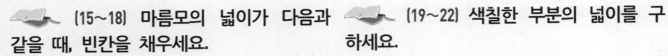

(15~18) 마름모의 넓이가 다음과 같을 때, 빈칸을 채우세요.

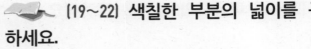
15 넓이: 54 cm²

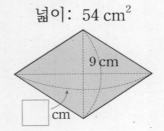

9 cm

□ cm

19

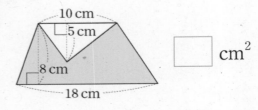

10 cm
5 cm
8 cm
18 cm

□ cm²

16 넓이: 60 cm²

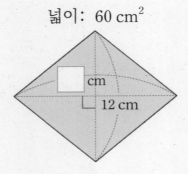

□ cm
12 cm

20

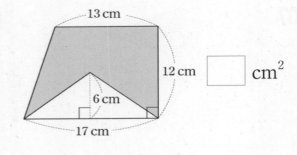

13 cm
12 cm
6 cm
17 cm

□ cm²

17 넓이: 76 cm²

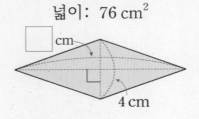

□ cm
4 cm

21

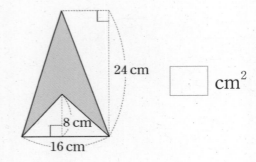

24 cm
8 cm
16 cm

□ cm²

18 넓이: 72 m²

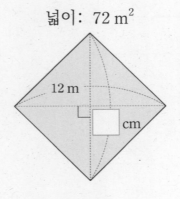

12 m
□ cm

22

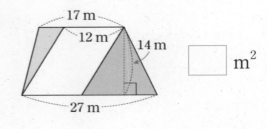

17 m
12 m
14 m
27 m

□ m²

서술형 풀어보기

23 넓이가 84 m²인 마름모가 있습니다. 이 마름모의 한 대각선이 7 m일 때, 다른 대각선의 길이를 구하세요.

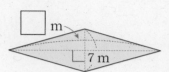

□ m

7 m

풀이과정

(1) 마름모의 넓이 공식에 따라 7× □ ÷2=84

=7× □ = □ , □ = □

(2) 그러므로 다른 대각선의 길이는 □ m입니다.

💡 **(24~27) 풀이과정을 쓰고 답을 구하세요.**

24 마름모 ㉮의 넓이는 36 cm²입니다. 마름모 ㉯의 넓이는 마름모 ㉮보다 2배 넓습니다. 마름모 ㉯의 한 대각선의 길이가 18 cm일 때, 마름모 ㉯의 다른 대각선의 길이를 구하세요.

풀이 _____

답 _____ cm

25 한 변의 길이가 20 cm인 정사각형이 있습니다. 이 정사각형의 한 변의 가운데를 이어 정사각형 안에 마름모를 그렸습니다. 마름모의 넓이를 구해보세요.

20 cm

20 cm

풀이 _____

답 _____ cm²

26 높이가 16 cm인 사다리꼴 모양의 포도밭이 있습니다. 이 사다리꼴의 안에 평행사변형으로 길을 내었습니다. 색칠된 포도밭의 넓이를 구하세요.

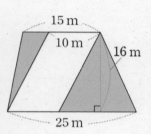

15 m
10 m
16 m
25 m

풀이 _____

답 _____ m²

27 색칠한 부분의 넓이를 구하세요.

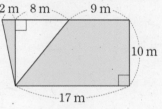

2 m 8 m 9 m
10 m
17 m

풀이 _____

답 _____ m²

🖐 **연마 Check** 칭찬이나 노력할 점을 써 주세요.

맞힌 개수	지도 의견		확인란
개	나의 생각		

9권

5-1
부모님/선생님 가이드

- 공부를 하면서 꼭 알아야 할 내용과, 문제 풀이 시간을 참고하여 아이의 학습 활동에 도움을 줄 수 있습니다.

KILE 학력평가원

연산마스터

계산력 강화

학부모 가이드북

초등

5·1

9 권

KILE 학력평가원

① 30−8+6
- 30−8을 먼저 계산하면 22가 됩니다.
- 22+6을 계산하면 28이 됩니다.

② 30−(6+8)
- ( )안에 있는 8+6을 먼저 계산하면 14가 됩니다.
- 30−14를 하면 16이 됩니다.

개념포인트
- 30+6−8에서 덧셈을 먼저 하기 위해 8과 6의 자리를 바꿀 수 있습니다. 이때, 숫자 앞의 부호도 숫자를 따라갑니다.
  → 30+6=36
  → 36−8=28

→ ①과 ②의 계산 결과는 계산순서에 따라 다릅니다. 그러므로 반드시 ( )부터 계산해야 합니다.

[01~12] 계산을 하세요.

01 32−10+8
= $\boxed{22}$ +8
= $\boxed{30}$

05 50−11+5
= $\boxed{39}$ +5
= $\boxed{44}$

09 33−9+7
= $\boxed{24}$ +7
= $\boxed{31}$

02 32−(10+8)
=32− $\boxed{18}$
= $\boxed{14}$

06 50−(11+5)
=50− $\boxed{16}$
= $\boxed{34}$

10 33−(9+7)
=33− $\boxed{16}$
= $\boxed{17}$

03 19−7+10
= $\boxed{12}$ +10
= $\boxed{22}$

07 100−20+10
= $\boxed{80}$ +10
= $\boxed{90}$

11 100−11+14
= $\boxed{89}$ +14
= $\boxed{103}$

04 19−(7+10)
=19− $\boxed{17}$
= $\boxed{2}$

08 100−(20+10)
=100− $\boxed{30}$
= $\boxed{70}$

12 100−(11+14)
=100− $\boxed{25}$
= $\boxed{75}$

계산력 강화하기   정확하게 풀어보아요

[13~30] 계산을 하세요.

13 44−8+9
=36+9=45

19 170−20+55
=150+55=205

25 71−9+13
=62+13=75

14 44−(8+9)
=44−17=27

20 170−(20+55)
=170−75=95

26 71−(9+13)
=71−22=49

15 101−18+19
=83+19=102

21 88−18+24
=70+24=94

27 54−16+17
=38+17=55

16 101−(18+19)
=101−37=64

22 88−(18+24)
=88−42=46

28 54−(16+17)
=54−33=21

17 35−3+5
=32+5=37

23 62−21+7
=41+7=48

29 96−34+11
=62+11=73

18 35−(3+5)
=35−8=27

24 62−(21+7)
=62−28=34

30 96−(34+11)
=96−45=51

계산력 강화하기   정확하게 풀어보아요

[31~44] 계산을 하세요.

31 21+9+16 =46

38 71−(33+18) =20

32 29−1+4 =32

39 88−11+7−15 =69

33 54−(17−8) =45

40 19−16+39−22 =20

34 36−(8+12) =16

41 37−(16+8)+12 =25

35 67−(3+19) =45

42 67−(45−35)−11 =46

36 92−(35+19) =38

43 73−(3+14)−15 =41

37 83−(16+2) =65

44 26−(17+3)+16 =22

사고력 확장   **서술형 풀어보기**   구조화 해서 풀어보아요

45 한국을 출발해서 일본을 경유하여 호주로 가는 비행기가 있습니다. 한국에서 243명이 탔고 일본에서 98명이 내렸습니다. 호주에 도착했을 때 남자의 숫자는 55명이라고 합니다. 그렇다면 호주에 도착한 여자는 몇 명일까요?

풀이과정

(1) 식으로 표현해 보세요.
  (호주에서 도착한 여자의 수)
  =(한국에서 출발한 사람의 수)−(일본에서 내린 사람의 수)−(호주에 도착한 남자의 수)
  →   243− $\boxed{98}$ − $\boxed{55}$ = $\boxed{90}$

(2) 그러므로 호주에 도착한 여자는 $\boxed{90}$ 명입니다.

[46~49] 풀이과정을 쓰고 답을 구하세요.

46 도헌이는 색종이가 75장이 있었는데 민아에게 17장을 빌려주었습니다. 그리고 나서 다희에게 색종이를 29장을 받았습니다. 도헌이에게는 몇 장의 색종이가 있을까요?

풀이   75−17+29=87

답   87 장

48 감자 많이 캐기 대회에서 도희는 감자 37개를 캤습니다. 도희 엄마는 75개를 캤습니다. 도희 아빠가 그중에 13개를 먹었습니다. 감자는 몇 개가 남았을까요?

풀이   37+75−13=99

답   99 개

47 8에다 59−31을 계산한 것을 더하는 식을 쓰고 답을 쓰세요.

풀이   8+(59−31)=8+28=36

답   36

49 92에다 77 빼기 14을 셈한 것을 빼는 식을 쓰고 답을 쓰세요.

풀이   92−(77−14)=92−63=29

답   29

연마 Check   칭찬이나 노력할 것을 써 주세요.

맞힌 개수	지도 의견	
개	나의 생각	확인란

02 곱셈과 나눗셈이 섞여 있는 식

일차 　　　　월　일

● 곱셈과 나눗셈이 섞여 있는 식은 앞에서부터 차례로 계산합니다.

① $26 \div 2 \times 8 \rightarrow 13 \times 8 \rightarrow 104$

● ( )가 있는 식은 ( )부터 계산합니다.

② $64 \div (4 \times 8) \rightarrow 64 \div 32 \rightarrow 2$

핵심포인트

① 괄호가 없으므로 순서대로 $26 \div 2$부터 계산합니다.

② 괄호가 있으면 ( )안의 식부터 계산합니다.

[01~12] 계산을 하세요.

01 $4 \times 14 \div 7 \times 2$
$= \boxed{56} \div 7 \times 2$
$= \boxed{8} \times 2 = \boxed{16}$

02 $4 \times (14 \div 7) \times 2$
$= 4 \times \boxed{2} \times 2$
$= \boxed{8} \times 2 = \boxed{16}$

03 $3 \times 12 \div 2 \times 5$
$= \boxed{36} \div 2 \times 5$
$= \boxed{18} \times 5 = \boxed{90}$

04 $3 \times (12 \div 2) \times 5$
$= 3 \times \boxed{6} \times 5$
$= \boxed{18} \times 5 = \boxed{90}$

05 $40 \div 5 \times 2 \div 4$
$= \boxed{8} \times 2 \div 4$
$= \boxed{16} \div 4 = \boxed{4}$

06 $40 \div (5 \times 2) \div 4$
$= 40 \div \boxed{10} \div 4$
$= \boxed{4} \div 4 = \boxed{1}$

07 $60 \div 5 \times 6 \div 2$
$= \boxed{12} \times 6 \div 2$
$= \boxed{72} \div 2 = \boxed{36}$

08 $60 \div 5 \times (6 \div 2)$
$= \boxed{12} \times \boxed{3}$
$= \boxed{36}$

09 $100 \div 10 \times 2 \div 5$
$= \boxed{10} \times 2 \div 5$
$= \boxed{20} \div 5 = \boxed{4}$

10 $100 \div (10 \times 2) \div 5$
$= 100 \div \boxed{20} \div 5$
$= \boxed{5} \div 5 = \boxed{1}$

11 $30 \times 6 \div 6 \div 2$
$= \boxed{180} \div 6 \div 2$
$= \boxed{30} \div 2 = \boxed{15}$

12 $30 \times 6 \div (6 \div 2)$
$= \boxed{180} \div \boxed{3}$
$= \boxed{60}$

16　1. 자연수의 혼합계산

계산력 강화하기

정확하게 풀어보아요

[13~30] 계산을 하세요.

13 $4 \times 12 \div 6 \times 2$
$= 48 \div 6 \times 2 = 8 \times 2 = 16$

14 $4 \times 12 \div (6 \times 2)$
$= 48 \div 12 = 4$

15 $3 \times 24 \div 6 \div 3$
$= 72 \div 6 \div 3 = 12 \div 3 = 4$

16 $3 \times (24 \div 6) \div 3$
$= 3 \times 4 \div 3 = 12 \div 3 = 4$

17 $81 \div 3 \times 9 \div 3$
$= 27 \times 9 \div 3 = 243 \div 3 = 81$

18 $81 \div (3 \times 9) \div 3$
$= 81 \div 27 \div 3 = 3 \div 3 = 1$

19 $5 \times 36 \div 6 \times 2$
$= 180 \div 6 \times 2 = 30 \times 2 = 60$

20 $5 \times 36 \div (6 \times 2)$
$= 180 \div 12 = 15$

21 $102 \div 34 \times 6 \div 2$
$= 3 \times 6 \div 2 = 18 \div 2 = 9$

22 $102 \div 34 \times (6 \div 2)$
$= 3 \times 3 = 9$

23 $99 \div 11 \times 3 \times 5$
$= 9 \times 3 \times 5 = 27 \times 5 = 135$

24 $99 \div (11 \times 3) \times 5$
$= 99 \div 33 \times 5 = 3 \times 5 = 15$

25 $144 \div 6 \div 2 \times 4$
$= 24 \div 2 \times 4 = 12 \times 4 = 48$

26 $144 \div (6 \div 2) \times 4$
$= 144 \div 3 \times 4 = 48 \times 4 = 192$

27 $10 \times 15 \div 5 \times 3$
$= 150 \div 5 \times 3 = 30 \times 3 = 90$

28 $10 \times (15 \div 5 \times 3)$
$= 10 \times 9 = 90$

29 $5 \times 24 \div 4 \times 3$
$= 120 \div 4 \times 3 = 30 \times 3 = 90$

30 $5 \times (24 \div 4 \times 3)$
$= 5 \times 18 = 90$

곱셈과 나눗셈이 섞여 있는 식　1

구조화 하기

구조화 하기를 연습하면 서술형도 쉽게 풀어요

[31~40] 빈칸을 채우세요.

31 $(4 \times 10) \div (2 \times 4)$
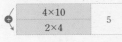

4×10	
2×4	5

32 $3 \times (10 \div 2) \times 4$

$3 \times (10 \div 2)$	
4	60

33 $(15 \div 3) \times (14 \div 2)$

$15 \div 3$	
$14 \div 2$	35

34 $(8 \times 10) \div (2 \times 4)$

8×10	
2×4	10

35 $(8 \div 2) \times (4 \times 7)$

$8 \div 2$	
4×7	112

36 $8 \div (2 \times 4) \times 7$

$8 \div (2 \times 4)$	
7	7

37 $(5 \times 28) \div (7 \times 2)$

5×28	
7×2	10

38 $(10 \times 28) \div (7 \times 2)$

10×28	
7×2	20

39 $(3 \times 7) \div (6 \div 2)$

3×7	
$6 \div 2$	7

40 $(20 \div 5) \times (8 \div 2)$

$20 \div 5$	
$8 \div 2$	16

18　1. 자연수의 혼합계산

사고력 확장

서술형 풀어보기

구조화 해서 풀어보아요

41 찹쌀떡이 50개씩 든 상자가 6개 있습니다. 상자에서 떡을 다 꺼낸 후 떡을 12개씩 작은 상자에 포장하려고 할 때, 작은 상자로 몇 개가 나올까요?

풀이과정

(1) 식으로 표현하면 ($\boxed{50} \times \boxed{6}$) $\div \boxed{12}$ 입니다.

50×6
12

(2) 그러므로 작은 상자는 $\boxed{25}$ 상자가 나옵니다.

[42~45] 풀이과정을 쓰고 답을 구하세요.

42 편의점에서 우유가 24팩씩 들어있는 상자 5개를 한 줄에 15팩씩 진열할 때 몇 줄로 진열할 수 있을까요?

풀이　$(5 \times 24) \div 15 = 120 \div 15 = 8$

답　8　줄

43 [16과 9의 곱을 12로 나눈 수]를 식으로 나타낸 뒤 답을 쓰세요.

풀이　$(16 \times 9) \div 12 = 144 \div 12 = 12$

답　12

44 김밥을 싸는데 김밥 1줄에 치즈를 2장 넣습니다. 한 봉지에 14장씩 들어있는 치즈 9봉지를 사서 김밥을 만든다면 김밥을 몇 줄 만들 수 있을까요?

풀이　$(14 \times 9) \div 2 = 63$

답　63　줄

45 [64를 4로 나눈 뒤 8을 곱한 수]를 식으로 나타낸 뒤 답을 쓰세요.

풀이　$(64 \div 4) \times 8 = 16 \times 8 = 128$

답　128

연마 Check 칭찬이나 노력할 것을 써 주세요.

맞힌 개수		지도 의견		확인란
	개	나의 생각		

곱셈과 나눗셈이 섞여 있는 식　1

덧셈, 뺄셈, 곱셈이 섞여 있는 식

월 일

- ( )부터 계산을 하고 ( )가 없으면 곱셈부터 계산합니다.
- 덧셈, 뺄셈, 곱셈이 섞여 있는 식은 곱셈부터 계산합니다.
- $28+12×4$의 계산
  ① 곱셈부터 계산 → $12×4=48$ → $28+48=76$ (○)
  ② 순서대로 계산 → $28+12=40$ → $40×4=160$ (×)

  비교 식이 $(28+12)×4$라면, ( )부터 계산해야 하기 때문에 $40×4=160$입니다.

연산 포인트
- 덧셈, 뺄셈, 곱셈이 섞여 있는 식에서 곱셈부터 계산해야 하는데, 순서대로 계산하면 엉뚱한 답이 나옵니다.
- ①처럼 곱셈부터 계산하지 않고 ②와 같이 순서대로 계산하면 틀린 답이 나옵니다.
- (괄호) → 곱셈 → 덧셈 또는 뺄셈

[01~12] 빈칸을 채우세요.

01 $13+2×5$
$=13+\boxed{10}$
$=\boxed{23}$

05 $76-12×2$
$=76-\boxed{24}$
$=\boxed{52}$

09 $84+12-3×22$
$=96-\boxed{66}$
$=\boxed{30}$

02 $42-3×13$
$=42-\boxed{39}$
$=\boxed{3}$

06 $55-7×3$
$=55-\boxed{21}$
$=\boxed{34}$

10 $7×7-3×9$
$=\boxed{49}-\boxed{27}$
$=\boxed{22}$

03 $15+25×4$
$=15+\boxed{100}$
$=\boxed{115}$

07 $37-11×3+19$
$=37-\boxed{33}+19$
$=\boxed{4}+19=\boxed{23}$

11 $21×3-15+3×6$
$=\boxed{63}-15+\boxed{18}$
$=\boxed{66}$

04 $61-7×6$
$=61-\boxed{42}$
$=\boxed{19}$

08 $193-15×6-16$
$=193-\boxed{90}-16$
$=\boxed{103}-16=\boxed{87}$

12 $9×4+13×5-6×6$
$=\boxed{36}+\boxed{65}-\boxed{36}$
$=\boxed{65}$

계산력 강화하기

정확하게 풀어보아요

[13~22] 계산순서를 표시한 뒤, 계산하세요.

13 $5+\underline{(12-7)}×3=5+15=20$

18 $123-15×\underline{(14-8)}$
$=123-15×6=123-90=33$

14 $\underline{6×3}+\underline{(25-16)}=18+9=27$

19 $37+12×\underline{(14-11)}$
$=37+12×3=37+36=73$

15 $28+\underline{(18-5)}×3=28+39=67$

20 $37-\underline{(13×2)}+15$
$=37-26+15=26$

16 $\underline{(13+4)}-\underline{6×2}=17-12=5$

21 $\underline{(9×3)}×5-111$
$=27×5-111=135-111=24$

17 $\underline{(59-13)}-\underline{4×8}=46-32=14$

22 $124-\underline{(5×9)}×2+14$
$=124-45×2+14=124-90+14=48$

구조화 하기

사고력 확장

구조화 하기를 연습하면 서술형도 쉽게 풀어요

[23~30] 빈칸을 채우세요.

23 $(27-13)×3-7$

| $(27-13)×3$ | |
| 7 | 35 |
$42-7=35$

27 $7×9-(17+22)-17$
$7×9$	
$(17+22)$	7
17	
$63-39-17=7$

24 $(31×2)-15-14$
$31×2$	
15	33
14	
$62-15-14=33$

28 $13+8-(21-19)×4$
| $13+8$ | |
| $(21-19)×4$ | 13 |
$21-8=13$

25 $9+(17-3)×4$
| $(17-3)×4$ | |
| 9 | 65 |
$9+14×4=9+56=65$

29 $54-17×2+(32+8)-7×4$
$54-17×2$	
$(32+8)$	32
$7×4$	
$54-34+40-28=32$

26 $150-11×7-(4×6)$
150	
$11×7$	49
$(4×6)$	
$150-77-24=49$

30 $22-(4×3)+26-(3×6)$
$22-(4×3)$	
26	18
$(3×6)$	
$22-12+26-18=18$

서술형 풀어보기

사고력 확장

구조화 해서 풀어보아요

31 다희네 집엔 40컬레의 신을 수납할 수 있는 신발장이 있습니다. 1줄에는 4컬레가 들어간다고 합니다. 다희가 신발장의 6줄을 다 채워 사용했다가, 이 신발 중 5컬레를 친구에게 주어서 5컬레의 공간이 더 늘었습니다. 다희는 신발장에 몇 컬레의 신발을 더 넣을 수 있을까요?

풀이과정

(1) 식으로 나타내면
$40-(\boxed{4}×\boxed{6})+\boxed{5}$ 입니다.

40	
$(4×6)$	21
5	

(2) 식을 계산하면 $\boxed{21}$ 컬레입니다.

[32~34] 풀이과정을 쓰고 답을 구하세요.

32 민재는 월요일부터 금요일까지는 8시간씩 자고, 토요일과 일요일은 9시간씩 잡니다. 일주일 중에 민재가 깨어 있는 시간을 구해보세요.

풀이 $(7×24)-(5×8)-(2×9)$

답 $\boxed{110}$ 시간

33 [9에 3과 8의 곱을 더하고 14를 뺀 수]를 식으로 나타낸 뒤 계산해서 구하세요.

풀이 $9+(3×8)-14$

답 $\boxed{19}$

34 세 친구의 계산 과정을 보고 물음에 답하세요.

도희: $(21+12)-17+3×9$는 $21+12$부터 계산하고 $3×9$를 계산한 뒤에 순서대로 계산하면 돼.
민아: $5×(13-3)-2×12$는 $13-3$부터 계산한 것에 $2×12$를 뺀 다음 5를 곱해.
주하: $120-20×5+39$는 $20×5$를 계산한 다음 120에서 빼. 그리고 39를 더하면 돼.

(1) 계산이 틀린 친구는 누구입니까?
답 민아

(2) 세 친구의 식을 계산해 보세요.
답 도희: 43, 민아: 26, 주하: 59

연마 Check 칭찬이나 노력할 점을 써 주세요.

맞힌 개수	지도 의견		확인란
개	나의 생각		

04 일차 덧셈, 뺄셈, 나눗셈이 섞여 있는 식

월 일

- 덧셈, 뺄셈, 나눗셈이 섞여 있는 식은 나눗셈부터 계산합니다.
- 9+12÷3의 계산
  12÷3부터 계산 합니다. 9+12÷3 ➡ 9+4=13
- ( )가 있다면 ( )먼저 계산합니다.
  (9+12)÷3은 (9+12)부터 계산합니다.
  (9+12)÷3 ➡ 21÷3=7

핵심포인트
- 혼합계산의 순서
  ① ( )부터 계산합니다.
  ② +, −는 순서대로 계산합니다.
  ③ +, −, ×가 섞이면 ×먼저 계산합니다.
  ④ +, −, ÷가 섞이면 ÷먼저 계산합니다.

(01~12) 빈칸을 채우세요.

01 32+81÷9
=32+ 9
= 41

02 17−8÷2
=17− 4
= 13

03 20−40÷4
=20− 10
= 10

04 16+12÷3
=16+ 4
= 20

05 28÷4+6÷2
= 7 + 3
= 10

06 39÷3−10÷5
= 13 − 2
= 11

07 48−32÷8−17
=48− 4 −17
= 27

08 11+36÷9+32
=11+ 4 +32
= 47

09 18÷6+34÷2
= 3 + 17
= 20

10 155÷5−42÷6
= 31 − 7
= 24

11 63÷9+12÷4−24÷3
= 7 + 3 − 8
= 2

12 512÷4−231÷3−108÷9
= 128 − 77 − 12
= 39

24 1. 자연수의 혼합계산

계산력 강화하기

정확하게 풀어보아요

(13~24) 계산순서를 표시한 뒤, 계산하세요.

13 (42−7)÷5 =35÷5=7

14 (43−13)÷6 =30÷6=5

15 (56+40)÷6 =96÷6=16

16 81÷(14−9)÷3
=81÷9÷3=9÷3=3

17 120÷6−(3+16) =20−19=1

18 (19+45)÷8−(14÷7) =8−2=6

19 (32−4)÷14+6
=28÷14+6=2+6=8

20 40−(33+17)÷5 =40−10=30

21 12+15−(80−17)÷7
=12+15−9=18

22 32−(150−29)÷11
=32−11=21

23 30−(44÷2)−7 =30−22−7=1

24 17−(29+31)÷6 =17−10=7

Point 먼저 계산해야 할 때 별표를 밀줄이나 번호를 표시하게 하여 순서에 맞게 푸는지 확인합니다.

덧셈, 뺄셈, 나눗셈이 섞여 있는 식 25

구조화하기

구조화 하기를 연습하면 서술형도 쉽게 풀어요

(25~34) 계산을 하세요.

25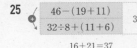
46−(19+11)
32÷8+(11+6) 37
16+21=37

26
(15+3)÷9+6
66÷(17−11)−9 10
8+2=10

27
28÷(16−7)+5
15−(40−15)÷5 19
9+10=19

28
12+(37−5)÷8
19+(80−8)÷8 44
16+28=44

29
13−(12+4)÷4
(30÷3)−(12÷6) 1
9−8=1

30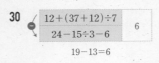
12+(37+12)÷7
24−15÷3−6 6
19−13=6

31
(79−23)÷7
(21−9)÷(72÷12) 6
8−2=6

32
135÷(77−9)
61−84÷4−37 12
15−3=12

33
144÷12+5
36÷6−22÷11 68
17×4=68

34
21−9−28÷4
12−(16+18)÷17 50
5×10

26 1. 자연수의 혼합계산

서술형 풀어보기

구조화 해서 풀어보아요

35 도서관에 책을 기증하려고 친구 3명이 책을 모았습니다. 도헌이는 18권, 민아는 9권, 다희는 24권을 가져왔고, 너무 낡아서 볼 수 없는 책 1권을 빼고 도서관에 책을 기증했습니다. 도서관에 책을 5권을 기증하면 식권을 한 장 준다고 할 때, 세 친구가 받은 식권은 몇 장일까요?

풀이과정

(1) 식으로 나타내면
(18 + 9 + 24 − 1)÷ 5

$$\frac{18+9+24−1}{5}$$ 10

= 50 ÷ 5 = 10

(2) 그러므로 세 친구가 받은 식권은 10 장입니다.

(36~39) 풀이과정을 쓰고 답을 구하세요.

36 유치원에 장난감 7개를 기증하면 우유를 1개 줍니다. 반 친구들이 안 쓰는 장난감을 모았더니 130개가 나왔습니다. 이 중 너무 낡아 쓸 수 없는 장난감 11개는 버렸습니다. 받을 수 있는 우유는 몇 개일까요?

풀이 (130−11)÷7=119÷7=17

답 17 개

37 [42와 21의 차를 7로 나누고 10을 더한 수]를 식으로 나타내고 계산하세요.

풀이 (42−21)÷7+10

답 13

38 만두를 빚는데 수아는 31개, 도희는 5개를 빚었습니다. 빚은 만두를 모두에서 그중 19개는 수아와 도희가 나눠 먹었습니다. 남은 만두를 똑같은 크기의 도시락통에 8개씩 담는다고 할 때, 개의 도시락통이 필요할까요?

풀이 (31+52−19)÷8=(83−19)÷8
=64÷8=8

답 8 개

39 [38과 22를 더한 수를 12로 나눈 뒤 57에서 뺀 수]를 식으로 나타내고 계산하세요.

풀이 57−(38+22)÷12=57−60÷12
=57−5=52

답 52

연마 Check 칭찬이나 노력할 점을 써 주세요.

맞힌 개수	지도 의견		확인란
개	나의 생각		

덧셈, 뺄셈, 나눗셈이 섞여 있는 식 27

덧셈, 뺄셈, 곱셈, 나눗셈이 섞여 있는 식

월 일

- ( )가 없다면 곱셈과 나눗셈을 먼저 계산한 뒤, 순서대로 계산합니다.

$30-(4×3-30÷6=30-12-5=13$

- ( )가 있다면 ( )안의 수부터 계산합니다.

$(30-4)×3-30÷6=26×3-5=78-5=73$

핵심포인트

· 혼합 계산식의 순서
① 괄호가 없을 때: 곱셈과 나눗셈을 먼저 계산하고 순서대로 계산합니다.
② 괄호가 있을 때: ( )를 먼저 계산하고, 다음으로 곱셈과 나눗셈·계산하고, 나머지는 순서대로 계산합니다.

[01~08] 빈칸을 채우세요.

01 $120÷24+17-6×2$
$= \boxed{5} +17- \boxed{12}$
$= \boxed{10}$

02 $3×42-168÷14$
$= \boxed{126} - \boxed{12}$
$= \boxed{114}$

03 $93-4×9-72÷9+4$
$=93- \boxed{36} - \boxed{8} +4$
$= \boxed{53}$

04 $125÷5×4-75$
$= \boxed{25} ×4-75$
$= \boxed{100} -75= \boxed{25}$

05 $(23+8×5)÷7-42÷6+13$
$=(23+ \boxed{40})÷7-42÷6+13$
$= \boxed{63} ÷7- \boxed{7} +13$
$= \boxed{9} - \boxed{7} +13= \boxed{15}$

06 $26÷13×11-(5×11-42)$
$= \boxed{2} ×11-(\boxed{55} -42)$
$= \boxed{22} - \boxed{13} = \boxed{9}$

07 $4×6-72÷(12-7+3)$
$= \boxed{24} -72÷ \boxed{8}$
$= \boxed{24} - \boxed{9} = \boxed{15}$

08 $(32+8)÷8+22-(27÷9)$
$= \boxed{40} ÷8+22- \boxed{3}$
$= \boxed{5} +22- \boxed{3} = \boxed{24}$

계산력 강화하기

정확하게 풀어보아요

[09~18] 계산순서를 표시한 뒤, 계산하세요.

09 $\underline{12×4}-\underline{56÷7}+19$
$48-8+19=59$

10 $\underline{16÷4}+\underline{25÷5}+\underline{9×2}-12$
$4+5+18-12=15$

11 $26+\underline{11×3}-\underline{62÷2}$
$26+33-31=28$

12 $\underline{9×9}-\underline{(40+14)}÷6$
$81-54÷6=81-9=72$

13 $34-\underline{6×2}+\underline{(3+6)}÷3$
$34-12+9÷3=34-12+3=25$

14 $41-\underline{6×5}+\underline{39÷3}-8$
$41-30+13-8=16$

15 $\underline{5×8}-\underline{(26-11)}÷3+7$
$40-15÷3+7=40-5+7=42$

16 $57-\underline{(13+15)}-\underline{2×14}÷4$
$57-28-28÷4=57-28-7=22$

17 $\underline{(31-17)}×3+82÷\underline{(45-4)}$
$14×3+82÷41=42+2=44$

18 $19+(\underline{144÷4}-12)×8-\underline{126÷6}$
$19+24×8-21=19+192-21=190$

계산력 강화하기

정확하게 풀어보아요

[19~28] 등식이 되도록 빈칸에 알맞은 수를 써보세요.

19 $7×3-35÷7+ \boxed{4} =20$
$7×3-35÷7까지 계산하면 21-5=16,$
$16+□=20이므로 □=4$

20 $15×3-48÷6- \boxed{7} =30$
$15×3-48÷6까지 계산하면 45-8=37,$
$37-□=30이므로 □=7$

21 $(12+3)×2-22+ \boxed{3} =11$
$(12+3)×2-22까지 계산할 때, 먼저$
$(12+3)×2를 계산하면 15×2=30,$
$30-22=8, 8+□=11 이므로 □=3$

22 $7×2-30÷3+ \boxed{5} =9$
$7×2-30÷3까지 계산하면 14-10=4,$
$4+□=9이므로 □=5$

23 $60÷5+4×5-27+ \boxed{8} =13$
$60÷5+4×5-27까지 계산하면 12+20-27,$
$32-27=5, 5+□=13이므로 □=8$

24 $8×4-10-26÷2- \boxed{3} =6$
$8×4-10-26÷2까지 계산하면 32-10-13,$
$22-13=9, 9-□=6 이므로 □=3$

25 $24÷3+7×2-16+ \boxed{8} =14$
$24÷3+7×2-16까지 계산하면 8+14-16,$
$22-16=6, 6+□=14 이므로 □=8$

26 $54÷(14-5)+11- \boxed{6} =11$
$54÷(14-5)+11까지 계산하면 54÷9+11$
$6+11=17, 17-□=11이므로 □=6$

27 $78÷(6+7)+32-(8×3)- \boxed{5} =9$
$78÷(6+7)+32-(8×3)까지 계산하면$
$78÷13+32-24, 6+32-24=14,$
$14-□=9 이므로 □=5$

28 $(10+5)×3-20-30÷3- \boxed{3} =12$
$(10+5)×3까지 계산하면 45,$
$45-20-10=15, 15-□=12 이므로 □=3$

Point 개념
방정식이나고 생각할수 있지만 식을 순서대로 계산하
뒤두수의 뺄셈이나 덧셈이라 생각하면 쉽게 풀 수 있습니다.

사고력 확장 서술형 풀어보기

구조화 해서 풀어보아요

29 10000원으로 빵집에 가서 2200원짜리 마카롱 3개를 샀고, 8개에 4000원인 슈크림을 5개 샀습니다. 남은 돈을 구해보세요.

풀이과정

(1) 식을 세우세요.
$10000-2200×3-(4000÷8)×5$

(2) 식을 계산하여 남은 돈을 구하세요.
$=10000-6600-2500=3400-2500=900$

마카롱은 $\boxed{2200} × \boxed{3} = \boxed{6600}$ 원,
슈크림은 $\boxed{4000} ÷8× \boxed{5} = \boxed{2500}$ 원입니다.

(3) 그러므로 $\boxed{900}$ 원이 남았습니다.

[30~33] 풀이과정을 쓰고 답을 구하세요.

30 가게에 가서 15개에 9000원인 초콜릿을 7개 사고, 한 개에 1600원인 과자를 3봉지 샀습니다. 만 원을 내면 거스름돈으로 얼마를 받을까요?

풀이
$10000-(9000÷15)×7-1600×3$
$=10000-600×7-4800$
$=10000-4200-4800=1000$

답 1000 원

31 [27과 53의 합을 16으로 나눈 몫의 3배를 한 후 14를 더한 수]를 식으로 나타내고 계산하세요.

풀이 $(27+53)÷16×3+14=15×14=29$

답 29

32 한 송이에 1200원인 빨간 장미를 7송이 사고, 4송이에 9000원인 파란 장미를 3송이를 샀습니다. 꽃 포장지를 추가해서 1500원이 더 들었습니다. 20000원을 내면 거스름돈은 얼마일까요?

다른 풀이: $20000-(1200×7+9000÷4×3+1500)$

풀이
$20000-1200×7-(9000÷4)×3-1500$
$=20000-8400-2250×3-1500$
$=20000-8400-6750-1500=3350$

답 3350 원

33 [81과 17의 차를 8로 나눈 몫의 10배를 한 후 26을 뺀 수]를 식으로 나타내고 계산하세요.

풀이 $(81-17)÷8×10-26=64÷8×10-26$
$=80-26=54$

답 54

연마 Check 칭찬이나 노력할 점을 써 주세요.

맞힌 개수		지도 의견		
	개	나의 생각		확인란

• ( ): 소괄호, { }: 중괄호의 계산순서
→ ( )를 먼저 계산한 뒤 { }를 계산합니다.

① 40−{9+2×4+(13−9)}−17
→ 40−{9+2×4+4}−17=40−{9+8+4}−17
=40−21−17=19−17=2

② 40−9+2×4+(13−9)−17
→ 40−9+8+4−17=31+8+4−17
=39+4−17=43−17=26

핵심포인트
• 똑같은 연산 기호와 숫자를 사용했는데 ①과 ②의 계산 결과가 다릅니다. 그 이유는 중괄호 때문에 계산순서가 달라졌기 때문입니다.

[01~06] 빈칸을 채우세요.

01 2×{10−27÷3+(16−13)+4}−11
=2×{10− 9 + 3 +4}−11
=2× 8 −11
= 16 −11= 5

04 17+{3×(88÷22)−7}−9
=17+(3× 4 −7)−9
=17+ 5 −9= 13

02 20−{(6−2)×3+5}+7
=20−(4 ×3+5)+7
=20− 17 +7= 10

05 (75÷5)−6+{4×(2+7)−25}
= 15 −6+(4× 9 −25)
= 9 + 11 = 20

03 {(59−27)×2−48}+13
=(32 ×2−48)+13
= 16 +13= 29

06 47−42÷3+{6×(19−13)−28}+21
=47− 14 +(6× 6 −28)+21
= 33 + 8 +21= 62

[07~16] 계산을 하세요.

07 70−{42+(3×12)÷9−37}−4×3
=70−(42+4−37)−12
=70−9−12=49

12 {131+(112÷56)}−4×{(3+47)÷2}
=(131+2)−4×(50÷2)
=133−100=33

08 32−3×(2+7)+{24+(47−12)÷5}
=32−27+(24+7)=5+31=36

13 29×2−{288÷(4×6)+17}−(24+32÷8)
=58−(288÷24+17)−(24+4)
=58−(12+17)−28=58−29−28=1

09 24÷8+{32+(5×4)+8}−7×(3+5)
=3+(32+20+8)−7×8
=3+60−56=7

14 152÷(4×5−1)+(12×5÷6+23)−27
=152÷19+(60÷6+23)−27
=8+33−27=14

10 {8×9−(120÷4)+18}÷2
=(72−30+18)÷2=60÷2=30

15 40−20÷5+{(30×4)÷12}
=40−4+10=46

11 71−{36÷(8÷2)+16}+{(49−14)÷5}
=71−(36÷4+16)+(35÷5)
=71−25+7=53

16 {(31−6)÷5+35}÷8×2
=40÷8×2=5×2=10

[17~26] 계산을 하세요.

17 33÷3−7+{(4+12)÷8×6}

| 33÷3−7 | |
| (4+12)÷8×6 | 16 |

22 (15+25)×3÷12+90−{16×(4+56÷8−5)}

| (15+25)×3÷12+90 | |
| 16×(4+56÷8−5) | 4 |

18 87−56÷{2×(3+4)}

| 87 | |
| 56÷2×(3+4) | 83 |

23 {4×(3+16)÷2+22}+(12+30)÷6

| 4×(3+16)÷2+22 | |
| (12+30)÷6 | 67 |

19 144÷12+{30−3×(18−11)}

| 144÷12 | |
| 30−3×(18−11) | 21 |

24 (32×3−12)÷7+{11−(6×15)÷15}

| (32×3−12)÷7 | |
| 11−(6×15)÷15 | 17 |

20 44×2÷{(6+5)×4−33}

| 44×2 | |
| (6+5)×4−33 | 8 |

25 4×{(100−19)÷9}−12

| 4×{(100−19)÷9} | |
| 12 | 24 |

21 (71+28)÷11×{(32÷8)+16−13}

| (71+28)÷11 | |
| (32÷8)+16−13 | 63 |

26 (4×3×10)÷{(83−23)÷6}

| (4×3×10) | |
| {(83−23)÷6} | 12 |

---

27 세 친구가 사과농장에 갔습니다. 사과를 민아가 30개, 도희가 6개를 따고 민재는 도희의 3배를 땄습니다. 세 친구는 도희와 민재가 딴 사과의 개수의 반을 나눈 몫에서 5를 뺀 수만큼 먹었습니다. 남은 사과의 개수는 몇 개일까요?

풀이과정

(1) 식으로 나타내면 30+6+ 6 × 3 −{(6+6×3)÷ 2 − 5 }

(2) 중괄호부터 계산하면 {(6+6×3)÷ 2 − 5 }
=24÷ 2 − 5 =12− 5 = 7
식을 정리하면 30+6+ 6 × 3 − 7 = 47

| 30+6+ 6 × 3 | 47 |
| (6+6×3)÷ 2 − 5 | |

(3) 그러므로 사과는 47 개가 남았습니다.

[28~31] 풀이과정을 쓰고 답을 구하세요.

28 [50에서 19와 10의 차를 4배 한 수에 7을 더한 수를 뺀 수]를 식으로 나타내고 계산하세요.

풀이 50−{(19−10)×4+7}
=50−(36+7)=50−43=7
답 7

30 설탕 50 g을 그릇에 넣었다가 부족한 것같아 30 g을 더 부었습니다. 그리고 8개의 접시에 나누어 담은 뒤 한 접시에서 설탕을 3 g을 뺐습니다. 이 접시에 담긴 설탕의 양은 몇 g일까요?

풀이 (50+30)÷8−3=7
답 7 g

29 [44에서 12를 뺀 수를 4로 나눈 몫에 3과 7의 합을 2배 하고 곱한 수]를 식으로 나타내고 계산하세요.

풀이 (44−12)÷4×{(3+7)×2}
=8×{10×2}=8×20=160
답 160

31 다람쥐가 매일 13개의 도토리를 14일 동안 모았습니다. 모은 도토리의 34개가 썩어 버렸고 나머지 도토리를 네 개의 나무에 똑같이 나누어 숨겨 뒀을 때, 한 나무에 몇 개의 도토리가 있을까요?

풀이 {(13×14)−34}÷4=37
답 37 개

연마 Check 칭찬이나 노력할 것을 써 주세요.

맞힌 개수	지도 의견	
개	나의 생각	확인란

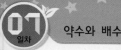

07 일차 약수와 배수

월 일

- 약수: 어떤 수를 나누어떨어지게 하는 수

예 4를 1, 2, 4로 나누었을 때 나누어떨어지는 수 → 4의 약수
4÷1=4(1은 4의 약수) 4÷2=2(2는 4의 약수)
4÷4=1(4는 4의 약수)
→ 4의 약수는 1, 2, 4입니다.

- 배수: 어떤 수를 1배, 2배, 3배, 4배, …한 수

예 4의 배수는 4, 8, 12, 16, …입니다.
4×1=4, 4×2=8, 4×3=12, 4×4=16

핵심포인트
- 약수 가운데 가장 작은 수는 1이며, 약수 가운데 가장 큰 수는 자기 자신(나눌 수)입니다.
- 곱셈으로도 약수를 구할 수 있습니다. 예를 들어, 1×8=8, 2×4=8이므로 8의 약수는 1, 2, 4, 8입니다.
- 곱하는 수 셀 수 없이 많으므로 어떤 수의 배수도 셀 수 없이 많습니다.
- 4÷3은 나누어떨어지지 않으므로 3은 4의 약수가 아닙니다.

[01~06] 약수를 모두 구해보세요.

01 5의 약수 → 1, 5

02 6의 약수 → 1, 2, 3, 6

03 27의 약수 → 1, 3, 9, 27

04 8의 약수 → 1, 2, 4, 8

05 92의 약수 → 1, 2, 4, 23, 46, 92

06 10의 약수 → 1, 2, 5, 10

[07~12] 다음 수를 나누었을 때, 나누어떨어지게 하는 수를 구하세요.

07 12 → 1, 2, 3, 4, 6, 12

08 25 → 1, 5, 25

09 16 → 1, 2, 4, 8, 16

10 32 → 1, 2, 4, 8, 16, 32

11 27 → 1, 3, 9, 27

12 36 → 1, 2, 3, 4, 6, 9, 12, 18, 36

계산력 강화하기

정확하게 풀어보아요

[13~20] 배수를 가장 작은 수부터 5개까지만 구해보세요.

13 3의 배수
→ 3, 6, 9, 12, 15

14 6의 배수
→ 6, 12, 18, 24, 30

15 4의 배수
→ 4, 8, 12, 16, 20

16 8의 배수
→ 8, 16, 24, 32, 40

17 5의 배수
→ 5, 10, 15, 20, 25

18 10의 배수 → 10, 20, 30, 40, 50

19 7의 배수
→ 7, 14, 21, 28, 35

20 9의 배수 → 9, 18, 27, 36, 45

[21~24] 빈칸을 채우세요.

21 9 → 9×11 =99이므로 99는 9의 11 번째 배수입니다.

22 10 → 10×7 =70이므로 70은 10의 7 번째 배수입니다.

23 17 → 17×3 =51이므로 51은 17의 3 번째 배수입니다.

24 20 → 20×14 =280이므로 280은 20의 14 번째 배수입니다.

[25~28] 다음 수에 가장 가까운 4의 배수를 빈칸을 채워보며 구하세요.

25 47 → 4×10 =40, 4×11 =44, 4×12 =48, 그러므로 48

26 73 → 4×17 =68, 4×18 =72, 그러므로 72

27 127 → 4×30 =120, 4×31 =124, 4×32 =128, 그러므로 128

28 403 → 4×100 =400, 4×101 =404, 그러므로 404

구조화 하기

구조화 하기를 연습하면 서술형도 쉽게 풀어요

사고력 확장

[29~37] 빈칸을 채우세요.

29 72의 약수

72	÷1	72
	÷2	36
	÷3	24
	÷4	18
	÷6	12
	÷8	9

→ 그러므로 72의 약수는 12 개

30 18의 약수

18	÷1	18
	÷2	9
	÷3	6

→ 그러므로 18의 약수는 6 개

31 46의 약수

46	÷1	46
	÷2	23

→ 그러므로 46의 약수는 4 개

32 100의 약수

100	÷1	100
	÷2	50
	÷4	25
	÷5	20
	÷10	10

→ 그러므로 100의 약수는 9 개

33 3의 배수

3			
×1	×2	×3	×4
3	6	9	12

→ 3의 배수 중에 작은 수부터 37번째는 3×37 = 111 입니다.

34 12의 배수

12			
×1	×2	×3	×4
12	24	36	48

→ 12의 배수 중에 작은 수부터 20번째는 12×20 = 240 입니다.

35 36의 배수

36			
×1	×2	×3	×4
36	72	108	144

→ 36의 배수 중에 작은 수부터 13번째는 36×13 = 468 입니다.

36 14의 배수

14			
×1	×2	×3	×4
14	28	42	56

→ 14의 배수 중에 작은 수부터 15번째는 14×15 = 210 입니다.

37 28의 배수

28			
×1	×2	×3	×4
28	56	84	112

→ 28의 배수 중에 작은 수부터 37번째는 28×37 = 1036 입니다.

서술형 풀어보기

구조화 해서 풀어보아요

사고력 확장

38 36을 어떤 수로 나누었을 때 나누어떨어지게 하는 수는 모두 몇 개일까요?

풀이과정

(1) 36을 나누었을 때 나누어떨어지게 하는 수는 36의 약수 입니다

(2) 그러므로 36의 약수는 1, 2, 3, 4, 6, 9, 12, 18, 36 이므로 모두 9 개입니다.

1×36	36
2×18	36
3×12	36
4×9	36
6×6	36

[39~41] 풀이과정을 쓰고 답을 구하세요.

39 14를 어떤 수로 나누었을 때, 나누어떨어지게 하는 수의 개수는 모두 몇 개일까요?

풀이 14의 약수: 1, 2, 7, 14

답 4 개

40 15의 배수 가운데 가장 작은 세 자리 자연수를 구하세요.

풀이 15, 30, 45, …, 105, …

답 105

41 3은 9의 약수가 맞습니까? 맞다면 그림을 이용하여 그 이유를 설명해 보세요.

[그림]

→ 가로 3 칸, 세로 3 칸으로 그려진 위의 그림을 보면 모두 9 칸임을 알 수 있습니다. 그러므로 9 는 3 으로 나눌 때, 나누어떨어집니다. 그래서 3 은 9 의 약수 입니다.

연마 Check 칭찬이나 노력할 점을 써 주세요.

맞힌 개수	지도 의견	
개	나의 생각	확인란

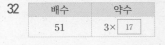

08 일차 약수와 배수의 관계

📅 월 일

● 32=4×8

32는 4의 배수이면서 8의 배수입니다. 4와 8은 32의 약수입니다.

● 5는 15의 약수입니다. 15의 배수는 5의 배수에 들어가므로 15의 배수는 모두 5의 배수입니다.

→ ■가 ★의 약수이면, ★의 배수는 모두 ■의 배수

핵심포인트

● 32=2×16
32는 2의 배수이면서 16의 배수, 2와 16은 32의 약수

● 5의 배수: 5, 10, 15, 20, 25, 30, 35, 40, 45···

● 15의 배수: 15, 30, 45, 60···

⏳ [01~03] 빈칸을 채워 약수와 배수의 관계를 알아봅시다.

01 12=1× 12 , 12=2× 6

12=3× 4

→ 1, 2, 3, 4 , 6 , 12 는 12의 약수

→ 12는 1, 2, 3, 4 , 6 , 12 의 배수

02 21=1× 21 , 21=3× 7

→ 1, 3, 7 , 21 은 21의 약수

→ 21은 1, 3, 7 , 21 의 배수

03 35=1× 35 , 35=5× 7

→ 1, 5, 7 , 35 는 35의 약수

→ 35는 1, 5, 7 , 35 의 배수

⏳ [04~09] 오른쪽 수가 왼쪽 수의 약수가 되고, 두 수는 약수와 배수의 관계에 있습니다. 빈칸에 알맞은 수를 모두 구해보세요.

04 24,

→ 1, 2, 3, 4, 6, 8, 12, 24

05 18,

→ 1, 2, 3, 6, 9, 18

06 15,

→ 1, 3, 5, 15

07 16,

→ 1, 2, 4, 8, 16

08 39,

→ 1, 3, 13, 39

09 27,

→ 1, 3, 9, 27

40 2. 약수와 배수

계산력 강화하기

정확하게 풀어보아요

📖 [10~19] 두 수가 약수와 배수의 관계인 것에 ○표하세요.

10 13, 36 (　)

11 8, 56 (○)

12 7, 28 (　)

13 11, 66 (○)

14 8, 91 (　)

15 22, 55 (　)

16 24, 48 (○)

17 2, 9 (　)

18 4, 8 (○)

19 21, 43 (　)

📖 [20~30] 약수 또는 배수의 관계인 두 수를 찾아 ○표하세요.

20 (32) 7 8

21 (11) 13 (77)

22 (125) 17 (5)

23 (36) 6 15

24 14 (31) (93)

25 122 (12) (144)

26 (9) 17 (3)

27 (100) 13 (260)

28 (24) 11 (120)

29 (96) 49 16

30 13 (2) (82)

약수와 배수의 관계 41

구조화 하기

구조화 하기를 연습하면 서술형도 쉽게 풀어요

🐟 [31~36] 배수를 약수의 곱으로 나타낸 빈칸을 채우세요.

31

배수	약수
40	2× 20

32

배수	약수
51	3× 17

33

배수	약수
56	8×7

34

배수	약수
48	4× 12

35

배수	약수
125	5× 25

36

배수	약수
126	3× 42

🐟 [37~40] 빈칸을 채워 어떤 수를 구해보세요.

37 어떤 수는 3의 배수, 이 수의 약수를 모두 더하면 13

3의 배수	약수의 합
3	1+3=4
6	1+2+3+6=12
9	1+3+9=13
12	1+2+3+4+6+12=28

→ 어떤 수는 9 입니다.

38 어떤 수는 5의 배수, 이 수의 약수를 모두 더하면 24

5의 배수	약수의 합
5	1+5=6
10	1+2+5+10=18
15	1+3+5+15=24
20	1+2+4+5+10+20=42

→ 어떤 수는 15 입니다.

39 어떤 수는 7의 배수, 이 수의 약수를 모두 더하면 32

7의 배수	약수의 합
7	1+7=8
14	1+2+7+14=24
21	1+3+7+21=32
28	1+2+4+7+14+28=56

→ 어떤 수는 21 입니다.

40 어떤 수는 6의 배수, 이 수의 약수를 모두 더하면 60

6의 배수	약수의 합
6	1+2+3+6=12
12	1+2+3+4+6+12=28
18	1+2+3+6+9+18=39
24	1+2+3+4+6+8+12+24=60

→ 어떤 수는 24 입니다.

42 2. 약수와 배수

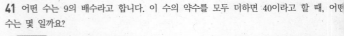

서술형 풀어보기

구조화 해서 풀어보아요

41 어떤 수는 9의 배수라고 합니다. 이 수의 약수를 모두 더하면 40이라고 할 때, 어떤 수는 몇 일까요?

[풀이과정]

(1) 어떤 수는 9 의 배수이므로 9 , 18 , 27 , 36 , 45··· 가운데 있습니다.

(2) 어떤 수의 약수의 합을 구해 40 이 되는 수를 찾습니다.

(3) 그러므로 어떤 수는 27 입니다.

9의 배수	약수의 합
9	1+3+9=13
18	1+2+3+6+9+18=39
27	1+3+9+27=40

❓ [42~45] 풀이과정을 쓰고 답을 구하세요.

42 54의 약수도 되고, 3의 배수도 되는 수 가운데 작은 수부터 썼을 때, 네 번째 큰 수를 구해보세요.

54의 약수: 1, 2, 3, 6, 9, 18, 27, 54

풀이 3의 배수: 3, 6, 9, 12, 15, 18, 21···

답 18

43 어떤 수의 약수를 모두 더하면 31입니다. 이 수의 약수 가운데 8이 있다고 할 때, 어떤 수는 몇 일까요?

어떤 수의 약수 중에 8이 있으므로 어떤 수는 8의 배수, 8의 배수 중 16의 약수의 합이

풀이 1+2+4+8+16=31이므로 어떤 수는 16

답 16

44 　는 16의 약수입니다. 그리고 16의 배수는 모두 　의 배수입니다. 빈칸에 들어갈 수를 모두 구하세요.

16의 약수: 1, 2, 4, 8, 16

풀이

답 1, 2, 4, 8, 16

45 　는 30의 약수입니다. 그리고 30의 배수는 모두 　의 배수입니다. 1부터 9까지의 수 가운데 빈칸에 들어갈 수를 모두 구하세요.

30의 약수: 1, 2, 3, 5, 6, 10, 15, 30

풀이 1부터 9까지: 1, 2, 3, 5, 6

답 1, 2, 3, 5, 6

🚌 **엄마 Check** 칭찬이나 격려할 것을 써 주세요.

맞힌 개수		지도 의견	
	개	나의 생각	확인란

약수와 배수의 관계 43

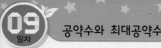

09 일차 공약수와 최대공약수

월 일

- 최대공약수: 두 수의 공약수 중에서 가장 큰 수
  → 6과 18의 공약수는 1, 2, 3, 6인데 이 중 가장 큰 수는 6이므로 6과 18의 최대공약수는 6입니다.
- 최대공약수를 구하는 방법 → 두 수의 공약수로 나누어 봅니다.

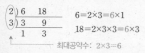

```
2) 6  18        6=2×3=6×1
3) 3   9
   1   3        18=2×3×3=6×3
최대공약수: 2×3=6
```

핵심포인트

6의 약수	1, 2, 3, 6
18의 약수	1, 2, 3, 6, 9, 18

- 두 수의 최대공약수를 이용하여 두 수의 공약수를 알 수 있습니다.
- 두 수의 공약수는 두 수의 최대공약수의 약수와 같습니다.
  6과 18의 공약수: 1, 2, 3, 6
  6과 18의 최대공약수:6 → 6의 약수: 1, 2, 3, 6

[01~08] 두 수의 공약수를 구하세요.

01 12, 14

12의 약수	1, 2, 3, 4, 6, 12
14의 약수	1, 2, 7, 14
공약수	1, 2

02 8, 12

8의 약수	1, 2, 4, 8
12의 약수	1, 2, 3, 4, 6, 12
공약수	1, 2, 4

03 18, 27

18의 약수	1, 2, 3, 6, 9, 18
27의 약수	1, 3, 9, 27
공약수	1, 3, 9

04 15, 25

15의 약수	1, 3, 5, 15
25의 약수	1, 5, 25
공약수	1, 5

05 12, 18

12의 약수	1, 2, 3, 4, 6, 12
18의 약수	1, 2, 3, 6, 9, 18
공약수	1, 2, 3, 6

06 30, 36

30의 약수	1, 2, 3, 5, 6, 10, 15, 30
36의 약수	1, 2, 3, 4, 6, 9, 12, 18, 36
공약수	1, 2, 3, 6

07 16, 28

16의 약수	1, 2, 4, 8, 16
28의 약수	1, 2, 4, 7, 14, 28
공약수	1, 2, 4

08 24, 42

24의 약수	1, 2, 3, 4, 6, 8, 12, 24
42의 약수	1, 2, 3, 6, 7, 14, 21, 42
공약수	1, 2, 3, 6

Point #3
약수를 빠짐없이 구하는지 잘 살펴주세요.

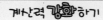

계산력 강화하기
정확하게 풀어보아요

[09~12] 가장 작은 수들의 곱으로 곱셈식을 만들어 최대공약수를 구합시다.

09 16, 24

16 = 2 × 2 × 2 × 2
24 = 2 × 2 × 2 × 3
최대공약수 : 2 × 2 × 2 = 8

10 35, 21

35 = 5 × 7
21 = 3 × 7
최대공약수 : 7

11 81, 108

81 = 3 × 3 × 3 × 3
108 = 2 × 2 × 3 × 3 × 3
최대공약수 : 3 × 3 × 3 = 27

12 18, 42

18 = 2 × 3 × 3
42 = 2 × 3 × 7
최대공약수 : 2 × 3 = 6

[13~21] 최대공약수를 구해보세요.

13
```
14) 42  14
     3   1
```
→ 14

14
```
9) 63  81
   7   9
```
→ 9

15
```
6) 54  102
   9   17
```
→ 6

16
```
8) 40  16
   5   2
```
→ 8

17
```
25) 50  75
     2   3
```
→ 25

18
```
8) 72  64
   9   8
```
→ 8

19
```
22) 22  66
     1   3
```
→ 22

20
```
3) 12  15
   4   5
```
→ 3

21
```
9) 45  54
   5   6
```
→ 9

사고력 확장 - 구조화하기
구조화 하기를 연습하면 서술형도 쉽게 풀어요

[22~27] 어떤 두 수의 최대공약수를 보고 두 수의 공약수를 구하세요.

22

최대공약수	12
공약수	1, 2, 3, 4, 6, 12

23

최대공약수	24
공약수	1, 2, 3, 4, 6, 8, 12, 24

24

최대공약수	10
공약수	1, 2, 5, 10

25

최대공약수	14
공약수	1, 2, 7, 14

26

최대공약수	15
공약수	1, 3, 5, 15

27

최대공약수	46
공약수	1, 2, 23, 46

[28~32] 두 수의 최대공약수를 구하고, 두 수의 공약수도 구하세요.

28
```
8) 24  40
   3   5
```
최대공약수	8
공약수	1, 2, 4, 8

29
```
5) 35  65
   7   13
```
최대공약수	5
공약수	1, 5

30
```
4) 44  28
   11  7
```
최대공약수	4
공약수	1, 2, 4

31
```
3) 111  81
   37   27
```
최대공약수	3
공약수	1, 3

32
```
8) 104  56
   13   7
```
최대공약수	8
공약수	1, 2, 4, 8

사고력 확장 - 서술형 풀어보기
구조화 해서 풀어보아요

33 라면 42봉지, 즉석밥 28개를 최대한 많은 사람들이 똑같이 나누려고 할 때, 몇 명까지 나눌 수 있으며 라면과 즉석밥은 각각 몇 개씩 가지게 될까요?

풀이과정

라면과 즉석밥을 똑같이 나눠줘야 하므로 라면은 줬지만 즉석밥을 못 주는 일이 일어나서는 안 됩니다. 즉, 두 수의 최대공약수를 구하는 것과 같은 문제입니다.

```
2) 42  28
7) 21  14
   3    2
```

(1) 42와 28의 최대공약수는 14 입니다.
(2) 최대 14 명까지 라면과 즉석밥을 똑같이 나누어줄 수 있습니다.
(3) 14 명은 라면을 3 개씩, 즉석밥은 2 개씩 가질 수 있습니다.

[34~35] 풀이과정을 쓰고 답을 구하세요.

34 햄버거 27개, 콜라 36개를 최대한 많은 사람이 똑같이 나누려고 합니다. 몇 명이 나눌 수 있으며 햄버거는 몇 개씩 가지게 될까요?

풀이
```
3) 27  36
3) 9   12
   3    4
```
답 9 명 3 개씩

35 어떤 두 수의 최대공약수가 27이라고 합니다. 이 두 수의 공약수들의 합을 구해보세요.

풀이 1+3+9+27=40
답 40

[36~37] 가로의 길이가 102 cm, 세로의 길이가 36 cm인 베란다가 있습니다. 이 베란다에 정사각형 모양의 타일을 깔려고 합니다. 물음에 답하세요.

36 베란다에 남는 부분이 없이 깔 수 있는 가장 큰 정사각형 타일의 한 변은 몇 cm일까요?

풀이 102와 36의 최대공약수: 6
```
6) 102  36
   17    6
```
답 6 cm

37 가장 큰 정사각형 타일로 베란다의 가로줄에는 몇 개, 세로줄에는 몇 개를 깔 수 있을까요?

풀이 6×17=102, 6×6=36
답 가로: 17개, 세로: 6개

연마 Check
칭찬이나 노력할 점을 써 주세요.

맞힌 개수	지도 의견		
개	나의 생각		확인란

10 일차 · 공배수와 최소공배수

월 일

● 공배수: 두 수의 공통인 배수

방법① 최소공배수는 두 수의 공약수로 나누어 구할 수 있습니다. 4와 6의 공약수인 2로 두 수를 나눕니다.

$$2)\underline{\ 4\quad 6\ }$$
$$\ \ \ 2\quad 3$$

$2 \times 2 \times 3 = 12$ 그러므로 4와 6의 최소공배수는 12입니다.

방법② 가장 작은 수의 곱으로 4와 6을 나타내어 공통인 부분과 공통이 아닌 부분을 곱합니다.

공통인 부분

$4 = 2 \times 2$ → 최소공배수 $= 2 \times 2 \times 3 = 12$

$6 = 2 \times 3$ 공통이 아닌 부분

→ 두 수의 공통인 부분은 두 수의 최대공약수이기도 합니다.

핵심포인트

• 두 수의 공배수는 두 수의 최소공배수의 배수와 같습니다.
→ 4의 배수: 4, 8, 12, 16, 20, 24, 28, 32, 36, …
→ 6의 배수: 6, 12, 18, 24, 36, …
→ 4와 6의 공배수: 12, 24, 36, …
→ 4와 6의 최소공배수인 12의 배수: 12, 24, 36, …

⏳ (01~04) **방법①** 로 계산하여 빈칸을 채우세요.

01
$$5)\underline{\ 10\quad 25\ }$$
$$\ \ \ 2\quad 5$$

최소공배수: $5 \times 2 \times 5 = 50$
공배수: 50, 100, 150, …

02
$$2)\underline{\ 12\quad 16\ }$$
$$2)\underline{\ 6\quad 8\ }$$
$$\ \ \ 3\quad 4$$

최소공배수: $2 \times 2 \times 3 \times 4 = 48$
공배수: 48, 96, 144, …

03
$$3)\underline{\ 81\quad 27\ }$$
$$3)\underline{\ 27\quad 9\ }$$
$$3)\underline{\ 9\quad 3\ }$$
$$\ \ \ 3\quad 1$$

최소공배수: $3 \times 3 \times 3 \times 3 = 81$
공배수: 81, 162, 243, …

04
$$3)\underline{\ 45\quad 30\ }$$
$$5)\underline{\ 15\quad 10\ }$$
$$\ \ \ 3\quad 2$$

최소공배수: $3 \times 5 \times 3 \times 2 = 90$
공배수: 90, 180, 270, …

Point 체크

예서 세트의 3x5가 최대공약수인 것처럼, 최대공약수는 L 자형으로 곱하고, 최소공배수는 L 자형으로 하는 것이나 가치하면 쉽게 기억할 수 있습니다.
$$3)\underline{\ 45\quad 30\ }$$
$$5)\underline{\ 15\quad 10\ }$$
$$\ \ \ 3\quad 2$$

계산력 강화하기

정확하게 풀어보아요

🖩 (05~10) **방법②** 로 계산하여 빈칸을 채우세요.

05 32, 28
$32 = 2 \times 2 \times 2 \times 2 \times 2$
$28 = 2 \times 2 \times 7$
최대공약수: $2 \times 2 = 4$
최소공배수: $2 \times 2 \times 2 \times 2 \times 2 \times$
$2 \times 7 = 224$

06 12, 30
$12 = 2 \times 2 \times 3$
$30 = 2 \times 3 \times 5$
최대공약수: 2×3
최소공배수: $2 \times 3 \times 2 \times 5$
$= 60$

07 18, 16
$18 = 2 \times 3 \times 3$
$16 = 2 \times 2 \times 2 \times 2$
최대공약수: 2
최소공배수: $2 \times 3 \times 3 \times$
$2 \times 2 = 144$

08 9, 15
$9 = 3 \times 3$
$15 = 3 \times 5$
최대공약수: 3
최소공배수: $3 \times 3 \times 5 = 45$

09 18, 36
$18 = 2 \times 3 \times 3$
$36 = 2 \times 3 \times 3 \times 3$
최대공약수: $2 \times 3 \times 3 = 18$
최소공배수: $2 \times 3 \times 3 \times 2$
$= 36$

10 24, 42
$24 = 2 \times 2 \times 2 \times 3$
$42 = 2 \times 3 \times 7$
최대공약수: $2 \times 3 = 6$
최소공배수: $2 \times 3 \times 2 \times 2$
$\times 7 = 168$

Point 체크

가장 작은 수의 곱으로 두 수를 나타낸 뒤, 공통인 별을 먼저 쓰게 하고 공통이 아닌 별들을 나중에 쓰게 하면, 숫자를 빼먹지 않고 계산하는 실수를 줄일 수 있습니다.

구조화 하기

구조화 하기를 연습하면 서술형도 쉽게 풀어요

🐋 (11~18) 두 수의 최대공약수와 최소공배수를 구하세요.

11
$$2)\underline{\ 6\quad 20\ }$$
$$\ \ \ 3\quad 10$$

최대공약수	2
최소공배수	60

$2 \times 3 \times 10 = 60$

12
$$4)\underline{\ 8\quad 20\ }$$
$$\ \ \ 2\quad 5$$

최대공약수	4
최소공배수	40

$4 \times 2 \times 5 = 40$

13
$$6)\underline{\ 18\quad 24\ }$$
$$\ \ \ 3\quad 4$$

최대공약수	6
최소공배수	72

$6 \times 3 \times 4 = 72$

14
$$6)\underline{\ 12\quad 30\ }$$
$$\ \ \ 2\quad 5$$

최대공약수	6
최소공배수	60

$6 \times 2 \times 5 = 60$

15
$$5)\underline{\ 15\quad 40\ }$$
$$\ \ \ 3\quad 8$$

최대공약수	5
최소공배수	120

$5 \times 3 \times 8 = 120$

16
$$6)\underline{\ 24\quad 30\ }$$
$$\ \ \ 4\quad 5$$

최대공약수	6
최소공배수	120

$6 \times 4 \times 5 = 120$

17
$$12)\underline{\ 36\quad 12\ }$$
$$\ \ \ 3\quad 1$$

최대공약수	12
최소공배수	36

$12 \times 3 = 36$

18
$$12)\underline{\ 48\quad 60\ }$$
$$\ \ \ 4\quad 5$$

최대공약수	12
최소공배수	240

$12 \times 4 \times 5 = 240$

서술형 풀어보기

구조화 해서 풀어보아요

19 돼지는 8분에 한 번씩 먹이를 줘야 하고, 양은 6분에 한 번씩 먹이를 줘야 합니다. 두 동물에게 먹이를 같이 주는 시간은 몇 분마다 돌아올까요?

풀이과정

(1) 8과 6의 최소공배수는 24 입니다.

(2) 24 분마다 같이 먹이를 주게 됩니다.

$$2)\underline{\ 8\quad 6\ }$$
$$\ \ \ 4\quad 3$$

최소공배수: $2 \times 4 \times 3 = 24$

💡 (20~23) 풀이과정을 쓰고 답을 구하세요.

20 도헌이는 12일에 한 번씩, 수아는 8일에 한 번씩 수영장에 갑니다. 도헌이와 수아는 수영장에서 며칠마다 만날 수 있을까요?

풀이 12와 8의 최소공배수는 24이므로 도헌이와 수아는 24일마다 수영장에서 만날 수 있습니다.

답 24 일

21 민아는 12살이고, 민아의 엄마는 42살입니다. 민아와 엄마의 나이의 최소공배수는 몇 일까요?

풀이 12와 42의 최소공배수는 84입니다.

답 84

22 두 친구가 말하는 수는 각각 무엇일까요?

다희: 16과 20의 최소공배수입니다.
하나: 다희가 말한 수의 배수인데, 500에 가장 가깝습니다.

(1) 다희: 80

(2) 하나: 480

23 어떤 두 수의 공통이 되는 최대공약수가 8이고, 공통이 아닌 부분의 수는 4와 5라고 합니다. 두 수와 두 수의 최소공배수를 구하세요.

풀이
$$8)\underline{\ ㉮\quad ㉯\ }$$
$$\ \ \ 4\quad 5$$

최소공배수
$= 8 \times 4 \times 5 = 160$
㉮ $8 \times 4 = 32$
㉯ $8 \times 5 = 40$

답 두 수: $32, 40$, 최소공배수: 160

연마 Check 칭찬이나 노력할 것을 써 주세요.

맞힌 개수		지도 의견		확인란
	개	나의 생각		

일상생활에서 규칙이 있는 두 수의 대응관계 ①

월 일

• 케이크 조각 하나에 딸기가 두 개씩 올라가는 조각 케이크를 10개 만들려고 합니다.

조각 수	1	2	3	4	5	…	9	10
딸기 수	2	4	6	8	10	…	18	20

→ 케이크의 수를 ■, 딸기의 수를 ▲라 하고 ■와 ▲사이의 대응 관계를 식으로 나타내면 ▲=■×2

핵심포인트

• 케이크를 8조각 만들 때 필요한 딸기는 몇 개입니까? → 16 개
• 케이크를 30조각 만든다면, 필요한 딸기는 몇 개입니까? → 60 개
• 케이크가 1조각 늘어날수록 딸기는 2 개씩 늘어납니다.

[01~02] 물음에 답하세요.

01 1시간에 20 cm씩 이동하는 벌레가 있습니다. 이 벌레는 직선으로만 이동한다고 합니다.

(1) 표를 채워보세요.

시간(시간)	1	2	3	…
이동 거리(cm)	20	40	60	…

(2) 벌레가 2시간을 이동하면, 벌레의 이동 거리는 40 cm입니다.

(3) 벌레가 3시간을 이동하면, 벌레의 이동 거리는 60 cm입니다.

(4) 시간을 ■, 벌레의 이동 거리를 ▲라 하고 ■와 ▲사이의 대응 관계를 식으로 나타내세요.

▲=■×20

(5) 벌레가 100 cm를 움직이려면 5 시간이 걸립니다.

02 한 개에 800원인 우유가 있습니다.

(1) 표를 채워주세요.

개수	1	2	3	…
가격(원)	800	1600	2400	…

(2) 우유를 2개 사려면 1600 원이 필요합니다.

(3) 우유를 5개 사려면 4000 원이 필요합니다.

(4) 우유의 개수와 가격의 관계를 식으로 나타내면
(가격)=(우유의 개수)× 800 원이 됩니다.

(5) 우유의 개수를 ■, 가격을 ▲라 하고 ■와 ▲사이의 대응 관계를 식으로 나타내세요.

▲=■×800

(6) 우유를 8개 사려면 6400 원이 필요합니다.
8×800=6400

계산력 강화하기

정확하게 풀어보아요.

[03~05] 두 수 ■와 ▲를 더했더니 3이 나왔습니다. 물음에 답하세요.

순서	식	계산한 값
1	(■+▲)×1	3
2	(■+▲)×2	6
3	(■+▲)×3	9
4	(■+▲)×4	12
5	(■+▲)×5	15
⋮	⋮	⋮

03 처음 두 수의 합은 3 입니다.

04 계속해서 계산을 해서 10번째까지 식을 세웠습니다. 빈칸을 채우세요.

순서	식	계산한 값
10	(■+▲)× 10	3×10=30

05 계산한 값이 48이라면 16 번째 계산한 것입니다.

→ 3× 16 =48

[06~08] 두 수 ■와 ▲를 더했더니 5가 나왔습니다. 물음에 답하세요.

순서	식	계산한 값
1	(■+▲)×1	5
2	(■+▲)×2	10
3	(■+▲)×3	15
4	(■+▲)×4	20
5	(■+▲)×5	25
⋮	⋮	⋮

06 처음 두 수의 합은 5 입니다.

07 계속해서 계산을 해서 13번째까지 식을 세웠습니다. 빈칸을 채우세요.

순서	식	계산한 값
13	(■+▲)× 13	5×13=65

08 계산한 값이 120이라면 24 번째 계산한 것입니다.

→ 5× 24 =120

[09~13] 나무토막 장난감을 가지고 쌓기 놀이를 합니다. 그림처럼 1층엔 2개, 2층엔 1개, 3층엔 2개, 4층에 1개 쌓기를 반복해서 쌓았습니다.

09 2층까지 쌓을 때 필요한 나무토막의 개수는 3 개입니다.

10 4층까지 쌓을 때 필요한 나무토막의 개수는 6 개입니다.

11 2층씩 쌓을 때마다 3 개의 나무토막이 필요합니다.

12 6층까지 쌓는다면 9 개의 나무토막이 필요합니다.

13 표를 완성해 보세요.

2층까지 쌓을 때	나무토막 3 개 필요
4층까지 쌓을 때	나무토막 6 개 필요
6층까지 쌓을 때	나무토막 9 개 필요
8층까지 쌓을 때	나무토막 12 개 필요

구조화 하기

구조화 하기를 연습하면 서술형도 쉽게 풀어요

[14~21] 두 수의 대응 관계를 식으로 표현하려고 합니다. 빈칸을 채우세요.

14

■	1	2	3	4	…
▲	3	4	5	6	…

(1) 3=1+ 2
(2) 4=2+ 2
(3) 5=3+ 2
(4) ▲=■+ 2

15

■	1	2	3	4	…
▲	5	6	7	8	…

(1) 5=1+ 4
(2) 6= 2+4
(3) 7= 3+4
(4) ▲= ■+4

16

■	1	2	3	4	…
▲	3	6	9	12	…

(1) 3=1× 3
(2) 6= 2×3
(3) 9= 3×3
(4) ▲= ■×3

17

■	1	2	3	4	…
▲	7	14	21	28	…

(1) 7= 1×7
(2) 14= 2×7
(3) 21= 3×7
(4) ▲= ■×7

18

■	1	2	3	4	…
▲	6	12	18	24	…

(1) 6= 1×6
(2) 12= 2×6
(3) 18= 3×6
(4) ▲= ■×6

19

■	1	2	3	4	…
▲	10	20	30	40	…

(1) 10= 1×10
(2) 20= 2×10
(3) 30= 3×10
(4) ▲= ■×10

20

■	16	17	18	19	…
▲	10	11	12	13	…

(1) 10= 16−6
(2) 11= 17−6
(3) 12= 18−6
(4) ▲= ■−6

21

■	15	14	13	12	…
▲	11	10	9	8	…

(1) 15= 15−4
(2) 10= 14−4
(3) 9= 13−4
(4) ▲= ■−4

서술형 풀어보기

구조화 해서 풀어보아요

22 한 척에 사람이 4명 탈 수 있는 배가 있습니다. 표를 보고 물음에 답하세요.

풀이과정

(1) 표의 빈칸을 채우세요.

(2) 배의 수를 ■, 사람 수를 ▲라 할 때, ▲와 ■ 사이의 대응 관계를 식으로 나타내보세요.

배(척)	1	2	3	4	5
사람(명)	4	8	12	16	20

① 4=1× 4
② 8=2× 4
③ 12=3× 4
④ ▲= ■×4

(3) 배가 17척일 때, 태울 수 있는 사람 수는 68 명입니다. ▲=17×4

[23~24] 풀이과정을 쓰고 답을 구하세요.

23 동생과 내 나이를 비교한 표입니다. 표를 보고 물음에 답해 보세요. 현재 동생은 7세, 나는 12세입니다.

동생 나이	7	8	9	10	11
내 나이	12	13	14	15	16

(1) 동생이 11세일 때, 나는 몇 세입니까?

답 16 세

(2) 동생의 나이를 ■, 내 나이를 ▲라 할 때, ■와 ▲사이의 대응 관계를 식으로 나타내보세요.

답 ▲=■+5

(3) 내 나이가 27세일 때, 동생의 나이를 구해보세요.

풀이 27=■+5
답 22 세

24 어느 가게에서 사과를 3개 사면, 귤을 1개 주는 행사를 하고 있습니다.

(1) 표를 채워보세요.

사과(개)	3	6	9	12	15
귤(개)	1	2	3	4	5

(2) 귤의 수를 ■, 사과의 수를 ▲라 할 때, ■와 ▲사이의 대응 관계를 식으로 나타내보세요.

답 ■=▲÷3 또는 ▲=■×3

(3) 이 가게에서 사과를 샀는데 귤을 10개 받았습니다. 사과를 몇 개 샀을까요?

풀이 ▲=10×3
답 30 개

연마 Check 칭찬이나 노력할 점을 써 주세요.

맞힌 개수		지도 의견		확인란
개		나의 생각		

12 일차 일상생활에서 규칙이 있는 두 수의 대응 관계 ②

월 일

- 세계 시간: 한국이 오후 1시 일 때, 로스앤젤레스(L.A.)는 오후 9시라고 합니다.

| 한국 | 오후 1시 | 오후 2시 | 오후 3시 | 오후 4시 | … |
| L.A. | 오후 9시 | 오후 10시 | 오후 11시 | 오후 12시 | … |

한국 시간을 ■, L.A.시간을 ▲로 놓고 식으로 나타내면
→ ▲=■+8

핵심포인트
- LA 시간으로 오후 4시에 전화를 걸려면
  → 오후 4시는 16시로 표기할 수 있습니다.
  → 16=■+8, ■=16−8, 그러므로 한국 시간으로 오전 8시에 전화를 걸면 됩니다.

[01~04] 한국이 오후 2시일 때, 체코 프라하는 오전 7시입니다. 물음에 답하세요.

01 표의 빈칸을 채워보세요.

| 한국 | 오후 2시 | 오후 3시 | 오후 4시 | 오후 5시 |
| 프라하 | 오전 7시 | 오전 8시 | 오전 9시 | 오전 10시 |

02 오후 2시는 14시로 표현할 수 있습니다. 그렇다면 오후 8시는 20 시로 표현할 수 있습니다.

03 한국 시간을 ■, 프라하 시간을 ▲로 놓고 식을 써보세요.
■=▲+7

04 프라하가 오후 1시라면, 한국은 오후 8 시입니다.
■=13+7=20

[05~08] 한국이 오후 1시일 때, 갈라파고스는 오후 10시입니다. 물음에 답하세요.

05 표의 빈칸을 채워보세요.

| 한국 | 오후 1시 | 오후 2시 | 오후 3시 | 오후 4시 | 오후 5시 |
| 갈라파고스 | 오후 10시 | 오후 11시 | 자정 | 오전 1시 | 오전 2시 |

06 오후 1시는 13시로 표현할 수 있습니다. 그렇다면 오후 10시는 22 시로 표현할 수 있습니다.

07 한국 시간을 ▲, 갈라파고스 시간을 ■로 놓고 식을 써보세요.
■=▲+9

08 갈라파고스가 오전 11시라면, 한국은 오전 2 시 입니다.
11=▲+9

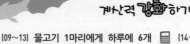

정확하게 풀어보아요

[09~13] 물고기 1마리에게 하루에 6개의 먹이를 줍니다. 물음에 답하세요.

09 물고기를 1마리 키울 때, 필요한 먹이의 개수를 표로 나타내세요.

| ■(일) | 1 | 2 | 3 | 4 |
| ▲(개) | 6 | 12 | 18 | 24 |

10 물고기를 키우는 날 수를 ■, 키우는데 필요한 먹이 수를 ▲라 할 때, ■와 ▲의 관계를 식으로 나타내면
▲=■× 6 입니다.

11 물고기 2마리를 키운다면, 4일 동안 필요한 먹이의 개수는 몇 개인지 표를 채워보세요.

| ■(일) | 1일 | 2일 | 3일 | 4일 | … |
| ▲(개) | 12 | 24 | 36 | 48 | … |

12 물고기가 2마리일 때, 물고기를 키우는 날 수를 ■, 키우는데 필요한 먹이 수를 ▲라 할 때, ■와 ▲의 관계를 식으로 나타내면 ▲=■× 12 입니다.

13 물고기 10마리를 키운다면, 첫날 필요한 먹이의 개수는 10 × 6 = 60 개이고, 물고기 10마리를 10일 동안 키운다면 60 × 10 = 600 개의 먹이가 필요합니다.

[14~19] 어느 농장에 오리와 양이 있다고 합니다. 다음 물음에 답하세요.

14 오리는 한 마리당 다리가 2개입니다. 표를 완성해 보세요.

| 오리의 수 | 1 | 2 | 3 | 4 | 5 | … |
| 다리 수 | 2 | 4 | 6 | 8 | 10 | … |

15 양의 다리 수를 세어봅시다. 양은 한 마리당 다리가 4개입니다. 표를 완성해 보세요.

| 양의 수 | 1 | 2 | 3 | 4 | 5 | … |
| 다리 수 | 4 | 8 | 12 | 16 | 20 | … |

16 농장에 오리가 12마리가 있다고 할 때, 오리 다리의 개수는 24 개입니다.
12×2=24

17 농장에 양이 20마리가 있다고 할 때, 양의 다리의 개수는 80 개입니다.
20×4=80

18 농장 오리의 수를 ■, 오리 다리의 수를 ▲라 할 때, ■와 ▲사이의 대응 관계를 식으로 나타내보세요.
▲=■×2 또는 ■=▲÷2

19 농장의 양의 수를 ■, 양의 다리 수를 ▲라 할 때, ■와 ▲사이의 대응 관계를 식으로 나타내보세요.
▲=■×4 또는 ■=▲÷4

구조화 하기 · 구조화 하기를 연습하면 서술형도 쉽게 풀어요

[20~25] ■와 ▲ 사이의 대응 관계식을 보고 규칙을 써보세요.

20 관계식 ■=▲+5
규칙 ▲가 1, 2, 3, 4…로 늘어날 때,
■는 6, 7, 8, 9…로 늘어납니다.

21 관계식 ■=▲+7
규칙 ▲가 1, 2, 3, 4…로 늘어날 때,
■는 8, 9, 10, 11…로 늘어납니다.

22 관계식 ■=▲−3
규칙 ▲가 10, 9, 8, 7…로 줄어들 때,
■는 7, 6, 5, 4…로 줄어듭니다.

23 관계식 ■=▲×3
규칙 ▲가 1, 2, 3, 4…로 늘어날 때,
■는 3, 6, 9, 12…로 늘어납니다.

24 관계식 ■=▲×10
규칙 ▲가 1, 2, 3, 4…로 늘어날 때,
■는 10, 20, 30, 40…으로 늘어납니다.

25 관계식 ■=▲÷2
규칙 ▲가 30, 29, 28, 27…로 줄어들 때,
■는 15, $\frac{29}{2}$, 14, $\frac{27}{2}$…로 줄어듭니다.

[26~30] 표를 보고 ■와 ▲ 사이의 대응 관계를 식으로 나타내세요.

26

| ■ | 1 | 2 | 3 | 4 | … |
| ▲ | 3 | 6 | 9 | 12 | … |

→ ■=▲÷3 또는 ▲=■×3

27

| ■ | 오후 2시 | 오후 3시 | 오후 4시 | 오후 5시 | … |
| ▲ | 오후 1시 | 오후 2시 | 오후 3시 | 오후 4시 | … |

→ ■=▲+1 또는 ▲=■−1

28

| ■ | 10 | 11 | 12 | 13 | … |
| ▲ | 17 | 18 | 19 | 20 | … |

→ ■=▲−7 또는 ▲=■+7

29

| ■ | … | 2 | 3 | 4 | 5 | … |
| ▲ | … | 16 | 24 | 32 | 40 | … |

→ ■=▲÷8 또는 ▲=■×8

30

| ■ | 20 | 19 | 18 | 17 | … |
| ▲ | 16 | 15 | 14 | 13 | … |

→ ■=▲+4 또는 ▲=■−4

서술형 풀어보기 · 구조화 해서 풀어보아요

31 20 g의 추를 1개 매달면 용수철은 2 cm 늘어난다고 합니다. 용수철의 늘어난 길이를 ▲, 단 추의 개수를 ■로 놓고 식을 써봅시다.

풀이과정
(1) 식으로 나타내면 ▲=■× 2 입니다.
(2) 용수철을 9개 달았을 때, 늘어난 용수철은 18 cm입니다.

| 추(개) | 1 | 2 | 3 |
| 용수철 길이(cm) | 2 | 4 | 6 |

[32~35] 풀이과정을 쓰고 답을 구하세요.

32 한 시간에 100km를 이동하는 기차가 7시간을 이동할 때, 시간을 ■, 거리를 ▲로 놓고 ■와 ▲ 사이의 대응 관계를 식으로 나타내세요. 그리고 기차의 이동 거리를 구해보세요.

답 ▲=■×100, 700km

33 자동차 공장에서 똑같이 생긴 자동차 30대를 생산 중입니다. 자동차에는 바퀴가 4개 달려 있습니다. 자동차의 수를 ■, 바퀴 수를 ▲로 놓고 ■와 ▲ 사이의 대응 관계를 식으로 나타내고 바퀴 수를 쓰세요.

답 ▲=■×4, 120개

34 어느 식당에서 식탁 하나에 의자를 5개씩 배치하기로 했습니다. 식탁의 개수를 ■로, 의자의 개수를 ▲로 놓고 ■와 ▲ 사이의 대응 관계를 식으로 나타내요. 그리고 의자 90개를 배치할 때 필요한 식탁의 개수를 쓰세요.

답 ▲=■×5, 18개

35 한국이 오후 3시일 때, 스위스 제네바는 오전 8시입니다. 한국을 ■시로, 제네바를 ▲시로 놓고 ■와 ▲ 사이의 대응 관계를 식으로 나타내보고 제네바가 오후 3시일 때 한국은 몇 시인지 구하세요.

답 ■=▲+7, 22시 또는 오후 10시

연마 Check · 칭찬이나 노력할 점을 써 주세요.

| 맞힌 개수 | 지도 의견 | | 확인란 |
| 개 | 나의 생각 | | |

도형에서 규칙이 있는 두 수의 대응 관계

월 일

● 성냥개비로 정사각형 만들기

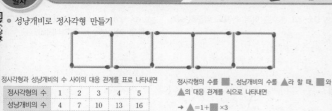

정사각형과 성냥개비의 수 사이의 대응 관계를 표로 나타내면

정사각형의 수	1	2	3	4	5
성냥개비의 수	4	7	10	13	16

정사각형의 수를 ■, 성냥개비의 수를 ▲라 할 때, ■와 ▲의 대응 관계를 식으로 나타내면

→ ▲=1+■×3

[01~03] 성냥개비로 삼각형을 만들었습니다. 물음에 답하세요.

01 표를 채워보세요.

삼각형의 수	1	2	3	4	5
성냥개비의 수	3	5	7	9	11

02 삼각형의 수를 ■, 성냥개비의 수를 ▲라 할 때, ■와 ▲의 대응 관계를 식으로 나타내면 ▲=■× 2 + 1 입니다.

03 삼각형 13개를 만들었을 때 필요한 성냥개비의 개수는 27 개입니다.

▲=■×2+1이므로 ▲=13×2+1=27

[04~06] 직사각형의 넓이는 (가로 길이) × (세로 길이)를 하면 구할 수 있습니다.

(직사각형의 넓이)
= (가로)×(세로)

가로의 길이를 ■, 세로의 길이를 ▲라 할 때 넓이가 30인 직사각형을 그리려고 합니다.

04 빈칸을 채우세요.

가로	세로	넓이
1	30	30
2	15	30
3	10	30
4	7.5 또는 $\frac{15}{2}$	30
5	6	30
⋮	⋮	⋮

05 ■와 ▲의 대응 관계를 식으로 나타내면 ▲×■ = 30 → ▲= 30 ÷■ 입니다.

06 가로가 10일 때, 세로의 길이는 3 입니다.

▲=30÷10=3

계산력 강화하기

정확하게 풀어보아요

[07~11] 물음에 답하세요.

＜색테이프＞

07 색 테이프를 한 번 자르면 2 도막이 됩니다.

08 색 테이프를 두 번 자르면 3 도막이 됩니다.

09 색 테이프를 세 번 자르면 4 도막이 됩니다.

10 색 테이프를 자른 횟수를 ■, 잘라진 색 테이프의 도막 수를 ▲라 할 때, ■와 ▲의 대응 관계를 식으로 나타내보세요.

(1) 표 만들기

자른 횟수	1	2	3	4	5	…
도막 수	2	3	4	5	6	…

(2) 식으로 나타내면 ■=▲− 1 또는 ▲=■+ 1 입니다.

11 색 테이프가 9도막이 되려면 8 번 잘라야 합니다.

[12~16] 성냥개비 1개로 한 변을 이루는 정사각형을 이어서 만들었습니다.

12 정사각형은 모두 6 개입니다.

13 정사각형을 만든 성냥개비의 개수는 모두 몇 개인지 표를 완성하세요.

정사각형 개수	1	2	3	4	5	6
성냥개비 개수	4	7	10	13	16	19

14 정사각형의 수를 ■, 필요한 성냥개비의 수를 ▲라 할 때, ■와 ▲의 대응 관계를 식으로 나타내면

▲=■× 3 + 1 입니다.

15 정사각형의 수가 12개일 때, 필요한 성냥개비 수는 37 개입니다.

▲=12×3+1=37

16 성냥개비의 수가 28개일 때, 만들 수 있는 정사각형의 수는 9 개입니다.

28=■×3+1, ■=9

계산력 강화하기

정확하게 풀어보아요

[17~20] 제일 작은 정삼각형의 한 변은 1입니다. 두 번째 정삼각형은 한 변이 2입니다. 세 번째 정삼각형은 한 변이 3입니다. 물음에 답하세요.

17 빈칸을 채워보세요.

정삼각형 순서	1	2	3	4	5	…
세 변의 길이	3	6	9	12	15	…

18 정삼각형의 순서를 ■, 세 변의 길이를 ▲라 할 때, ■와 ▲의 대응 관계를 식으로 나타내면 ▲=■× 3 입니다.

19 8번째 정삼각형의 세 변의 길이는 24 입니다.

▲=8×3

20 세 변의 길이가 108인 정삼각형은 36 번째 정삼각형입니다.

108÷3=36

[21~25] 정사각형의 둘레는 〈한 변×4〉입니다. 표의 빈칸을 채우고 물음에 답하세요.

21

정사각형의 한 변의 길이	1	2	3	4	5	…
정사각형의 둘레의 길이	4	8	12	16	20	…

22 정사각형의 한 변의 길이를 ■, 정사각형의 둘레의 길이를 ▲라 할 때, ■와 ▲의 대응 관계를 식으로 나타내면 ▲=■× 4 입니다.

23 둘레가 100인 정사각형의 한 변의 길이는 25 입니다.

100=■×4, ■=25

24 정사각형의 한 변의 길이가 13일 때, 정사각형의 둘레의 길이는 ▲= 13 × 4 이므로 52 입니다.

25 정사각형의 한 변의 길이가 27일 때, 정사각형의 둘레의 길이는 108 입니다.

▲=27×4=108

사고력 확장 서술형 풀어보기

구조화 해서 풀어보아요

26 그림과 같이 동그라미의 개수가 어떤 규칙을 가지고 늘어난다고 할 때, 7번째의 동그라미 개수는 몇 개일까요?

[순서①] [순서②] [순서③] …

풀이과정

(1) 순서를 ■, 동그라미의 개수를 ▲라 할 때, ■와 ▲의 관계를 식으로 나타내면

▲=■× 2 + 2 입니다.

(2) 7번째의 동그라미 개수는 7 × 2 + 2 이므로 16 개입니다.

[27~29] 풀이과정을 쓰고 답을 구하세요.

27 달걀을 한 줄에 6개씩 넣을 때 줄의 수를 ■, 달걀의 수를 ▲라 하면 ■와 ▲의 대응 관계를 식으로 나타내세요.

답 ▲=■×6

28 처음 길이가 11 cm인 식물이 하루에 2 cm씩 자랐다고 합니다. 이 식물의 길이를 ▲, 자라는 날 수를 ■라 할 때, ■와 ▲의 대응 관계를 식으로 나타내세요. 그리고 식물의 길이가 29 cm가 되는 때는 며칠 동안 자라난 것일까요?

답 ▲=11+■×2, 9일

29 그림과 같이 한 변의 길이가 5cm인 정사각형을 겹치지 않게 이어 붙였습니다.

5cm 5cm
5cm [정사각형 그림] …

(1) 6개까지 이어 붙일 때, 만들어지는 도형의 가로 길이를 표로 나타냈습니다. 표를 채워보세요.

정사각형 개수	1	2	3	4	5	6
가로의 길이	5	10	15	20	25	30

(2) 정사각형의 개수를 ■, 만들어진 도형의 가로의 길이를 ▲라 할 때, ■와 ▲의 관계를 식으로 나타내세요.

답 ▲=■×5

(3) 정사각형을 19개까지 이어 붙이면 만들어진 도형의 가로의 길이는 95 cm입니다.

19×5=95

연마 Check 칭찬이나 노력할 점을 써 주세요.

맞힌 개수	지도 의견		
개	나의 생각		확인란

월 일

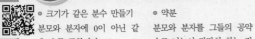
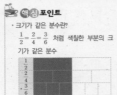

● 크기가 같은 분수 만들기
분모와 분자에 0이 아닌 같은 수를 곱합니다.

$$\frac{1}{2} = \frac{1\times 2}{2\times 2} = \frac{1\times 3}{2\times 3}$$

● 약분
분모와 분자를 그들의 공약수로 나누어 간단히 하는 것

$$\frac{3}{6} = \frac{3\div 3}{6\div 3} = \frac{1}{2}$$

분모와 분자의 공약수가 1뿐인 분수를 기약분수라 합니다.
└ 더 이상 약분되지 않는 분수 ┘

핵심포인트
크기가 같은 분수란?
$\frac{1}{2} = \frac{2}{4} = \frac{3}{6}$ 처럼 색칠한 부분의 크기가 같은 수

⏳ [01~15] 빈칸에 알맞은 수를 써넣어 크기가 같은 분수를 만들어 보세요.

01 $\frac{1\times 3}{3\times 3} = \frac{3}{9}$

06 $\frac{8}{9} = \frac{16\div 2}{18\div 2}$

11 $\frac{13}{14} = \frac{26}{14\times 2}$

02 $\frac{1\times 2}{4\times 2} = \frac{2}{8}$

07 $\frac{2}{7} = \frac{2\times 4}{28}$

12 $\frac{5}{7} = \frac{10}{7\times 2}$

03 $\frac{2\times 10}{10\times 10} = \frac{20}{100}$

08 $\frac{5}{6} = \frac{5\times 2}{12}$

13 $2\frac{3}{5} = 2\frac{12}{5\times 4}$

04 $\frac{1\times 7}{3\times 7} = \frac{7}{21}$

09 $\frac{10}{11} = \frac{10\times 7}{77}$

14 $\frac{3}{8} = \frac{3\times 8}{64}$

05 $\frac{20\div 5}{25\div 5} = \frac{4}{5}$

10 $\frac{3}{14} = \frac{9}{14\times 3}$

15 $\frac{5}{9} = \frac{5\times 9}{81}$

계산력 강화하기

정확하게 풀어보아요

🐟 [16~23] 분수를 여러 가지로 약분하세요.

16 $\frac{4}{16} = \frac{2}{8} = \frac{1}{4}$

17 $\frac{12}{84} = \frac{6}{42} = \frac{3}{21} = \frac{1}{7}$

18 $\frac{9}{27} = \frac{3}{9} = \frac{1}{3}$

19 $\frac{12}{20} = \frac{6}{10} = \frac{3}{5}$

20 $\frac{12}{36} = \frac{6}{18} = \frac{4}{9}\;\frac{}{9} = \frac{1}{3}$

21 $\frac{14}{98} = \frac{7}{49} = \frac{1}{7}$

22 $\frac{12}{124} = \frac{6}{62} = \frac{3}{31}$

23 $\frac{42}{72} = \frac{21}{36} = \frac{7}{12}$

📋 [24~29] 분모와 분자의 최대공약수를 구하고 기약분수로 나타내세요.

24 $\frac{27}{54}$

최대공약수: 27
기약분수: $\frac{1}{2}$

25 $\frac{34}{102}$

최대공약수: 34
기약분수: $\frac{1}{3}$

26 $\frac{36}{56}$
최대공약수: 4
기약분수: $\frac{9}{14}$

27 $\frac{21}{66}$
최대공약수: 3
기약분수: $\frac{7}{22}$

28 $\frac{32}{36}$
최대공약수: 4
기약분수: $\frac{8}{9}$

29 $\frac{12}{124}$
최대공약수: 4
기약분수: $\frac{3}{31}$

계산력 강화하기

정확하게 풀어보아요

🐟 [30~59] 약분하여 기약분수로 나타내세요.

30 $\frac{6}{8} = \frac{6\div 2}{8\div 2} = \frac{3}{4}$

31 $\frac{12}{24} = \frac{1}{2}$

32 $\frac{24}{64} = \frac{3}{8}$

33 $\frac{18}{72} = \frac{1}{4}$

34 $\frac{10}{12} = \frac{5}{6}$

35 $\frac{12}{42} = \frac{2}{7}$

36 $\frac{22}{44} = \frac{1}{2}$

37 $\frac{16}{28} = \frac{4}{7}$

38 $\frac{13}{39} = \frac{1}{3}$

39 $\frac{35}{50} = \frac{7}{10}$

40 $\frac{17}{85} = \frac{1}{5}$

41 $\frac{8}{20} = \frac{2}{5}$

42 $\frac{12}{16} = \frac{3}{4}$

43 $\frac{36}{48} = \frac{3}{4}$

44 $\frac{80}{100} = \frac{4}{5}$

45 $\frac{14}{36} = \frac{7}{18}$

46 $\frac{56}{108} = \frac{14}{27}$

47 $\frac{81}{111} = \frac{27}{37}$

48 $\frac{12}{72} = \frac{1}{6}$

49 $\frac{24}{82} = \frac{12}{41}$

50 $\frac{6}{38} = \frac{3}{19}$

51 $\frac{15}{30} = \frac{1}{2}$

52 $\frac{14}{16} = \frac{7}{8}$

53 $\frac{55}{150} = \frac{11}{30}$

54 $\frac{8}{88} = \frac{1}{11}$

55 $\frac{32}{42} = \frac{16}{21}$

56 $\frac{27}{36} = \frac{3}{4}$

57 $\frac{40}{64} = \frac{5}{8}$

58 $\frac{25}{105} = \frac{5}{21}$

59 $\frac{66}{120} = \frac{11}{20}$

사고력 확장 서술형 풀어보기

구조화 해서 풀어보아요

60 여러 색의 단추가 120개 있습니다. 그 가운데 파란 단추는 32개라고 합니다. 파란 단추는 전체 단추의 몇 분의 몇인지 기약분수로 나타내보세요.

풀이과정

(1) 32와 120의 최대공약수는 8 입니다.

$\dfrac{\text{파란 단추}}{\text{전체 단추}} = \dfrac{32}{120}$

(2) 최대공약수 8 로 분모와 분자를 나누면 $\frac{4}{15}$ 입니다.

(3) 그러므로 $\frac{32}{120}$ 의 기약분수는 $\frac{4}{15}$ 입니다.

❓ [61~64] 풀이과정을 쓰고 답을 구하세요.

61 민아는 50분 동안 수학 문제를 풀었습니다. 민아가 수학 문제를 푼 50분을 시간으로 나타내보세요. (단, 기약분수로 나타냅니다.)

풀이
$$1시간 = 60분,$$
$$민아가\ 공부한$$
$$시간 \div 60 = \frac{50}{60} = \frac{5}{6}$$

답 $\frac{5}{6}$ 시간

62 $\frac{1}{14}, \frac{2}{14}, \frac{3}{14}, \cdots, \frac{13}{14}$ 까지 기약분수는 모두 몇 개입니까?

풀이 $\frac{1}{14}, \frac{3}{14}, \frac{5}{14}, \frac{9}{14}, \frac{11}{14}, \frac{13}{14}$

답 6 개

63 $\frac{13}{16}$ 보다 작은 분수 중에서 분모가 16이면서 기약분수인 것은 모두 몇 개입니까?

풀이 $\frac{1}{16}, \frac{3}{16}, \frac{5}{16}, \frac{7}{16}, \frac{9}{16}, \frac{11}{16}$

답 6 개

64 분모가 81인 진분수 중에서 약분하여 기약분수 $\frac{7}{9}$ 이 되는 분수를 구해보세요.

풀이 $\frac{\square}{81} = \frac{7}{9} = \frac{7\times 9}{9\times 9}$

답 $\frac{63}{81}$

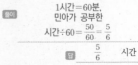 엄마 Check 칭찬이나 노력할 점을 써 주세요.

맞힌 개수	지도 의견	
개	나의 생각	확인란

월 일

$\dfrac{1}{2}$과 $\dfrac{2}{3}$를 통분 → 분수의 분모를 같게 해야 하므로

2와 3의 최소공배수인 6을 공통분모로 하여 통분합니다.

$$\dfrac{1\times3}{2\times3},\ \dfrac{2\times2}{3\times2} \rightarrow \dfrac{3}{6},\ \dfrac{4}{6}$$

개념포인트

· 통분 : 분수의 분모를 같게 하는 것

· 공통분모 : 통분한 분모

· 분모의 최소공배수는 공통분모의 가장 작은 수입니다.

[01~04] 다음 분수를 크기가 같은 분수를 만들어 통분해 보세요.

01 $\dfrac{1}{2}$, $\dfrac{1}{4}$

→ $\dfrac{1}{2}=\dfrac{2}{4}=\dfrac{\boxed{3}}{6}=\dfrac{\boxed{4}}{8}=\dfrac{\boxed{5}}{10}$

$=\dfrac{\boxed{6}}{12}\cdots$

→ $\dfrac{1}{4}=\dfrac{2}{8}=\dfrac{\boxed{3}}{12}=\dfrac{\boxed{4}}{16}\cdots$

→ 분모가 같은 것끼리 짝지으면

$\left(\dfrac{2}{4},\dfrac{1}{4}\right),\left(\dfrac{\boxed{4}}{8},\dfrac{\boxed{2}}{8}\right),\cdots$

02 $\dfrac{1}{3}$, $\dfrac{3}{4}$

→ $\dfrac{1}{3}=\dfrac{2}{6}=\dfrac{\boxed{3}}{9}=\dfrac{\boxed{4}}{12}=\dfrac{\boxed{5}}{15}\cdots$

→ $\dfrac{3}{4}=\dfrac{6}{8}=\dfrac{\boxed{9}}{12}=\dfrac{\boxed{12}}{16}\cdots$

→ 분모가 같은 것끼리 짝지으면

$\left(\dfrac{\boxed{4}}{12},\dfrac{\boxed{9}}{12}\right),\cdots$

03 $\dfrac{2}{3}$, $\dfrac{1}{6}$

→ $\dfrac{2}{3}=\dfrac{4}{6}=\dfrac{\boxed{6}}{9}=\dfrac{\boxed{8}}{12}=\dfrac{\boxed{10}}{15}\cdots$

→ $\dfrac{1}{6}=\dfrac{2}{12}=\dfrac{3}{\boxed{18}}=\dfrac{4}{24}\cdots$

→ 분모가 같은 것끼리 짝지으면

$\left(\dfrac{4}{6},\dfrac{1}{6}\right),\left(\dfrac{8}{12},\dfrac{2}{12}\right),\cdots$

04 $\dfrac{2}{5}$, $\dfrac{3}{10}$

→ $\dfrac{2}{5}=\dfrac{\boxed{4}}{10}=\dfrac{6}{15}=\dfrac{8}{20}=\dfrac{\boxed{10}}{25}\cdots$

→ $\dfrac{3}{10}=\dfrac{\boxed{6}}{20}=\dfrac{9}{30}=\dfrac{\boxed{12}}{40}\cdots$

→ 분모가 같은 것끼리 짝지으면

$\left(\dfrac{4}{10},\dfrac{3}{10}\right),\left(\dfrac{8}{20},\dfrac{6}{20}\right),\cdots$

계산력 강화하기 정확하게 풀어보아요

[05~13] 분모의 곱을 공통분모로 하여 통분하세요.

05 $\dfrac{1}{5}$, $\dfrac{1}{7}$

→ $\dfrac{1\times\boxed{7}}{5\times7}=\dfrac{1\times\boxed{5}}{7\times5} \rightarrow \dfrac{\boxed{7}}{35},\ \dfrac{\boxed{5}}{35}$

06 $\dfrac{1}{2}$, $\dfrac{5}{12}$

→ $\dfrac{1\times12}{2\times12}=\dfrac{5\times2}{12\times2} \rightarrow \dfrac{\boxed{12}}{24},\ \dfrac{\boxed{10}}{24}$

07 $\dfrac{3}{8}$, $\dfrac{2}{5}$ → $\dfrac{15}{40},\ \dfrac{16}{40}$

08 $\dfrac{1}{3}$, $\dfrac{5}{14}$ → $\dfrac{14}{42},\ \dfrac{15}{42}$

09 $\dfrac{3}{11}$, $\dfrac{2}{3}$ → $\dfrac{9}{33},\ \dfrac{22}{33}$

10 $\dfrac{2}{5}$, $\dfrac{5}{6}$ → $\dfrac{12}{30},\ \dfrac{25}{30}$

11 $\dfrac{7}{10}$, $\dfrac{2}{15}$ → $\dfrac{105}{150},\ \dfrac{20}{150}$

12 $\dfrac{3}{8}$, $\dfrac{5}{9}$ → $\dfrac{27}{72},\ \dfrac{40}{72}$

13 $\dfrac{3}{10}$, $\dfrac{7}{8}$ → $\dfrac{24}{80},\ \dfrac{70}{80}$

[14~23] 분모의 최소공배수를 공통분모로 하여 통분하세요.

14 $\dfrac{5}{6}$, $\dfrac{7}{12}$

6과 12의 최소공배수=12

→ $\dfrac{\boxed{10}}{12},\ \dfrac{\boxed{7}}{12}$

15 $\dfrac{4}{9}$, $\dfrac{7}{18}$ → $\dfrac{8}{18},\ \dfrac{7}{18}$

16 $\dfrac{17}{32}$, $\dfrac{1}{4}$ → $\dfrac{17}{32},\ \dfrac{8}{32}$

17 $\dfrac{3}{17}$, $\dfrac{1}{34}$ → $\dfrac{6}{34},\ \dfrac{1}{34}$

18 $\dfrac{7}{75}$, $\dfrac{9}{25}$ → $\dfrac{7}{75},\ \dfrac{27}{75}$

19 $\dfrac{9}{13}$, $\dfrac{5}{52}$ → $\dfrac{36}{52},\ \dfrac{5}{52}$

20 $\dfrac{3}{4}$, $\dfrac{3}{100}$ → $\dfrac{75}{100},\ \dfrac{3}{100}$

21 $\dfrac{1}{12}$, $\dfrac{3}{15}$ → $\dfrac{5}{60},\ \dfrac{12}{60}$

22 $\dfrac{5}{14}$, $\dfrac{5}{21}$ → $\dfrac{15}{42},\ \dfrac{10}{42}$

23 $\dfrac{5}{16}$, $\dfrac{7}{20}$ → $\dfrac{25}{80},\ \dfrac{28}{80}$

구조화 하기 구조화 하기를 연습하면 서술형도 쉽게 풀어요

[24~33] 두 분수의 최소공배수를 공통분모로 하여 통분하세요.

24

$\dfrac{1}{2}$, $\dfrac{3}{8}$	분모의 최소공배수	통분
	8	$\dfrac{4}{8}$, $\dfrac{3}{8}$

25

$\dfrac{3}{4}$, $\dfrac{1}{6}$	분모의 최소공배수	통분
	12	$\dfrac{9}{12}$, $\dfrac{2}{12}$

26

$\dfrac{1}{50}$, $\dfrac{1}{75}$	분모의 최소공배수	통분
	150	$\dfrac{3}{150}$, $\dfrac{2}{150}$

27

$1\dfrac{3}{4}$, $2\dfrac{1}{7}$	분모의 최소공배수	통분
	28	$1\dfrac{21}{28}$, $2\dfrac{4}{28}$

28

$3\dfrac{1}{2}$, $1\dfrac{3}{5}$	분모의 최소공배수	통분
	10	$3\dfrac{5}{10}$, $1\dfrac{6}{10}$

29

$2\dfrac{5}{14}$, $3\dfrac{1}{21}$	분모의 최소공배수	통분
	42	$2\dfrac{15}{42}$, $3\dfrac{2}{42}$

30

$1\dfrac{2}{15}$, $4\dfrac{1}{3}$	분모의 최소공배수	통분
	15	$1\dfrac{2}{15}$, $4\dfrac{5}{15}$

31

$1\dfrac{5}{6}$, $\dfrac{2}{7}$	분모의 최소공배수	통분
	42	$1\dfrac{35}{42}$, $\dfrac{12}{42}$

32

$1\dfrac{7}{20}$, $3\dfrac{1}{15}$	분모의 최소공배수	통분
	60	$1\dfrac{21}{60}$, $3\dfrac{4}{60}$

33

$2\dfrac{5}{9}$, $3\dfrac{5}{12}$	분모의 최소공배수	통분
	36	$2\dfrac{20}{36}$, $3\dfrac{15}{36}$

서술형 풀어보기 구조화 해서 풀어보아요

34 둥근 케이크를 같은 크기의 12조각으로 나눴습니다. 민아가 전체 케이크의 $\dfrac{1}{3}$을 먹었다면, 민아가 먹은 케이크의 조각 수는 모두 몇 개입니까?

풀이과정

(1) 민아가 먹은 케이크 전체의 $\dfrac{1}{3}$은 $\dfrac{\boxed{4}}{12}$로 나타낼 수 있습니다.

$\dfrac{1\times\boxed{4}}{3\times\boxed{4}}=\dfrac{\boxed{4}}{12}$

(2) 그러므로 민아는 12조각의 케이크 중에 $\boxed{4}$조각을 먹었습니다.

[35~36] 풀이과정을 쓰고 답을 구하세요.

35 아침으로 비엔나소시지 반찬이 나왔습니다. 비엔나소시지는 모두 16개였습니다. 내가 16개 중에 $\dfrac{1}{4}$을 먹고, 동생이 16개 중에 $\dfrac{3}{8}$을 먹었습니다. 내가 먹은 소시지의 개수와 동생이 먹은 소시지의 개수는 각각 몇 개인가요?

풀이 내가 먹은 소시지는 $\dfrac{1\times4}{4\times4}=\dfrac{4}{16}$

이고, 동생이 먹은 소시지는

$\dfrac{3\times2}{8\times2}=\dfrac{6}{16}$ 입니다.

답 나 : 4개, 동생 : 6개

36 어떤 두 분수를 통분하였더니 $\dfrac{25}{60}$, $\dfrac{8}{60}$이 되었다고 합니다. 빈칸을 채워 어떤 두 분수의 기약분수를 구해보세요.

어떤 두 분수의 기약분수 : $\dfrac{5}{\boxed{12}}$, $\dfrac{2}{\boxed{15}}$

(1) $\dfrac{5}{\boxed{}}$에서 통분 전의 기약분수의 분자 5가 통분 후 $\dfrac{25}{}$가 되었으므로 60을 $\boxed{5}$로 나누면 기약분수의 분모는 $\boxed{12}$입니다.

(2) $\dfrac{2}{\boxed{}}$에서 통분 전의 기약분수의 분자 2가 통분 후 $\dfrac{8}{}$이 되었으므로 60을 $\boxed{4}$로 나눈 $\boxed{15}$가 통분 전의 분모입니다.

엄마 Check 칭찬이나 노력할 점을 써 주세요.

맞힌 개수	지도 의견	
개	나의 생각	확인란

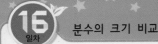

16 일차 분수의 크기 비교

월 일

분모가 다른 두 분수의 크기 비교

방법① 분모를 통분하면 분자의 크기에 따라 분수의 크기를 비교할 수 있습니다.

$\frac{1}{2}$과 $\frac{2}{3}$의 크기 비교

→ 통분하면 $\frac{3}{6}$, $\frac{4}{6}$

→ 분자가 더 큰 쪽이 큰 수이므로

$\frac{1}{2} < \frac{2}{3}$

방법② 분자를 같게 만들어 분수의 크기를 비교

$\frac{2}{5}$와 $\frac{3}{7}$의 크기 비교

→ 분자를 같게 만들면 $\frac{2 \times 3}{5 \times 3} = \frac{6}{15}$, $\frac{3 \times 2}{7 \times 2} = \frac{6}{14}$

→ 분자가 같을 땐, 분모가 작을수록 큰 수이므로

$\frac{6}{15} < \frac{6}{14}$, 그러므로 $\frac{2}{5} < \frac{3}{7}$

※ 분모가 분자보다 1 큰 분수는 분모가 클수록 큰 분수입니다.

⏳ (01~10) 분모를 통분하여 두 분수의 크기를 비교해 보세요.

01 $\frac{5}{12}$ $<$ $\frac{11}{21}$ → 분모 통분: $\frac{35}{84}$, $\frac{44}{84}$

02 $\frac{4}{11}$ $>$ $\frac{1}{3}$ → 분모 통분: $\frac{12}{33}$, $\frac{11}{33}$

03 $\frac{19}{30}$ $<$ $\frac{7}{10}$ → 분모 통분: $\frac{19}{30}$, $\frac{21}{30}$

04 $\frac{5}{6}$ $>$ $\frac{3}{4}$ → 분모 통분: $\frac{10}{12}$, $\frac{9}{12}$

05 $1\frac{5}{7}$ $>$ $1\frac{1}{5}$ → 분모 통분: $1\frac{25}{35}$, $1\frac{7}{35}$

06 $2\frac{2}{3}$ $>$ $2\frac{3}{5}$ → 분모 통분: $2\frac{10}{15}$, $2\frac{9}{15}$

07 $1\frac{7}{12}$ $<$ $1\frac{17}{24}$ → 분모 통분: $1\frac{14}{24}$, $1\frac{17}{24}$

08 $2\frac{5}{10}$ $>$ $2\frac{3}{7}$ → 분모 통분: $2\frac{35}{70}$, $2\frac{30}{70}$

09 $\frac{9}{21}$ $>$ $\frac{1}{3}$ → 분모 통분: $\frac{9}{21}$, $\frac{7}{21}$

10 $2\frac{3}{12}$ $>$ $2\frac{5}{14}$ → 분모 통분: $2\frac{21}{84}$, $2\frac{30}{84}$

(11~19) 분수의 크기를 비교해 보세요.

11 $\frac{2}{3}$ $<$ $\frac{4}{5}$

12 $\frac{6}{7}$ $<$ $\frac{7}{8}$

13 $\frac{10}{11}$ $<$ $\frac{12}{13}$

14 $\frac{14}{15}$ $>$ $\frac{11}{12}$

15 $\frac{22}{23}$ $>$ $\frac{20}{21}$

16 $\frac{42}{43}$ $<$ $\frac{46}{47}$

17 $\frac{82}{83}$ $>$ $\frac{16}{17}$

18 $\frac{19}{20}$ $<$ $\frac{39}{40}$

19 $\frac{106}{107}$ $>$ $\frac{99}{100}$

(20~24) 다음 조건에 맞는 분수를 구해 보세요.

20 $\frac{2}{3}$와 $\frac{11}{12}$ 사이에 있는 분수 중에 분모가 12인 분수

→ $\frac{9}{12}$, $\frac{10}{12}$

21 $\frac{2}{5}$와 $\frac{4}{7}$ 사이에 있는 분수 중에 분모가 35인 분수

→ $\frac{15}{35}$, $\frac{16}{35}$, $\frac{17}{35}$, $\frac{18}{35}$, $\frac{19}{35}$

22 $\frac{2}{7}$와 $\frac{2}{3}$ 사이에 있는 분수 중에 분모가 21인 기약분수

→ $\frac{8}{21}$, $\frac{10}{21}$, $\frac{11}{21}$, $\frac{13}{21}$

23 $\frac{3}{11}$보다 크고 $\frac{1}{2}$보다 작은 분수 중에 분모가 22인 기약분수

→ $\frac{7}{22}$, $\frac{9}{22}$

24 $\frac{3}{7}$보다 크고 $\frac{13}{14}$보다 작은 분수 중에 분모가 14인 기약분수

→ $\frac{9}{14}$, $\frac{11}{14}$

Point 체크
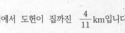
분모가 분자보다 1 큰 분수는 분모가 클수록 더 큰 수입니다. 이 점을 이용하여 문제를 풀 수 있도록 지도해 주세요.

사고력 확장 하기 구조화 하기를 연습하면 서술형도 쉽게 풀어요

(25~34) 분수의 크기를 빠르게 비교할 수 있는 방법을 [보기]에서 찾아 번호를 고르고, 크기를 비교하세요.

| 보기 |
① 분모의 최소공배수로 통분하여 분자의 크기를 비교 → 분자가 클수록 큰 분수
② '분자+1=분모'인 두 분수 비교에서, 분모가 클수록 큰 분수
③ 분자가 같을 땐, 분모가 작을수록 큰 분수

25
크기 비교	보기
$\frac{3}{4}$ $<$ $\frac{6}{7}$	②

26
크기 비교	보기
$\frac{11}{14}$ $>$ $\frac{11}{17}$	③

27
크기 비교	보기
$\frac{3}{16}$ $<$ $\frac{1}{4}$	①

28
크기 비교	보기
$\frac{11}{25}$ $>$ $\frac{13}{100}$	①

29
크기 비교	보기
$\frac{7}{9}$ $>$ $\frac{16}{27}$	①

30
크기 비교	보기
$\frac{4}{5}$ $<$ $\frac{7}{8}$	②

31
크기 비교	보기
$\frac{11}{42}$ $<$ $\frac{4}{7}$	①

32
크기 비교	보기
$\frac{33}{87}$ $>$ $\frac{33}{112}$	③

33
크기 비교	보기
$\frac{5}{12}$ $<$ $\frac{5}{11}$	③

34
크기 비교	보기
$2\frac{2}{7}$ $<$ $2\frac{5}{6}$	①

사고력 확장  풀어보기 구조화 해서 풀어보아요

35 수아네 집에서 민아 집까지는 $\frac{2}{5}$ km입니다. 수아네 집에서 도헌이 집까진 $\frac{4}{11}$ km입니다. 수아네 집에서 더 가까운 집은 어디일까요?

풀이과정

(1) 통분한 두 분수는 $\frac{22}{55}$, $\frac{20}{55}$ 입니다.

(2) $\frac{2}{5}$ $>$ $\frac{4}{11}$ 이므로 수아네 집에선 도헌 네 집이 더 가깝습니다.

$\frac{2}{5}$와 $\frac{4}{11}$의 크기 비교
→ 분모를 통분하여 두 분수의 크기를 비교합니다.

$\frac{2 \times 11}{5 \times 11} = \frac{22}{55}$, $\frac{4 \times 5}{11 \times 5} = \frac{20}{55}$

(36~37) 풀이과정을 쓰고 답을 구하세요.

36 두 친구가 분수가 적힌 카드를 가지고 여행을 하던 중, 스핑크스의 앞을 지나게 되었습니다. 스핑크스는 두 친구 중, 더 큰 분수를 가진 친구만 지나가게 해 주겠다고 합니다. 두 친구 중에 스핑크스 앞을 지나갈 수 있는 친구는 누구일까요?

[도희의 카드] [민재의 카드]

풀이 $\frac{6}{7}$, $\frac{9}{14}$ → $\frac{12}{14}$, $\frac{9}{14}$

답 도희

37 엄마가 두부 1모와 돼지고기 1근을 사오라고 시켜서 형과 심부름을 다녀오기로 했습니다. 그런데 두부 가게와 정육점은 집을 기준으로 반대 방향에 있어서 형과 나는 따로따로 한 군데씩 다녀오기로 했습니다. 나는 더 짧은 거리에 있는 가게로 심부름을 가고 싶습니다. 어디로 가면 좋을까요?

풀이 $\frac{11}{25}$, $\frac{35}{50}$ → $\frac{11}{25}$, $\frac{35}{50}$, $\frac{11}{25}$ $<$ $\frac{7}{10}$

답 두부 가게

🐳 연마 Check 칭찬이나 노력할 점을 써 주세요.

맞힌 개수	지도 의견		확인란
개	나의 생각		

세 분수의 크기 비교

월   일

$\dfrac{2}{3}$, $\dfrac{3}{4}$, $\dfrac{5}{6}$ 의 크기 비교

방법① 두 개씩 묶어 비교

㉮ $\dfrac{2}{3}$, $\dfrac{3}{4}$ → $\dfrac{8}{12}$, $\dfrac{9}{12}$ → $\dfrac{2}{3} < \dfrac{3}{4}$ ㉮와 ㉯를 통해 $\dfrac{2}{3} < \dfrac{3}{4} < \dfrac{5}{6}$

㉯ $\dfrac{3}{4}$, $\dfrac{5}{6}$ → $\dfrac{9}{12}$, $\dfrac{10}{12}$ → $\dfrac{3}{4} < \dfrac{5}{6}$ 임을 알 수 있습니다.

방법② 세 분수의 분모의 최소공배수로 한 번에 통분하고, 한 번에 비교하기

$\dfrac{2 \times 4}{3 \times 4}$, $\dfrac{3 \times 3}{4 \times 3}$, $\dfrac{5 \times 2}{6 \times 2}$ → $\dfrac{8}{12}$, $\dfrac{9}{12}$, $\dfrac{10}{12}$ 그러므로 $\dfrac{2}{3} < \dfrac{3}{4} < \dfrac{5}{6}$

핵심포인트
· 3, 4, 6의 최소공배수 구하기

```
2 ) 3  4  6
3 ) 3  2  3
    1  2  1
```

→ $2 \times 3 \times 2 = 12$ 그러므로 3, 4, 6의 최소공배수는 12입니다.

[01~03] 세 수의 최소공배수를 구해보세요.

1
```
2 ) 18  12  24
3 )  9   6  12
2 )  3   2   4
     3   1   2
```
→ $2 \times 3 \times 2 \times 3 \times 2 = 72$

2
```
5 ) 10  15  25
     2   3   5
```
→ $5 \times 2 \times 3 \times 5 = 150$

3
```
7 ) 14   7  28
2 )  2   1   4
     1   1   2
```
→ $7 \times 2 \times 2 = 28$

[04~07] 방법②로 세 분수를 크기가 작은 순서부터 쓰세요.

04 $\dfrac{1}{3}$, $\dfrac{1}{6}$, $\dfrac{5}{12}$ → $\dfrac{1}{6}$, $\dfrac{1}{3}$, $\dfrac{5}{12}$

분모의 최소공배수: 12 $\dfrac{4}{12}$, $\dfrac{2}{12}$, $\dfrac{5}{12}$

05 $\dfrac{1}{4}$, $\dfrac{3}{24}$, $\dfrac{5}{16}$ → $\dfrac{3}{24}$, $\dfrac{1}{4}$, $\dfrac{5}{16}$

분모의 최소공배수: 48 $\dfrac{12}{48}$, $\dfrac{6}{48}$, $\dfrac{15}{48}$

06 $\dfrac{3}{8}$, $\dfrac{1}{4}$, $\dfrac{5}{12}$ → $\dfrac{1}{4}$, $\dfrac{3}{8}$, $\dfrac{5}{12}$

분모의 최소공배수: 24 $\dfrac{9}{24}$, $\dfrac{6}{24}$, $\dfrac{10}{24}$

07 $\dfrac{3}{4}$, $\dfrac{7}{16}$, $\dfrac{5}{12}$ → $\dfrac{5}{12}$, $\dfrac{7}{16}$, $\dfrac{3}{4}$

분모의 최소공배수: 48 $\dfrac{36}{48}$, $\dfrac{21}{48}$, $\dfrac{20}{48}$

계산력 강화하기

정확하게 풀어보아요

[08~19] 다음 세 분수의 분모를 최소공배수로 통분하여 크기가 큰 순서부터 써 보세요.

08 $\dfrac{3}{16}$, $\dfrac{1}{8}$, $\dfrac{3}{4}$ → $\dfrac{3}{4}$, $\dfrac{3}{16}$, $\dfrac{1}{8}$

분모의 최소공배수: 16 $\dfrac{3}{16}$, $\dfrac{2}{16}$, $\dfrac{12}{16}$

09 $\dfrac{7}{8}$, $\dfrac{5}{6}$, $\dfrac{7}{12}$ → $\dfrac{7}{8}$, $\dfrac{5}{6}$, $\dfrac{7}{12}$

분모의 최소공배수: 24 $\dfrac{21}{24}$, $\dfrac{20}{24}$, $\dfrac{14}{24}$

10 $\dfrac{5}{12}$, $\dfrac{7}{20}$, $\dfrac{1}{4}$ → $\dfrac{5}{12}$, $\dfrac{7}{20}$, $\dfrac{1}{4}$

분모의 최소공배수: 60 $\dfrac{25}{60}$, $\dfrac{21}{60}$, $\dfrac{15}{60}$

11 $\dfrac{2}{3}$, $\dfrac{1}{6}$, $\dfrac{5}{12}$ → $\dfrac{2}{3}$, $\dfrac{5}{12}$, $\dfrac{1}{6}$

분모의 최소공배수: 12 $\dfrac{8}{12}$, $\dfrac{2}{12}$, $\dfrac{5}{12}$

12 $\dfrac{5}{8}$, $\dfrac{3}{20}$, $\dfrac{7}{10}$ → $\dfrac{7}{10}$, $\dfrac{5}{8}$, $\dfrac{3}{20}$

분모의 최소공배수: 40 $\dfrac{25}{40}$, $\dfrac{6}{40}$, $\dfrac{28}{40}$

13 $\dfrac{5}{7}$, $\dfrac{9}{21}$, $\dfrac{9}{14}$ → $\dfrac{5}{7}$, $\dfrac{9}{14}$, $\dfrac{6}{21}$

분모의 최소공배수: 42 $\dfrac{30}{42}$, $\dfrac{12}{42}$, $\dfrac{27}{42}$

14 $\dfrac{7}{9}$, $\dfrac{3}{4}$, $\dfrac{7}{12}$ → $\dfrac{7}{9}$, $\dfrac{3}{4}$, $\dfrac{7}{12}$

분모의 최소공배수: 36 $\dfrac{28}{36}$, $\dfrac{27}{36}$, $\dfrac{21}{36}$

15 $\dfrac{13}{18}$, $\dfrac{5}{9}$, $\dfrac{11}{15}$ → $\dfrac{11}{15}$, $\dfrac{13}{18}$, $\dfrac{5}{9}$

분모의 최소공배수: 90 $\dfrac{65}{90}$, $\dfrac{50}{90}$, $\dfrac{66}{90}$

16 $1\dfrac{2}{3}$, $1\dfrac{5}{12}$, $1\dfrac{13}{16}$ → $1\dfrac{13}{16}$, $1\dfrac{2}{3}$, $1\dfrac{5}{12}$

분모의 최소공배수: 48 $1\dfrac{32}{48}$, $1\dfrac{20}{48}$, $1\dfrac{39}{48}$

17 $2\dfrac{1}{4}$, $2\dfrac{7}{10}$, $2\dfrac{2}{5}$ → $2\dfrac{7}{10}$, $2\dfrac{2}{5}$, $2\dfrac{1}{4}$

분모의 최소공배수: 20 $2\dfrac{5}{20}$, $2\dfrac{14}{20}$, $2\dfrac{8}{20}$

18 $3\dfrac{3}{5}$, $3\dfrac{1}{6}$, $3\dfrac{7}{10}$ → $3\dfrac{7}{10}$, $3\dfrac{3}{5}$, $3\dfrac{1}{6}$

분모의 최소공배수: 30 $3\dfrac{18}{30}$, $3\dfrac{5}{30}$, $3\dfrac{21}{30}$

19 $2\dfrac{7}{20}$, $2\dfrac{3}{10}$, $2\dfrac{2}{5}$ → $2\dfrac{2}{5}$, $2\dfrac{7}{20}$, $2\dfrac{3}{10}$

분모의 최소공배수: 20 $2\dfrac{7}{20}$, $2\dfrac{6}{20}$, $2\dfrac{8}{20}$

구조화하기

사고력 확장

구조화 하기를 연습하면 서술형도 쉽게 풀어요

[20~27] 빈칸을 채우세요.

20 → $\dfrac{10}{13}$, $\dfrac{19}{26}$, $\dfrac{3}{4}$

분모의 최소공배수	통분			가장 큰 수
52	$\dfrac{40}{52}$	$\dfrac{38}{52}$	$\dfrac{39}{52}$	$\dfrac{10}{13}$

21 → $\dfrac{9}{14}$, $\dfrac{5}{7}$, $\dfrac{5}{8}$

분모의 최소공배수	통분			가장 큰 수
56	$\dfrac{36}{56}$	$\dfrac{40}{56}$	$\dfrac{35}{56}$	$\dfrac{5}{7}$

22 → $\dfrac{5}{6}$, $\dfrac{7}{9}$, $\dfrac{5}{8}$

분모의 최소공배수	통분			가장 큰 수
72	$\dfrac{60}{72}$	$\dfrac{56}{72}$	$\dfrac{45}{72}$	$\dfrac{5}{6}$

23 → $\dfrac{3}{10}$, $\dfrac{4}{15}$, $\dfrac{1}{3}$

분모의 최소공배수	통분			가장 큰 수
30	$\dfrac{9}{30}$	$\dfrac{8}{30}$	$\dfrac{10}{30}$	$\dfrac{1}{3}$

24 → $\dfrac{5}{9}$, $\dfrac{5}{8}$, $\dfrac{7}{12}$

분모의 최소공배수	통분			가장 큰 수
72	$\dfrac{40}{72}$	$\dfrac{45}{72}$	$\dfrac{42}{72}$	$\dfrac{5}{8}$

25 → $\dfrac{3}{8}$, $\dfrac{11}{28}$, $\dfrac{5}{7}$

분모의 최소공배수	통분			가장 큰 수
56	$\dfrac{21}{56}$	$\dfrac{22}{56}$	$\dfrac{40}{56}$	$\dfrac{5}{7}$

26 → $1\dfrac{3}{8}$, $1\dfrac{5}{12}$, $1\dfrac{7}{20}$

분모의 최소공배수	통분			가장 큰 수
120	$1\dfrac{45}{120}$	$1\dfrac{50}{120}$	$1\dfrac{42}{120}$	$1\dfrac{5}{12}$

27 → $1\dfrac{1}{2}$, $1\dfrac{11}{36}$, $1\dfrac{5}{9}$

분모의 최소공배수	통분			가장 큰 수
36	$1\dfrac{18}{36}$	$1\dfrac{11}{36}$	$1\dfrac{20}{36}$	$1\dfrac{5}{9}$

서술형 풀어보기

사고력 확장

구조화 해서 풀어보아요

28 세 친구가 초콜릿을 먹었습니다. 수아는 $\dfrac{1}{6}$ kg을 먹고 도경이는 $\dfrac{7}{15}$ kg을 먹었습니다. 우현이가 $\dfrac{11}{18}$ kg을 먹었다고 할 때 누가 가장 많이 먹었습니까?

풀이과정

(1) 세 분수의 분모를 한 번에 통분하면 90 입니다.
분모를 통분한 뒤, 분자의 크기를 비교하면 됩니다.

(2) $\dfrac{1}{6} = \dfrac{15}{90}$, $\dfrac{7}{15} = \dfrac{42}{90}$, $\dfrac{11}{18} = \dfrac{55}{90}$

(3) 그러므로 우현 이가 가장 많이 먹었습니다.

```
3 )  6  15  18
2 )  2   5   6
     1   5   3
```
$3 \times 2 \times 5 \times 3 = 90$

[29~31] 풀이과정을 쓰고 답을 구하세요.

29 학교에서 소풍을 가는데 1반은 학교로 부터 $\dfrac{3}{7}$ km 떨어진 곳에 갔고, 2반은 $\dfrac{5}{14}$ km 떨어진 곳으로 갔습니다. 3반은 $\dfrac{11}{42}$ km 떨어진 곳에 갔다고 할 때, 학교로부터 가장 멀리 소풍을 간 반은 몇 반입니까?

(1) 세 분수의 분모의 최소공배수는 42 입니다.

(2) 통분한 세 분수는 $\dfrac{18}{42}$, $\dfrac{15}{42}$, $\dfrac{11}{42}$ 입니다.

(3) 그러므로 1 반이 가장 멀리 소풍을 갔습니다.

30 $\dfrac{5}{8}$, $\dfrac{7}{11}$, $\dfrac{13}{44}$ 을 수직선 위에 나타내보세요.

```
0 ──────┬──┬──┬──
       13  5  7
       44  8 11
```

풀이 $\dfrac{5}{8} = \dfrac{55}{88}$, $\dfrac{7}{11} = \dfrac{56}{88}$, $\dfrac{13}{44} = \dfrac{26}{88}$

31 $\dfrac{7}{12}$, $\dfrac{11}{18}$, $\dfrac{8}{15}$ 을 수직선 위에 나타내 보세요.

```
0 ──────┬──┬──┬──
        8  7 11
       15 12 18
```

풀이 $\dfrac{7}{12} = \dfrac{105}{180}$, $\dfrac{11}{18} = \dfrac{110}{180}$, $\dfrac{8}{15} = \dfrac{96}{180}$

연마 Check 칭찬이나 노력할점을 써 주세요.

맞힌 개수		지도 의견		확인란
	개	나의 생각		

18일차 진분수의 덧셈

월   일

- 분모가 같은 진분수의 덧셈: 분모를 통분할 필요 없이 분자끼리 덧셈을 하면 됩니다.
$$\frac{1}{3} + \frac{1}{3} = \frac{2}{3}$$

- 분모가 다른 진분수의 덧셈: 분모를 통분한 뒤, 분자끼리 덧셈합니다. 계산 결과를 기약분수로 고칩니다.
$$\frac{2}{5} + \frac{1}{2} = \frac{8}{20} + \frac{2}{20} = \frac{10}{20} = \boxed{\frac{1}{2}} \leftarrow \text{기약분수로 고침}$$
$$\text{↑ 분모 통분 후 분자끼리 덧셈}$$

핵심 포인트
- 진분수: 분자가 분모보다 작은 분수 (반대: 가분수)
- 분모를 통분 ➔ 분자끼리 덧셈 ➔ 기약분수로 고치기

(01~09) 계산을 하세요.

01
$$\frac{1}{3} + \frac{1}{2} = \frac{1 \times \boxed{2}}{3 \times \boxed{2}} + \frac{1 \times \boxed{3}}{2 \times \boxed{3}} = \frac{2+3}{\boxed{6}}$$

02
$$\frac{2}{7} + \frac{3}{14}$$
$$= \frac{2 \times \boxed{2}}{7 \times \boxed{2}} + \frac{3}{14} = \frac{4+3}{\boxed{14}} = \frac{\boxed{7}}{\boxed{14}} = \frac{\boxed{1}}{\boxed{2}}$$

03
$$\frac{1}{6} + \frac{2}{5} = \frac{1 \times \boxed{5}}{6 \times \boxed{5}} + \frac{2 \times \boxed{6}}{5 \times \boxed{6}}$$
$$= \frac{\boxed{5}}{\boxed{30}} + \frac{\boxed{12}}{\boxed{30}} = \frac{\boxed{17}}{\boxed{30}}$$

04 $\frac{1}{3} + \frac{1}{6} = \frac{2}{6} + \frac{1}{6} = \frac{3}{6} = \frac{1}{2}$

05 $\frac{3}{10} + \frac{3}{5} = \frac{3}{10} + \frac{6}{10} = \frac{9}{10}$

06 $\frac{1}{6} + \frac{3}{7} = \frac{7}{42} + \frac{18}{42} = \frac{25}{42}$

07 $\frac{3}{11} + \frac{1}{2} = \frac{6}{22} + \frac{11}{22} = \frac{17}{22}$

08 $\frac{3}{5} + \frac{3}{8} = \frac{24}{40} + \frac{15}{40} = \frac{39}{40}$

09 $\frac{1}{5} + \frac{5}{12} = \frac{12}{60} + \frac{25}{60} = \frac{37}{60}$

계산력 강화하기
정확하게 풀어보아요

(10~23) 계산을 하세요.

10 $\frac{2}{3} + \frac{2}{13} = \frac{26}{39} + \frac{6}{39} = \frac{32}{39}$

11 $\frac{2}{7} + \frac{1}{4} = \frac{8}{28} + \frac{7}{28} = \frac{15}{28}$

12 $\frac{3}{14} + \frac{5}{12} = \frac{18}{84} + \frac{35}{84} = \frac{53}{84}$

13 $\frac{2}{11} + \frac{1}{4} = \frac{8}{44} + \frac{11}{44} = \frac{19}{44}$

14 $\frac{1}{10} + \frac{3}{20} = \frac{2}{20} + \frac{3}{20} = \frac{5}{20} = \frac{1}{4}$

15 $\frac{4}{7} + \frac{3}{14} = \frac{8}{14} + \frac{3}{14} = \frac{11}{14}$

16 $\frac{1}{9} + \frac{7}{12} = \frac{4}{36} + \frac{21}{36} = \frac{25}{36}$

17 $\frac{1}{12} + \frac{3}{8} = \frac{2}{24} + \frac{9}{24} = \frac{11}{24}$

18 $\frac{5}{12} + \frac{1}{9} = \frac{15}{36} + \frac{4}{36} = \frac{19}{36}$

19 $\frac{3}{28} + \frac{5}{14} = \frac{3}{28} + \frac{10}{28} = \frac{13}{28}$

20 $\frac{4}{45} + \frac{2}{15} = \frac{4}{45} + \frac{6}{45} = \frac{10}{45} = \frac{2}{9}$

21 $\frac{3}{14} + \frac{2}{3} = \frac{9}{42} + \frac{28}{42} = \frac{37}{42}$

22 $\frac{3}{7} + \frac{3}{8} = \frac{24}{56} + \frac{21}{56} = \frac{45}{56}$

23 $\frac{3}{16} + \frac{3}{20} = \frac{15}{80} + \frac{12}{80} = \frac{27}{80}$

구조화 하기
구조화 하기를 연습하면 서술형도 쉽게 풀어요

 사고력 확장

(24~33) 분수를 통분하여 계산한 후, 약분이 필요하면 약분을 하고 필요 없으면 ×표 하세요.

24

$\frac{2}{5} + \frac{3}{10}$	통분	약분
	$\frac{4}{10} + \frac{3}{10} = \frac{7}{10}$	×

25

$\frac{1}{6} + \frac{1}{4}$	통분	약분
	$\frac{2}{12} + \frac{3}{12} = \frac{5}{12}$	×

26

$\frac{1}{6} + \frac{7}{12}$	통분	약분
	$\frac{2}{12} + \frac{7}{12} = \frac{9}{12}$	$\frac{3}{4}$

27

$\frac{3}{8} + \frac{1}{2}$	통분	약분
	$\frac{3}{8} + \frac{4}{8} = \frac{7}{8}$	×

28

$\frac{1}{3} + \frac{1}{15}$	통분	약분
	$\frac{5}{15} + \frac{1}{15} = \frac{6}{15}$	$\frac{2}{5}$

29

$\frac{1}{2} + \frac{5}{12}$	통분	약분
	$\frac{6}{12} + \frac{5}{12} = \frac{11}{12}$	×

30

$\frac{1}{4} + \frac{1}{3}$	통분	약분
	$\frac{3}{12} + \frac{4}{12} = \frac{7}{12}$	×

31

$\frac{3}{25} + \frac{2}{5}$	통분	약분
	$\frac{3}{25} + \frac{10}{25} = \frac{13}{25}$	×

32

$\frac{3}{14} + \frac{3}{4}$	통분	약분
	$\frac{6}{28} + \frac{21}{28} = \frac{27}{28}$	×

33

$\frac{3}{10} + \frac{1}{6}$	통분	약분
	$\frac{9}{30} + \frac{5}{30} = \frac{14}{30}$	$\frac{7}{15}$

서술형 풀어보기
구조화 해서 풀어보아요

 사고력 확장

34 민재와 주희가 고구마를 캐러 갔습니다. 민재는 $\frac{2}{15}$ kg을, 주희는 $\frac{4}{9}$ kg을 캤습니다. 민재와 주희가 캔 고구마의 무게는 모두 몇 kg입니까?

풀이과정

(1) 두 분수를 통분하면 $\boxed{\frac{6}{45}}$, $\boxed{\frac{20}{45}}$ 입니다.

(2) 계산하면 $\boxed{\frac{26}{45}}$ 입니다.

(3) 그러므로 민재와 주희가 캔 고구마는 $\boxed{\frac{26}{45}}$ kg입니다.

$$\frac{2}{15} + \frac{4}{9}$$
$$= \frac{6}{45} + \frac{20}{45}$$
$$= \frac{26}{45}$$

(35~38) 풀이과정을 쓰고 답을 구하세요.

35 도헌이의 집에서 약국까지는 $\frac{5}{12}$ km이고, 약국에서 수아네 집까지는 $\frac{3}{14}$ km 라고 합니다. 도헌이가 집에서 약국을 거쳐 수아네 집까지 가려면 얼마나 걷게 될까요?

풀이 $\frac{5}{12} + \frac{3}{14} = \frac{35}{84} + \frac{18}{84} = \frac{53}{84}$

답 $\frac{53}{84}$ km

36 빈 병에 $\frac{25}{36}$ L의 탄산수를 넣고, $\frac{2}{9}$ L의 레몬 시럽을 넣어 레모네이드를 만들었습니다. 병에 든 레모네이드 모두 몇 L입니까?

풀이 $\frac{25}{36} + \frac{2}{9} = \frac{25}{36} + \frac{8}{36} = \frac{33}{36} = \frac{11}{12}$

답 $\frac{11}{12}$ L

37 사육사가 원숭이들에게는 $\frac{5}{18}$ kg의 바나나를, 토끼들에게는 $\frac{7}{45}$ kg의 당근을 주려고 합니다. 사육사가 옮길 바나나와 당근의 무게는 모두 몇 kg일까요?

풀이 $\frac{5}{18} + \frac{7}{45} = \frac{25}{90} + \frac{14}{90} = \frac{39}{90} = \frac{13}{30}$

답 $\frac{13}{30}$ kg

38 민아는 $\frac{3}{8}$ km를 달린 후에 $\frac{3}{14}$ km는 걸었습니다. 민아의 이동 거리는 모두 몇 km 일까요?

풀이 $\frac{3}{8} + \frac{3}{14} = \frac{21}{56} + \frac{12}{56} = \frac{33}{56}$

답 $\frac{33}{56}$ km

연마 Check 칭찬이나 노력할 점을 써 주세요.

맞힌 개수	지도 의견		확인란
개	나의 생각		

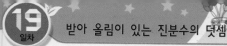

19 일차
받아 올림이 있는 진분수의 덧셈

월 일

- 진분수끼리 덧셈을 했는데 결과가 가분수가 되면, 가분수를 대분수로 고칩니다.

가분수를 대분수로 고침

$$\frac{1}{4}+\frac{5}{6}=\frac{3+10}{12}=\frac{13}{12}=1\frac{1}{12}$$

진분수 ↑ 분모 통분 후 분자끼리 덧셈

핵심포인트

- 가분수는 분자 > 분모 인 분수입니다.
- $\frac{11}{5}$ 은 가분수이므로 대분수로 고칠 수 있습니다.

$$\frac{11}{5}=\frac{10+1}{5}=2+\frac{1}{5}=2\frac{1}{5}$$

(01~07) 대분수로 고치세요. **(08~19) 계산을 하세요.**

01 $\frac{10}{7}=1\frac{3}{7}$

02 $\frac{7}{4}=1\frac{3}{4}$

03 $\frac{15}{11}=1\frac{4}{11}$

04 $\frac{16}{5}=3\frac{1}{5}$

05 $\frac{17}{6}=2\frac{5}{6}$

06 $\frac{13}{8}=1\frac{5}{8}$

07 $\frac{80}{9}=8\frac{8}{9}$

08 $\frac{2}{3}+\frac{6}{11}$
$=\frac{22}{33}+\frac{18}{33}=\frac{40}{33}=1\frac{7}{33}$

09 $\frac{3}{4}+\frac{4}{7}$
$=\frac{21}{28}+\frac{16}{28}=\frac{37}{28}=1\frac{9}{28}$

10 $\frac{7}{12}+\frac{5}{6}$
$=\frac{7}{12}+\frac{10}{12}=\frac{17}{12}=1\frac{5}{12}$

11 $\frac{7}{9}+\frac{5}{12}$
$=\frac{28}{36}+\frac{15}{36}=\frac{43}{36}=1\frac{7}{36}$

12 $\frac{5}{14}+\frac{5}{7}$
$=\frac{5}{14}+\frac{10}{14}=\frac{15}{14}=1\frac{1}{14}$

13 $\frac{7}{10}+\frac{5}{6}$
$=\frac{21}{30}+\frac{25}{30}=\frac{46}{30}=1\frac{16}{30}=1\frac{8}{15}$

14 $\frac{3}{4}+\frac{4}{5}$
$=\frac{15}{20}+\frac{16}{20}=\frac{31}{20}=1\frac{11}{20}$

15 $\frac{5}{14}+\frac{20}{21}$
$=\frac{15}{42}+\frac{40}{42}=\frac{55}{42}=1\frac{13}{42}$

16 $\frac{11}{13}+\frac{2}{3}$
$=\frac{33}{39}+\frac{26}{39}=\frac{59}{39}=1\frac{20}{39}$

17 $\frac{8}{9}+\frac{11}{15}$
$=\frac{40}{45}+\frac{33}{45}=\frac{73}{45}=1\frac{28}{45}$

18 $\frac{11}{20}+\frac{79}{100}$
$=\frac{55}{100}+\frac{79}{100}=\frac{134}{100}=1\frac{34}{100}=1\frac{17}{50}$

19 $\frac{11}{32}+\frac{7}{8}$
$=\frac{11}{32}+\frac{28}{32}=\frac{39}{32}=1\frac{7}{32}$

계산력 강화하기
정확하게 풀어요

(20~37) 계산을 하세요.

20 $\frac{4}{5}+\frac{6}{11}=\frac{44}{55}+\frac{30}{55}=\frac{74}{55}=1\frac{19}{55}$

21 $\frac{8}{9}+\frac{7}{8}=\frac{64}{72}+\frac{63}{72}=\frac{127}{72}=1\frac{55}{72}$

22 $\frac{11}{16}+\frac{3}{4}=\frac{11}{16}+\frac{12}{16}=\frac{23}{16}=1\frac{7}{16}$

23 $\frac{13}{25}+\frac{41}{75}=\frac{39}{75}+\frac{41}{75}=\frac{80}{75}=1\frac{5}{75}=1\frac{1}{15}$

24 $\frac{3}{10}+\frac{5}{7}=\frac{21}{70}+\frac{50}{70}=\frac{71}{70}=1\frac{1}{70}$

25 $\frac{17}{30}+\frac{13}{20}=\frac{34}{60}+\frac{39}{60}=\frac{73}{60}=1\frac{13}{60}$

26 $\frac{10}{13}+\frac{7}{26}=\frac{20}{26}+\frac{7}{26}=\frac{27}{26}=1\frac{1}{26}$

27 $\frac{7}{18}+\frac{11}{15}=\frac{35}{90}+\frac{66}{90}=\frac{101}{90}=1\frac{11}{90}$

28 $\frac{7}{12}+\frac{3}{5}=\frac{35}{60}+\frac{36}{60}=\frac{71}{60}=1\frac{11}{60}$

29 $\frac{11}{15}+\frac{3}{4}=\frac{44}{60}+\frac{45}{60}=\frac{89}{60}=1\frac{29}{60}$

30 $\frac{9}{11}+\frac{5}{9}=\frac{81}{99}+\frac{55}{99}=\frac{136}{99}=1\frac{37}{99}$

31 $\frac{5}{6}+\frac{13}{66}=\frac{55}{66}+\frac{13}{66}=\frac{68}{66}=1\frac{2}{66}=1\frac{1}{33}$

32 $\frac{5}{8}+\frac{2}{3}=\frac{15}{24}+\frac{16}{24}=\frac{31}{24}=1\frac{7}{24}$

33 $\frac{17}{45}+\frac{13}{18}=\frac{34}{90}+\frac{65}{90}=\frac{99}{90}=1\frac{9}{90}=1\frac{1}{10}$

34 $\frac{15}{32}+\frac{7}{12}=\frac{45}{96}+\frac{56}{96}=\frac{101}{96}=1\frac{5}{96}$

35 $\frac{7}{10}+\frac{5}{8}=\frac{28}{40}+\frac{25}{40}=\frac{53}{40}=1\frac{13}{40}$

36 $\frac{13}{16}+\frac{11}{48}=\frac{39}{48}+\frac{11}{48}=\frac{50}{48}=1\frac{2}{48}=1\frac{1}{24}$

37 $\frac{7}{9}+\frac{11}{12}=\frac{28}{36}+\frac{33}{36}=\frac{61}{36}=1\frac{25}{36}$

구조화 하기
사고력 확장
구조화 하기를 연습하면 서술형도 쉽게 풀어요

(38~42) 빈칸을 채우세요.

38

$\frac{5}{6}+\frac{3}{4}$	통분	대분수
	$\frac{10}{12}+\frac{9}{12}=\frac{19}{12}$	$1\frac{7}{12}$

39

$\frac{7}{22}+\frac{9}{11}$	통분	대분수
	$\frac{7}{22}+\frac{18}{22}=\frac{25}{22}$	$1\frac{3}{22}$

40

$\frac{6}{7}+\frac{4}{5}$	통분	대분수
	$\frac{30}{35}+\frac{28}{35}=\frac{58}{35}$	$1\frac{23}{35}$

41

$\frac{2}{3}+\frac{19}{33}$	통분	대분수
	$\frac{22}{33}+\frac{19}{33}=\frac{41}{33}$	$1\frac{8}{33}$

42

$\frac{45}{81}+\frac{10}{18}$	통분	대분수
	$\frac{90}{162}+\frac{90}{162}=\frac{180}{162}$	$1\frac{1}{9}$

(43~45) 빈칸에 알맞은 수를 써넣으세요.

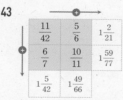

43

$\frac{11}{42}$	$\frac{5}{6}$	$1\frac{2}{21}$
$\frac{6}{7}$	$\frac{10}{11}$	$1\frac{59}{77}$
$1\frac{5}{42}$	$1\frac{49}{66}$	

$\frac{11}{42}+\frac{35}{42}=1\frac{4}{42}=1\frac{2}{21}$ · $\frac{66}{77}+\frac{70}{77}=1\frac{59}{77}$
$\frac{11}{42}+\frac{36}{42}=\frac{47}{42}=1\frac{5}{42}$ · $\frac{55}{66}+\frac{60}{66}=1\frac{49}{66}$

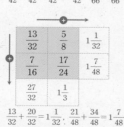

44

$\frac{13}{32}$	$\frac{5}{8}$	$1\frac{1}{32}$
$\frac{7}{16}$	$\frac{17}{24}$	$1\frac{7}{48}$
$\frac{27}{32}$	$1\frac{1}{3}$	

$\frac{13}{32}+\frac{20}{32}=1\frac{1}{32}$ · $\frac{7}{48}+\frac{34}{48}=1\frac{7}{48}$
$\frac{13}{32}+\frac{14}{32}=\frac{27}{32}$ · $\frac{15}{24}+\frac{17}{24}=1\frac{1}{3}$

45

$\frac{4}{9}$	$\frac{5}{7}$	$1\frac{10}{63}$
$\frac{6}{7}$	$\frac{11}{28}$	$1\frac{1}{4}$
$1\frac{19}{63}$	$1\frac{3}{28}$	

$\frac{28}{63}+\frac{45}{63}=\frac{73}{63}=1\frac{10}{63}$ · $\frac{24}{28}+\frac{11}{28}=\frac{35}{28}=1\frac{1}{4}$
$\frac{28}{63}+\frac{54}{63}=\frac{82}{63}=1\frac{19}{63}$ · $\frac{20}{28}+\frac{11}{28}=\frac{31}{28}=1\frac{3}{28}$

서술형 풀어보기
사고력 확장
구조화 해서 풀어보아요

46 유리병에 노란색 모래를 $\frac{12}{27}$ g, 파란색 모래를 $\frac{8}{9}$ g 넣었습니다. 유리병에 담긴 모래는 모두 몇 g일까요?

풀이과정

(1) 노란색 모래는 $\boxed{\frac{12}{27}}$ g입니다.

(2) 파란색 모래는 $\boxed{\frac{8}{9}}$ g입니다.

(3) 병에 담긴 모래는 $\frac{12}{27}+\frac{8}{9}=1\frac{1}{3}$ g입니다.

$\frac{12}{27}+\frac{8}{9}$	통분	대분수
	$\frac{12}{27}+\frac{24}{27}=\frac{36}{27}$	$1\frac{1}{3}$

(47~50) 풀이과정을 쓰고 답을 구하세요.

47 $\frac{7}{12}$ L의 물에 $\frac{5}{9}$ L의 간장을 넣었습니다. 용액은 모두 몇 L일까요?

풀이 $\frac{7}{12}+\frac{5}{9}=\frac{21}{36}+\frac{20}{36}=\frac{41}{36}=1\frac{5}{36}$

답 $1\frac{5}{36}$ L

48 동생이 초콜릿 $\frac{5}{8}$ kg을, 내가 초콜릿 $\frac{7}{12}$ kg을 먹었습니다. 동생과 내가 먹은 초콜릿 양은 몇 kg일까요?

풀이 $\frac{5}{8}+\frac{7}{12}=\frac{15}{24}+\frac{14}{24}=\frac{29}{24}=1\frac{5}{24}$

답 $1\frac{5}{24}$ kg

49 수아는 주말 동안 게임을 했습니다. 토요일에 $\frac{9}{13}$ 시간을 하고, 일요일엔 $\frac{24}{39}$ 시간을 했습니다. 수아가 주말 동안 게임을 한 시간을 대분수로 나타내면 몇 시간일까요?

풀이 $\frac{9}{13}+\frac{24}{39}=\frac{27}{39}+\frac{24}{39}=\frac{51}{39}=1\frac{12}{39}=1\frac{4}{13}$

답 $1\frac{4}{13}$ 시간

50 동생과 나는 아침 식사로 시리얼을 먹었습니다. 동생은 $\frac{5}{8}$ kg을, 나는 $\frac{7}{9}$ kg을 먹었습니다. 동생과 내가 먹은 시리얼 양을 대분수로 나타내면 몇 kg일까요?

풀이 $\frac{5}{8}+\frac{7}{9}=\frac{45}{72}+\frac{56}{72}=\frac{101}{72}=1\frac{29}{72}$

답 $1\frac{29}{72}$ kg

연마 Check
칭찬이나 노력할 것을 써 주세요.

맞힌 개수	지도 의견	
개	나의 생각	확인란

방법① 분모를 통분한 뒤 자연수는 자연수끼리, 분수는 분수끼리 더하는 방법

$1\frac{1}{4} + 2\frac{1}{3} = 1\frac{3}{12} + 2\frac{4}{12}$ ← 분모를 통분

$= 1 + 2 + \frac{3}{12} + \frac{4}{12}$ ← 자연수는 자연수끼리, 분수는 분수끼리 더하기

$= 3 + \frac{7}{12} = 3\frac{7}{12}$

방법② 대분수를 가분수로 고쳐서 계산하는 방법

$1\frac{1}{4} + 2\frac{1}{3} = \frac{5}{4} + \frac{7}{3}$ ← 대분수를 가분수로 고치기

$= \frac{15}{12} + \frac{28}{12}$ ← 분모를 통분하여 계산

$= \frac{43}{12} = 3\frac{7}{12}$ ← 가분수를 대분수로 고치기

핵심포인트
- 통분은 분모의 곱 또는 분모의 최소공배수로 할 수 있습니다.
- 계산 결과는 대분수로 나타냅니다.

[01~12] 계산을 하세요.

01 $\frac{1}{2} + \frac{1}{2}$
$= 1$

02 $\frac{2}{3} + \frac{2}{3}$
$= \frac{4}{3} = 1\frac{1}{3}$

03 $\frac{3}{4} + \frac{3}{4}$
$= \frac{6}{4} = 1\frac{1}{2}$

04 $\frac{6}{5} + \frac{3}{5}$
$= \frac{9}{5} = 1\frac{4}{5}$

05 $1\frac{3}{5} + 1\frac{3}{5}$
$= 2 + \frac{6}{5} = 3\frac{1}{5}$

06 $1\frac{1}{6} + 1\frac{5}{6}$
$= 2 + \frac{6}{6} = 3$

07 $1\frac{3}{6} + 1\frac{3}{6}$
$= 2 + \frac{6}{6} = 3$

08 $1\frac{4}{6} + 1\frac{4}{6}$
$= 2 + \frac{8}{6} = 3\frac{1}{3}$

09 $1\frac{2}{7} + 1\frac{5}{7}$
$= 2 + \frac{7}{7} = 3$

10 $1\frac{5}{7} + 1\frac{5}{7}$
$= 2 + \frac{10}{7} = 3\frac{3}{7}$

11 $2\frac{5}{6} + 2\frac{3}{6}$
$4 + \frac{8}{6} = 4 + 1\frac{2}{6} = 5\frac{1}{3}$

12 $2\frac{3}{8} + 2\frac{7}{8}$
$4 + \frac{10}{8} = 5\frac{1}{4}$

[13~33] 계산을 하세요.

13 $2\frac{3}{4} + 2\frac{1}{6} = 4 + \frac{11}{12} = 4\frac{11}{12}$

14 $3\frac{1}{2} + 1\frac{6}{7} = 4 + \frac{19}{14} = 5\frac{5}{14}$

15 $2\frac{7}{11} + 1\frac{5}{33} = 3 + \frac{26}{33} = 3\frac{26}{33}$

17 $4\frac{3}{7} + 2\frac{9}{14} = 6 + \frac{15}{14} = 7\frac{1}{14}$

18 $3\frac{4}{5} + 1\frac{2}{3} = 4 + \frac{22}{15} = 5\frac{7}{15}$

19 $2\frac{11}{70} + 1\frac{4}{7} = 3\frac{51}{70}$

20 $3\frac{7}{10} + 2\frac{5}{12} = 5 + \frac{67}{60} = 6\frac{7}{60}$

21 $1\frac{2}{3} + 2\frac{4}{9} = 3 + \frac{10}{9} = 4\frac{1}{9}$

22 $4\frac{1}{2} + 1\frac{11}{15} = 5 + \frac{37}{30} = 6\frac{7}{30}$

23 $3\frac{17}{40} + 4\frac{19}{20} = 7 + \frac{55}{40} = 8\frac{15}{40} = 8\frac{3}{8}$

24 $5\frac{4}{7} + 2\frac{3}{5} = 7 + \frac{41}{35} = 8\frac{6}{35}$

25 $2\frac{13}{18} + 5\frac{2}{3} = 7 + \frac{25}{18} = 8\frac{7}{18}$

26 $3\frac{5}{8} + 1\frac{5}{9} = 4 + \frac{85}{72} = 5\frac{13}{72}$

27 $10\frac{5}{9} + 3\frac{5}{7} = 13 + \frac{80}{63} = 14\frac{17}{63}$

28 $1\frac{4}{5} + 1\frac{23}{40} = 2 + \frac{55}{40} = 3\frac{15}{40} = 3\frac{3}{8}$

29 $3\frac{6}{7} + 2\frac{3}{5} \quad 5 + \frac{51}{35} = 6\frac{16}{35}$

30 $1\frac{37}{48} + 3\frac{1}{3} = 4 + \frac{53}{48} = 5\frac{5}{48}$

31 $1\frac{8}{11} + 3\frac{4}{9} = 4 + \frac{116}{99} = 5\frac{17}{99}$

32 $4\frac{17}{18} + 3\frac{2}{9} = 7 + \frac{21}{18} = 8\frac{3}{18} = 8\frac{1}{6}$

33 $11\frac{7}{9} + 3\frac{11}{12} = 14 + \frac{61}{36} = 15\frac{25}{36}$

[34~47] 계산을 하세요.

34 $3\frac{6}{7} + 2\frac{1}{6}$
$= 3 + 2 + \frac{36}{42} + \frac{7}{42} = 5 + \frac{43}{42} = 6\frac{1}{42}$

35 $2\frac{3}{5} + 1\frac{9}{10}$
$= 2 + 1 + \frac{6}{10} + \frac{9}{10} = 3 + \frac{15}{10} = 4\frac{1}{2}$

36 $1\frac{13}{16} + 3\frac{11}{32}$
$= 1 + 3 + \frac{26}{32} + \frac{11}{32} = 4 + \frac{37}{32} = 5\frac{5}{32}$

37 $2\frac{19}{35} + 2\frac{13}{14}$
$= 2 + 2 + \frac{38}{70} + \frac{65}{70} = 4 + \frac{103}{70} = 5\frac{33}{70}$

38 $3\frac{3}{5} + 10\frac{7}{8}$
$= 3 + 10 + \frac{24}{40} + \frac{35}{40} = 13 + \frac{59}{40} = 14\frac{19}{40}$

39 $3\frac{11}{12} + 20\frac{8}{15}$
$= 3 + 20 + \frac{55}{60} + \frac{32}{60} = 23 + \frac{87}{60} = 24\frac{27}{60} = 24\frac{9}{20}$

40 $11\frac{17}{24} + 2\frac{7}{9}$
$= 11 + 2 + \frac{51}{72} + \frac{56}{72} = 13 + \frac{107}{72} = 14\frac{35}{72}$

41 $16\frac{9}{10} + 3\frac{13}{16}$
$= 16 + 3 + \frac{72}{80} + \frac{65}{80} = 19 + \frac{137}{80} = 20\frac{57}{80}$

42 $4\frac{1}{3} + 2\frac{7}{20}$
$= 4 + 2 + \frac{20}{60} + \frac{21}{60} = 6\frac{41}{60}$

43 $5\frac{3}{7} + 2\frac{3}{4}$
$= 5 + 2 + \frac{12}{28} + \frac{21}{28} = 7 + \frac{33}{28} = 8\frac{5}{28}$

44 $2\frac{1}{6} + 3\frac{5}{8}$
$= 2 + 3 + \frac{4}{24} + \frac{15}{24} = 5 + \frac{19}{24} = 5\frac{19}{24}$

45 $7\frac{3}{4} + 2\frac{13}{24}$
$= 7 + 2 + \frac{18}{24} + \frac{13}{24} = 9 + \frac{31}{24} = 10\frac{7}{24}$

46 $4\frac{9}{13} + 5\frac{22}{39}$
$= 4 + 5 + \frac{27}{39} + \frac{22}{39} = 9 + \frac{49}{39} = 10\frac{10}{39}$

47 $7\frac{5}{6} + 1\frac{13}{21}$
$= 7 + 1 + \frac{35}{42} + \frac{26}{42} = 8 + \frac{61}{42} = 9\frac{19}{42}$

---

48 파란 리본은 $3\frac{2}{7}$ cm이고, 노란 리본은 파란 리본 보다 $2\frac{4}{5}$ cm 더 길다고 합니다. 노란 리본의 길이는 몇 cm일까요?

풀이과정

(1) 노란 리본의 길이 = $\boxed{3\frac{2}{7}}$ + $\boxed{2\frac{4}{5}}$

(2) 그러므로 노란 리본의 길이는 $6\frac{3}{35}$ cm입니다.

$3\frac{2}{7} + 2\frac{4}{5} = 3 + \boxed{2} + \frac{\boxed{10}}{35} + \frac{\boxed{28}}{35}$

$= \boxed{5} + \frac{38}{35} = 6\frac{3}{35}$

[49~52] 풀이과정을 쓰고 답을 구하세요.

49 민수는 $10\frac{5}{8}$ cm의 붕어를 잡고 아리는 민수가 잡은 붕어보다 $5\frac{6}{11}$ cm 더 큰 붕어를 잡았습니다. 아리가 잡은 붕어의 길이는 몇 cm일까요?

풀이 $10\frac{5}{8} + 5\frac{6}{11} = 15 + \frac{103}{88} = 16\frac{15}{88}$

답 $16\frac{15}{88}$ cm

50 음표의 길이를 다음과 같이 나타낼 때,

음표	♩	♪		♫
길이	2	1	$\frac{1}{2}$	$\frac{1}{4}$

다음 음표 길이의 합을 구해보세요.

♩ ♪ ♫

풀이 $2 + 1 + \frac{1}{2} + \frac{1}{4} = 3 + \frac{3}{4} = 3\frac{3}{4}$

답 $3\frac{3}{4}$

51 주하는 $3\frac{7}{8}$ km를 걷다가 잠시 쉬고 다시 $2\frac{7}{12}$ km를 걸어 목적지에 도착했습니다. 주하가 걸은 거리는 몇 km일까요?

풀이 $3\frac{7}{8} + 2\frac{7}{12} = 5 + \frac{35}{24} = 6\frac{11}{24}$

답 $6\frac{11}{24}$ km

52 다정이네 강아지는 사료를 $25\frac{3}{4}$ g 을 먹고, 고양이는 $17\frac{9}{10}$ g을 먹었습니다. 두 동물이 먹은 사료는 모두 몇 g일까요?

풀이 $25\frac{3}{4} + 17\frac{9}{10} = 42 + \frac{33}{20} = 43\frac{13}{20}$

답 $43\frac{13}{20}$ g

연마 Check   칭찬이나 노력할 점을 써 주세요.

맞힌 개수		지도 의견		확인란
	개	나의 생각		

두 분수의 분모를 통분한 뒤, 분자끼리 뺄셈합니다.

$$\frac{3}{4} - \frac{1}{5} = \frac{15}{20} - \frac{4}{20} = \frac{11}{20}$$

분모를 통분 → 분자끼리의 뺄셈

핵심포인트
- 분모의 통분은 두 분모의 곱 또는 두 분모의 최소공배수로 할 수 있습니다.
- 계산의 결과는 기약분수로 나타냅니다.
$$\frac{15}{20} - \frac{4}{20} = \frac{15-4}{20}$$

(01~12) 계산을 하세요.

01 $\frac{3}{2} - \frac{1}{3} = \frac{9}{6} - \frac{2}{6} = \frac{7}{6} = 1\frac{1}{6}$

02 $\frac{4}{5} - \frac{3}{15} = \frac{12}{15} - \frac{3}{15} = \frac{3}{5}$

03 $\frac{2}{3} - \frac{1}{6} = \frac{4}{6} - \frac{1}{6} = \frac{1}{2}$

04 $\frac{6}{7} - \frac{1}{3} = \frac{18}{21} - \frac{7}{21} = \frac{11}{21}$

05 $\frac{1}{6} - \frac{1}{9} = \frac{3}{18} - \frac{2}{18} = \frac{1}{18}$

06 $\frac{7}{8} - \frac{1}{12} = \frac{21}{24} - \frac{2}{24} = \frac{19}{24}$

07 $\frac{24}{25} - \frac{3}{5} = \frac{24}{25} - \frac{15}{25} = \frac{9}{25}$

08 $\frac{3}{5} - \frac{3}{7} = \frac{21}{35} - \frac{15}{35} = \frac{6}{35}$

09 $\frac{7}{15} - \frac{1}{3} = \frac{7}{15} - \frac{5}{15} = \frac{2}{15}$

10 $\frac{17}{18} - \frac{5}{12} = \frac{34}{36} - \frac{15}{36} = \frac{19}{36}$

11 $\frac{3}{4} - \frac{3}{8} = \frac{6}{8} - \frac{3}{8} = \frac{3}{8}$

12 $\frac{11}{12} - \frac{3}{10} = \frac{55}{60} - \frac{18}{60} = \frac{37}{60}$

Point 참고
분모를 통분할 때, 최소공배수를 구하기 귀찮아서 무조건 분모의 곱으로 통분하면 숫자가 커지기 때문에 약분을 할 때 실수하기 쉽습니다. 최소공배수로 분모를 통분하는 습관을 들여야 합니다.

계산력 강화하기　정확하게 풀어보아요

(13~28) 계산을 하세요.

13 $\frac{7}{8} - \frac{1}{2} = \frac{7}{8} - \frac{4}{8} = \frac{3}{8}$

14 $\frac{4}{5} - \frac{1}{3} = \frac{12}{15} - \frac{5}{15} = \frac{7}{15}$

15 $\frac{9}{11} - \frac{7}{22} = \frac{18}{22} - \frac{7}{22} = \frac{11}{22} = \frac{1}{2}$

16 $\frac{1}{2} - \frac{3}{14} = \frac{7}{14} - \frac{3}{14} = \frac{4}{14} = \frac{2}{7}$

17 $\frac{4}{5} - \frac{7}{20} = \frac{16}{20} - \frac{7}{20} = \frac{9}{20}$

18 $\frac{3}{5} - \frac{3}{15} = \frac{9}{15} - \frac{3}{15} = \frac{6}{15} = \frac{2}{5}$

19 $\frac{10}{11} - \frac{1}{3} = \frac{30}{33} - \frac{11}{33} = \frac{19}{33}$

20 $\frac{3}{5} - \frac{3}{10} = \frac{6}{10} - \frac{3}{10} = \frac{3}{10}$

21 $\frac{9}{10} - \frac{1}{6} = \frac{27}{30} - \frac{5}{30} = \frac{22}{30} = \frac{11}{15}$

22 $\frac{11}{15} - \frac{1}{3} = \frac{11}{15} - \frac{5}{15} = \frac{6}{15} = \frac{2}{5}$

23 $\frac{17}{20} - \frac{1}{4} = \frac{17}{20} - \frac{5}{20} = \frac{12}{20} = \frac{3}{5}$

24 $\frac{13}{16} - \frac{5}{12} = \frac{39}{48} - \frac{20}{48} = \frac{19}{48}$

25 $\frac{19}{34} - \frac{5}{17} = \frac{19}{34} - \frac{10}{34} = \frac{9}{34}$

26 $\frac{2}{6} - \frac{4}{33} = \frac{22}{66} - \frac{8}{66} = \frac{14}{66} = \frac{7}{33}$

27 $\frac{11}{13} - \frac{7}{26} = \frac{22}{26} - \frac{7}{26} = \frac{15}{26}$

28 $\frac{7}{8} - \frac{11}{30} = \frac{105}{120} - \frac{44}{120} = \frac{61}{120}$

사고력 확장　구조화 하기　구조화 하기를 연습하면 서술형도 쉽게 풀어요

(29~44) 빈칸에 알맞은 수를 써넣으세요

29 $\frac{6}{5} - \frac{1}{4} \rightarrow \frac{19}{20}$　　$\frac{24}{20} - \frac{5}{20} = \frac{19}{20}$

30 $\frac{7}{9} - \frac{3}{5} \rightarrow \frac{8}{45}$　　$\frac{35}{45} - \frac{27}{45} = \frac{8}{45}$

31 $\frac{1}{5} - \frac{1}{10} \rightarrow \frac{1}{10}$　　$\frac{2}{10} - \frac{1}{10} = \frac{1}{10}$

32 $\frac{1}{8} - \frac{1}{9} \rightarrow \frac{1}{72}$　　$\frac{9}{72} - \frac{8}{72} = \frac{1}{72}$

33 $\frac{1}{10} - \frac{1}{20} \rightarrow \frac{1}{20}$　　$\frac{2}{20} - \frac{1}{20} = \frac{1}{20}$

34 $\frac{1}{3} - \frac{1}{9} \rightarrow \frac{2}{9}$　　$\frac{3}{9} - \frac{1}{9} = \frac{2}{9}$

35 $\frac{1}{6} - \frac{1}{14} \rightarrow \frac{2}{21}$　　$\frac{7}{42} - \frac{3}{42} = \frac{2}{21}$

36 $\frac{2}{5} - \frac{3}{25} \rightarrow \frac{7}{25}$　　$\frac{10}{25} - \frac{3}{25} = \frac{7}{25}$

37 $\frac{5}{8} - \frac{5}{32} \rightarrow \frac{15}{32}$　　$\frac{20}{32} - \frac{5}{32} = \frac{15}{32}$

38 $\frac{8}{13} - \frac{1}{5} \rightarrow \frac{27}{65}$　　$\frac{40}{65} - \frac{13}{65} = \frac{27}{65}$

39 $\frac{13}{28} - \frac{15}{56} \rightarrow \frac{11}{56}$　　$\frac{26}{56} - \frac{15}{56} = \frac{11}{56}$

40 $\frac{7}{8} - \frac{3}{10} \rightarrow \frac{23}{40}$　　$\frac{35}{40} - \frac{12}{40} = \frac{23}{40}$

41 $\frac{2}{9} - \frac{2}{11} \rightarrow \frac{4}{99}$　　$\frac{22}{99} - \frac{18}{99} = \frac{4}{99}$

42 $\frac{8}{11} - \frac{2}{5} \rightarrow \frac{18}{55}$　　$\frac{40}{55} - \frac{22}{55} = \frac{18}{55}$

43 $\frac{17}{28} - \frac{3}{14} \rightarrow \frac{11}{28}$　　$\frac{17}{28} - \frac{6}{28} = \frac{11}{28}$

44 $\frac{3}{4} - \frac{4}{9} \rightarrow \frac{11}{36}$　　$\frac{27}{36} - \frac{16}{36} = \frac{11}{36}$

사고력 확장　서술형 풀어보기　구조화 해서 풀어보아요

45 가래떡이 $\frac{10}{17}$ m가 있었는데 $\frac{5}{34}$ m를 먹었습니다. 남은 가래떡은 몇 m일까요?

풀이과정
(1) 남은 가래떡의 길이 $= \frac{10}{17}$ m $- \frac{5}{34}$ m입니다.

$$\frac{10}{17} - \frac{5}{34} = \frac{20}{34} - \frac{5}{34} = \frac{15}{34}$$

(2) 식을 계산하면 $\frac{15}{34}$ m입니다.

(46~49) 풀이과정을 쓰고 답을 구하세요.

46 병에 우유가 $\frac{5}{8}$ L 있었는데 민아가 $\frac{7}{24}$ L를 마셨습니다. 병에 남은 우유는 몇 L 일까요?

풀이 $\frac{5}{8} - \frac{7}{24} = \frac{15}{24} - \frac{7}{24} = \frac{8}{24} = \frac{1}{3}$

답 $\frac{1}{3}$ L

47 가로가 $\frac{29}{40}$ cm이고, 세로가 $\frac{3}{16}$ cm인 직사각형이 있습니다. 가로와 세로 중 어느 것이 얼마나 더 길까요?

풀이 $\frac{29}{40} - \frac{3}{16} = \frac{58}{80} - \frac{15}{80} = \frac{43}{80}$

답 가로가 세로보다 $\frac{43}{80}$ cm 깁니다.

48 A 문구점은 집으로부터 $\frac{5}{12}$ km 떨어져 있고, B 문구점은 집으로부터 $\frac{7}{16}$ km 떨어져 있습니다. 어느 문구점이 얼마나 더 가까운가요?

풀이 $\frac{7}{16} - \frac{5}{12} = \frac{21}{48} - \frac{20}{48} = \frac{1}{48}$

답 B 문구점 $\frac{1}{48}$ km

49 어떤 일을 하는데 민재는 $\frac{39}{81}$ 시간이 걸리고, 지원이는 $\frac{19}{54}$ 시간이 걸린다고 합니다. 누가 몇 시간 더 빨리 끝내게 될까요?

풀이 $\frac{39}{81} - \frac{19}{54} = \frac{78}{162} - \frac{57}{162} = \frac{21}{162} = \frac{7}{54}$

답 지원 $\frac{7}{54}$ 시간

연마 Check　칭찬이나 노력할 점을 써 주세요.

맞힌 개수	지도 의견	
개	나의 생각	확인란

22 일차 대분수의 뺄셈 ①

월 일

• 대분수의 뺄셈

방법① 자연수는 자연수끼리, 분수는 분수끼리 계산합니다.

$2\frac{1}{2}-1\frac{1}{4}=(2-1)+\frac{1}{2}-\frac{1}{4}=1+\frac{2-1}{4}=1\frac{1}{4}$

방법② 대분수를 가분수로 고친 뒤, 계산합니다.

$2\frac{1}{2}-1\frac{1}{4}=\frac{4+1}{2}-\frac{4+1}{4}=\frac{5}{2}-\frac{5}{4}=\frac{10}{4}-\frac{5}{4}=1\frac{1}{4}$

 계산 포인트
• 대분수의 뺄셈은 대분수의 덧셈과 계산 방법이 같습니다.

$\frac{10-5}{4}=\frac{10}{4}-\frac{5}{4}$

[01~06] 빈칸에 알맞은 수를 써넣으세요.

01 $2\frac{1}{3}-1\frac{1}{6}=(2-\boxed{1})+\left(\frac{1}{3}-\frac{1}{6}\right)=\boxed{1}+\frac{1}{6}=1\frac{1}{6}$

02 $3\frac{1}{3}-1\frac{1}{9}=(\boxed{3}-1)+\left(\frac{1}{3}-\frac{1}{9}\right)=\boxed{2}+\frac{3-1}{9}=2\frac{2}{9}$

03 $3\frac{3}{10}-1\frac{3}{20}=(3-\boxed{1})+\left(\frac{3}{10}-\frac{3}{20}\right)=\boxed{2}+\frac{6-3}{20}=2\frac{3}{20}$

04 $4\frac{3}{4}-2\frac{2}{5}=(4-\boxed{2})+\left(\frac{3}{4}-\frac{2}{5}\right)=\boxed{2}+\frac{15-8}{20}=2\frac{7}{20}$

05 $3\frac{5}{6}-2\frac{5}{12}=\frac{3\times\boxed{6}+5}{6}-\frac{2\times\boxed{12}+5}{12}=\frac{23}{6}-\frac{29}{12}=\frac{46-29}{12}=\frac{17}{12}=1\frac{5}{12}$

06 $4\frac{5}{8}-3\frac{1}{10}=\frac{4\times\boxed{8}+5}{8}-\frac{3\times\boxed{10}+1}{10}=\frac{185}{40}-\frac{124}{40}=\frac{61}{40}=1\frac{21}{40}$

96 5. 분수의 덧셈과 뺄셈

 계산력 강화하기
정확하게 풀어보아요

[07~15] 방법① 로 계산하세요.

07 $4\frac{3}{4}-2\frac{1}{6}=2\frac{7}{12}$

08 $5\frac{2}{3}-1\frac{1}{12}=4\frac{7}{12}$

09 $4\frac{4}{9}-1\frac{7}{18}=3\frac{1}{18}$

10 $7\frac{1}{2}-1\frac{3}{8}=6\frac{1}{8}$

11 $4\frac{11}{14}-2\frac{5}{7}=2\frac{1}{14}$

12 $6\frac{6}{7}-3\frac{1}{2}=3\frac{5}{14}$

13 $4\frac{5}{6}-1\frac{3}{18}=3\frac{2}{3}$

14 $7\frac{1}{2}-2\frac{1}{5}=5\frac{3}{10}$

15 $8\frac{7}{9}-5\frac{7}{12}=3\frac{7}{36}$

[16~24] 방법② 로 계산하세요.

16 $6\frac{7}{9}-1\frac{1}{4}=5\frac{19}{36}$

17 $6\frac{4}{5}-3\frac{3}{8}=3\frac{17}{40}$

18 $6\frac{5}{6}-2\frac{1}{4}=4\frac{7}{12}$

19 $8\frac{2}{3}-2\frac{2}{7}=6\frac{8}{21}$

20 $4\frac{5}{11}-2\frac{2}{5}=2\frac{3}{55}$

21 $7\frac{4}{5}-3\frac{1}{6}=4\frac{19}{30}$

22 $1\frac{41}{45}-1\frac{2}{3}=\frac{11}{45}$

23 $4\frac{11}{12}-1\frac{5}{6}=3\frac{1}{12}$

24 $5\frac{5}{9}-1\frac{3}{11}=4\frac{28}{99}$

대분수의 뺄셈 ① 97

 구조화 하기
구조화 하기를 연습하면 서술형도 쉽게 풀어요

[25~34] 앞의 수에서 뒤의 수를 뺄셈하여 빈칸에 쓰세요.

25

$5\frac{10}{13}$	$3\frac{1}{3}$
$2\frac{17}{39}$	

$(5-3)+\frac{30-13}{39}=2\frac{17}{39}$

26

$7\frac{5}{6}$	$1\frac{3}{16}$
$6\frac{31}{48}$	

$(7-1)+\frac{40-9}{48}=6\frac{31}{48}$

27

$7\frac{3}{4}$	$2\frac{3}{5}$
$5\frac{3}{20}$	

$(7-2)+\frac{15-12}{20}=5\frac{3}{20}$

28

$7\frac{11}{12}$	$2\frac{5}{18}$
$5\frac{23}{36}$	

$(7-2)+\frac{33-10}{36}=5\frac{23}{36}$

29

$5\frac{11}{14}$	$1\frac{4}{7}$
$4\frac{3}{14}$	

$(5-1)+\frac{11-8}{14}=4\frac{3}{14}$

30

$7\frac{4}{5}$	$1\frac{3}{10}$
$6\frac{1}{2}$	

$(7-1)+\frac{8-3}{10}=6\frac{1}{2}$

31

$5\frac{6}{7}$	$3\frac{1}{2}$
$2\frac{5}{14}$	

$(5-3)+\frac{12-7}{14}=2\frac{5}{14}$

32

$8\frac{9}{14}$	$5\frac{1}{4}$
$3\frac{11}{28}$	

$(8-5)+\frac{18-7}{28}=3\frac{11}{28}$

33

$1\frac{17}{28}$	$1\frac{3}{14}$
$\frac{11}{28}$	

$1\frac{17}{28}-1\frac{6}{28}=\frac{11}{28}$

34

$5\frac{3}{4}$	$2\frac{4}{9}$
$3\frac{11}{36}$	

$5\frac{27}{36}-2\frac{16}{36}=3\frac{11}{36}$

98 5. 분수의 덧셈과 뺄셈

 서술형 풀어보기
구조화 해서 풀어보아요

35 민아가 집에서 $4\frac{3}{5}$ km 떨어진 할머니 댁에 가는데 버스를 타고 $3\frac{1}{4}$ km 이동한 뒤 나머지 거리는 걸어갔습니다. 민아가 걸어서 이동한 거리를 구해보세요.

풀이과정

(1) (할머니 댁까지 거리)−(버스로 이동한 거리)
=(걸어서 이동한 거리)이므로

$4\frac{3}{5}-3\frac{1}{4}$ 을 하면 됩니다.

$4\frac{3}{5}-3\frac{1}{4}=(4-\boxed{3})+\left(\frac{3}{5}-\frac{1}{4}\right)$
$=\boxed{1}+\frac{7}{20}=1\frac{7}{20}$

(2) 계산하면 $1\frac{7}{20}$ 이 됩니다.

(3) 그러므로 민아가 걸어간 거리는 $1\frac{7}{20}$ km입니다.

[36~39] 풀이과정을 쓰고 답을 구하세요.

36 우유 $8\frac{3}{4}$ L에서 먹고 남은 양이 $3\frac{2}{5}$ L입니다. 먹은 우유는 몇 L일까요?

풀이 $8\frac{3}{4}-3\frac{2}{5}=5\frac{7}{20}$

답 $5\frac{7}{20}$ L

37 버섯 $4\frac{12}{55}$ kg 중에 $2\frac{6}{35}$ kg을 먹었습니다. 남은 버섯은 몇 kg일까요?

풀이 $4\frac{12}{55}-2\frac{6}{35}=2\frac{18}{385}$

답 $2\frac{18}{385}$ kg

38 $8\frac{5}{6}$ 톤의 물건을 실은 배가 울산에서 출발해 울릉도에서 $6\frac{3}{5}$ 톤의 물건을 내렸다면 배에 남은 물건은 몇 톤일까요?

풀이 $8\frac{5}{6}-6\frac{3}{5}=2\frac{7}{30}$

답 $2\frac{7}{30}$ 톤

39 $18\frac{3}{4}$ g의 참치 중에 $5\frac{3}{10}$ g을 고양이에게 주었습니다. 남은 참치는 몇 g일까요?

풀이 $18\frac{3}{4}-5\frac{3}{10}=13\frac{9}{20}$

답 $13\frac{9}{20}$ g

연마 Check 칭찬이나 노력할 점을 써 주세요.

맞힌 개수	지도 의견		확인란
개	나의 생각		

대분수의 뺄셈 ① 99

• 받아 내림이 있는 대분수의 뺄셈: 대분수의 (분수−분수) 부분이 앞의 분수보다 뒤의 분수가 더 큰 경우

방법① 앞의 분수가 자신의 자연수 부분에서 1을 받아 내림하기

$$3\frac{1}{2}-1\frac{3}{4}=(2-1)+\left(\frac{6}{4}-\frac{3}{4}\right)=1+\frac{3}{4}=1\frac{3}{4}$$

방법② 대분수를 가분수로 고쳐 계산하기

$$3\frac{1}{2}-1\frac{3}{4}=\frac{7}{2}-\frac{7}{4}=\frac{14-7}{4}=\frac{7}{4}=1\frac{3}{4}$$

핵심포인트

· $\frac{1}{2}<\frac{3}{4}$ 이라서 뺄 수 없습니다. 이럴 땐, 앞의 분수의 자연수 부분에서 1을 받아 내림합니다.

· $(2-1)+\left(\frac{3}{2}-\frac{3}{4}\right)=1+\left(\frac{6}{4}-\frac{3}{4}\right)$

· 받아 내림을 통해 대분수의 뺄셈을 할 수도 있지만 처음부터 대분수를 가분수로 고치면 받아 내림을 하지 않고 계산할 수 있습니다.

[01~06] 빈칸을 채우세요.

01 $4\frac{2}{5}-2\frac{2}{3}=(\boxed{3}-2)+\left(\frac{\boxed{7}}{5}-\frac{2}{3}\right)$

$=\boxed{1}+\left(\frac{\boxed{21}}{15}-\frac{10}{15}\right)=1\frac{11}{15}$

02 $4\frac{1}{6}-1\frac{5}{12}=(\boxed{3}-1)+\left(\frac{\boxed{7}}{6}-\frac{5}{12}\right)$

$=\boxed{2}+\left(\frac{\boxed{14}}{12}-\frac{5}{12}\right)=2\frac{9}{12}=2\frac{3}{4}$

03 $7\frac{1}{3}-2\frac{5}{6}=(\boxed{6}-2)+\left(\frac{\boxed{4}}{3}-\frac{5}{6}\right)$

$=\boxed{4}+\left(\frac{8}{6}-\frac{5}{6}\right)=4\frac{3}{6}=4\frac{1}{2}$

04 $5\frac{2}{7}-2\frac{4}{5}=\frac{\boxed{37}}{7}-\frac{\boxed{14}}{5}$

$=\frac{\boxed{185}-98}{35}=2\frac{17}{35}$

05 $4\frac{1}{6}-1\frac{7}{12}=\frac{\boxed{25}}{6}-\frac{\boxed{19}}{12}$

$=\frac{\boxed{50}-19}{12}=2\frac{7}{12}$

06 $5\frac{1}{4}-1\frac{5}{8}=\frac{\boxed{21}}{4}-\frac{\boxed{13}}{8}$

$=\frac{\boxed{42}-13}{8}=3\frac{5}{8}$

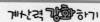

계산력 **강화**하기
정확하게 풀어보아요

[07~12] **방법①**로 계산하세요.

07 $4\frac{3}{8}-2\frac{2}{3}$

$=(3-2)+\left(\frac{11}{8}-\frac{2}{3}\right)=1+\frac{17}{24}=1\frac{17}{24}$

08 $6\frac{1}{4}-2\frac{3}{5}$

$=(5-2)+\left(\frac{5}{4}-\frac{3}{5}\right)=3+\frac{13}{20}=3\frac{13}{20}$

09 $7\frac{1}{8}-2\frac{7}{20}$

$=(6-2)+\left(\frac{9}{8}-\frac{7}{20}\right)=4+\frac{31}{40}=4\frac{31}{40}$

10 $8\frac{1}{4}-1\frac{14}{15}$

$=(7-1)+\left(\frac{5}{4}-\frac{14}{15}\right)=6+\frac{19}{60}=6\frac{19}{60}$

11 $3\frac{1}{2}-1\frac{4}{7}$

$=(2-1)+\left(\frac{3}{2}-\frac{4}{7}\right)=1+\frac{13}{14}=1\frac{13}{14}$

12 $5\frac{2}{9}-2\frac{2}{3}$

$=(4-2)+\left(\frac{11}{9}-\frac{2}{3}\right)=2+\frac{5}{9}=2\frac{5}{9}$

[13~18] **방법②**로 계산하세요.

13 $7\frac{2}{9}-2\frac{11}{18}$

$=\frac{65}{9}-\frac{47}{18}=\frac{130}{18}-\frac{47}{18}=\frac{83}{18}=4\frac{11}{18}$

14 $4\frac{3}{10}-1\frac{7}{15}$

$=\frac{43}{10}-\frac{22}{15}=\frac{129}{30}-\frac{44}{30}=\frac{85}{30}=2\frac{25}{30}=2\frac{5}{6}$

15 $9\frac{1}{5}-3\frac{5}{6}$

$=\frac{46}{5}-\frac{23}{6}=\frac{276}{30}-\frac{115}{30}=\frac{161}{30}=5\frac{11}{30}$

16 $5\frac{1}{12}-1\frac{7}{24}$

$=\frac{61}{12}-\frac{31}{24}=\frac{122}{24}-\frac{31}{24}=\frac{91}{24}=3\frac{19}{24}$

17 $3\frac{1}{8}-1\frac{7}{12}$

$=\frac{25}{8}-\frac{19}{12}=\frac{75}{24}-\frac{38}{24}=\frac{37}{24}=1\frac{13}{24}$

18 $6\frac{1}{5}-3\frac{1}{3}$

$=\frac{31}{5}-\frac{10}{3}=\frac{93}{15}-\frac{50}{15}=\frac{43}{15}=2\frac{13}{15}$

사고력 확장
구조화하기
구조화 하기를 연습하면 서술형 쉽게 풀어요

[19~28] 빈칸에 알맞은 수를 써넣으세요.

19 $7\frac{1}{3}$ $-2\frac{4}{5}$ → $4\frac{8}{15}$

$4+\frac{20-12}{15}=4\frac{8}{15}$

20 $8\frac{2}{5}$ $-4\frac{7}{10}$ → $3\frac{7}{10}$

$3+\left(\frac{14-7}{10}\right)=3\frac{7}{10}$

21 $7\frac{3}{10}$ $-3\frac{7}{12}$ → $3\frac{43}{60}$

$3+\left(\frac{13}{10}-\frac{7}{12}\right)=3\frac{43}{60}$

22 $4\frac{1}{6}$ $-1\frac{4}{15}$ → $2\frac{9}{10}$

$2+\left(\frac{7}{6}-\frac{4}{15}\right)=2+\frac{35-8}{30}=2\frac{9}{10}$

23 $7\frac{1}{24}$ $-1\frac{5}{12}$ → $5\frac{5}{8}$

$5+\left(\frac{25}{24}-\frac{5}{12}\right)=5\frac{15}{24}=5\frac{5}{8}$

24 $5\frac{1}{36}$ $-2\frac{5}{12}$ → $2\frac{11}{18}$

$2+\left(\frac{37}{36}-\frac{15}{36}\right)=2\frac{11}{18}$

25 $7\frac{3}{20}$ $-2\frac{17}{30}$ → $4\frac{7}{12}$

$4+\left(\frac{69-34}{60}\right)=4\frac{7}{12}$

26 $7\frac{3}{8}$ $-2\frac{11}{12}$ → $4\frac{11}{24}$

$4+\left(\frac{11}{8}-\frac{11}{12}\right)=4+\frac{33-22}{24}=4\frac{11}{24}$

27 $9\frac{1}{3}$ $-4\frac{10}{11}$ → $4\frac{14}{33}$

$4+\frac{44-30}{33}=4\frac{14}{33}$

28 $5\frac{4}{9}$ $-2\frac{11}{12}$ → $2\frac{19}{36}$

$2+\frac{52-33}{36}=2\frac{19}{36}$

사고력 확장
서술형 **풀어**보기
구조화 해서 풀어보아요

29 환경보호 포스터를 만드는데 초록 물감 $3\frac{5}{7}$ g을 사용하였습니다. 초록 물감은 처음에 $7\frac{3}{14}$ g이 있었다고 합니다. 남은 초록 물감은 몇 g일까요?

풀이과정

(1) (처음에 있던 초록 물감의 양)−(사용한 초록 물감 양)=(남은 초록 물감의 양)이므로

$7\frac{3}{14}-3\frac{5}{7}$ 를 계산하면 됩니다.

$7\frac{3}{14}-3\frac{5}{7}=\frac{\boxed{7}\times14+3}{14}-\frac{\boxed{3}\times7+5}{7}=\frac{\boxed{101}}{14}-\frac{\boxed{26}}{7}$

$=\frac{\boxed{101}-52}{14}=\frac{\boxed{49}}{14}=3\frac{1}{2}$

(2) 그러므로 남은 초록 물감의 양은 $3\frac{1}{2}$ g입니다.

[30~33] 풀이과정을 쓰고 답을 구하세요.

30 전체 쪽수가 $50\frac{1}{6}$쪽인 책이 있습니다. 도희는 이 책을 $20\frac{5}{8}$쪽까지 읽었다고 합니다. 책의 남은 부분은 몇 쪽일까요?

풀이 $50\frac{1}{6}-20\frac{5}{8}=29\frac{13}{24}$

답 $29\frac{13}{24}$ 쪽

31 강아지 두 마리의 몸무게를 한꺼번에 쟀을 때는 $5\frac{3}{13}$ kg이었고, 한 마리만 쟀을 때는 $3\frac{2}{3}$ kg이었다고 합니다. 다른 한 마리는 몇 kg일까요?

풀이 $5\frac{3}{13}-3\frac{2}{3}=1\frac{22}{39}$

답 $1\frac{22}{39}$ kg

32 민재는 총 $4\frac{5}{9}$시간 동안 수학을 공부하면서 $1\frac{13}{18}$시간을 쉬었습니다. 민재가 쉬는 시간을 제외하고 공부한 시간은 몇 시간일까요?

풀이 $4\frac{5}{9}-1\frac{13}{18}=2\frac{5}{6}$

답 $2\frac{5}{6}$ 시간

33 $3\frac{3}{40}$ kg의 팥죽이 있었는데 $1\frac{7}{8}$ kg을 먹었습니다. 남은 팥죽은 몇 kg일까요?

풀이 $3\frac{3}{40}-1\frac{7}{8}=1\frac{1}{5}$

답 $1\frac{1}{5}$ kg

연마 Check 칭찬이나 노력할 점을 써 주세요.

맞힌 개수	지도 의견	
개	나의 생각	확인란

$\frac{1}{2}+\frac{1}{3}+\frac{1}{4}$ 을 계산하는 방법은 두 가지가 있습니다.

방법① 두 분수씩 묶어 차례로 통분하여 계산하기

$\frac{1}{2}+\frac{1}{3}+\frac{1}{4}=\left(\frac{1}{2}+\frac{1}{3}\right)+\frac{1}{4}=\left(\frac{3}{6}+\frac{2}{6}\right)+\frac{1}{4}$

$=\frac{5}{6}+\frac{1}{4}=\frac{10}{12}+\frac{3}{12}=\frac{13}{12}=1\frac{1}{12}$

방법② 세 분수를 한꺼번에 통분하여 계산하기

$\frac{1}{2}+\frac{1}{3}+\frac{1}{4}=\frac{6}{12}+\frac{4}{12}+\frac{3}{12}=\frac{13}{12}=1\frac{1}{12}$

핵심포인트

- $\frac{3}{6}+\frac{2}{6}=\frac{2+3}{6}$

- 세 분수의 분자를 한꺼번에 통분하려면 세 수의 최소공배수를 이용하는 것이 편리합니다.

- 2, 3, 4의 최소공배수

$2\,)\,\underline{2\ \ 3\ \ 4}$
$\quad\ \ 1\ \ 3\ \ 2$

→ $2\times3\times2=12$

[01~07] 방법①로 계산을 하세요.

01 $\frac{1}{2}+\frac{1}{3}+\frac{1}{6}$

$=\left(\frac{3}{6}+\frac{2}{6}\right)+\frac{1}{6}=\frac{5}{6}+\frac{1}{6}=1$

02 $\frac{1}{4}+\frac{2}{3}+\frac{1}{6}$

$=\left(\frac{3}{12}+\frac{8}{12}\right)+\frac{1}{6}=\frac{11}{12}+\frac{2}{12}=\frac{13}{12}=1\frac{1}{12}$

03 $\frac{2}{5}+\frac{3}{20}+\frac{3}{4}$

$=\left(\frac{8}{20}+\frac{3}{20}\right)+\frac{3}{4}=\frac{11}{20}+\frac{15}{20}=\frac{26}{20}=\frac{13}{10}=1\frac{3}{10}$

04 $\frac{1}{2}+\frac{3}{5}+\frac{1}{10}$

$=\left(\frac{5}{10}+\frac{6}{10}\right)+\frac{1}{10}=\frac{11}{10}+\frac{1}{10}=\frac{12}{10}=1\frac{1}{5}$

05 $\frac{1}{10}+\frac{2}{3}+\frac{5}{6}$

$=\left(\frac{3}{30}+\frac{20}{30}\right)+\frac{5}{6}=\frac{23}{30}+\frac{25}{30}=\frac{48}{30}=1\frac{3}{5}$

06 $\frac{5}{6}+\frac{2}{8}+\frac{3}{4}$

$=\left(\frac{20}{24}+\frac{6}{24}\right)+\frac{3}{4}$

$=\frac{26}{24}+\frac{18}{24}=\frac{44}{24}=1\frac{20}{24}=1\frac{5}{6}$

07 $\frac{2}{3}-\frac{1}{6}-\frac{1}{12}=\left(\frac{4}{6}-\frac{1}{6}\right)-\frac{1}{12}$

$=\frac{3}{6}-\frac{1}{12}=\frac{6}{12}-\frac{1}{12}=\frac{5}{12}$

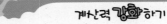

[08~21] 방법②로 계산을 하세요.

08 $1\frac{3}{4}-\frac{1}{3}-\frac{5}{12}$

$=\frac{21-4-5}{12}=\frac{12}{12}=1$

09 $2\frac{7}{12}-1\frac{3}{16}+1\frac{3}{4}$

$=\frac{124-57+84}{48}=\frac{151}{48}=3\frac{7}{48}$

10 $\frac{2}{3}+\frac{11}{30}-\frac{1}{6}$

$=\frac{20+11-5}{30}=\frac{26}{30}=\frac{13}{15}$

11 $\frac{4}{5}-\frac{3}{8}+\frac{7}{20}$

$=\frac{32-15+14}{40}=\frac{31}{40}$

12 $2\frac{3}{7}-\frac{9}{14}+\frac{5}{21}$

$=\frac{102-27+10}{42}=\frac{85}{42}=2\frac{1}{42}$

13 $5\frac{4}{9}-\frac{5}{6}-\frac{5}{18}$

$=\frac{98-15-5}{18}=\frac{78}{18}=4\frac{6}{18}=4\frac{1}{3}$

14 $2\frac{1}{3}-\frac{2}{11}+\frac{1}{6}$

$=\frac{154-12+11}{66}=\frac{153}{66}=2\frac{21}{66}=2\frac{7}{22}$

15 $6\frac{1}{10}-1\frac{1}{4}+\frac{7}{8}$

$=\frac{244-50+35}{40}=\frac{229}{40}=5\frac{29}{40}$

16 $\frac{3}{8}-\frac{3}{16}+\frac{7}{12}$

$=\frac{18-9+28}{48}=\frac{37}{48}$

17 $2\frac{1}{3}-1\frac{4}{5}+2\frac{13}{15}$

$=\frac{35-27+43}{15}=\frac{51}{15}=3\frac{6}{15}=3\frac{2}{5}$

18 $\frac{16}{21}-\frac{1}{7}+1\frac{1}{6}$

$=\frac{32-6+49}{42}=\frac{75}{42}=1\frac{33}{42}=1\frac{11}{14}$

19 $\frac{1}{2}-\frac{3}{14}+1\frac{5}{28}$

$=\frac{14-6+33}{28}=\frac{41}{28}=1\frac{13}{28}$

20 $\frac{3}{4}-\frac{1}{9}+\frac{1}{2}$

$=\frac{27-4+18}{36}=\frac{41}{36}=1\frac{5}{36}$

21 $3\frac{2}{15}+1\frac{1}{5}-\frac{9}{10}$

$=\frac{94+36-27}{30}=\frac{103}{30}=3\frac{13}{30}$

[22~29] 분모를 최소공배수로 통분하여 세 분수를 한꺼번에 계산해 보세요.

22

$\dfrac{2}{3}+\dfrac{1}{2}-\dfrac{5}{6}$

+ −

| | 분자 계산 | 4 | 3 | 5 | $\frac{2}{6}=\frac{1}{3}$ |
| 분모 통분 | 6 | 6 | 6 | |

23

$\dfrac{1}{5}+\dfrac{7}{10}-\dfrac{3}{20}$

+ −

| 분자 계산 | 4 | 14 | 3 | $\frac{15}{20}=\frac{3}{4}$ |
| 분모 통분 | 20 | 20 | 20 | |

24

$1\dfrac{3}{4}-\dfrac{3}{5}+\dfrac{9}{10}$

− +

| 분자 계산 | 35 | 12 | 18 | $\frac{41}{20}=2\frac{1}{20}$ |
| 분모 통분 | 20 | 20 | 20 | |

25

$2\dfrac{1}{3}+1\dfrac{1}{9}-\dfrac{5}{12}$

+ −

| 분자 계산 | 84 | 40 | 15 | $\frac{109}{36}=3\frac{1}{36}$ |
| 분모 통분 | 36 | 36 | 36 | |

26

$3\dfrac{1}{6}-1\dfrac{3}{4}-\dfrac{5}{8}$

− −

| 분자 계산 | 76 | 42 | 15 | $\frac{19}{24}$ |
| 분모 통분 | 24 | 24 | 24 | |

27

$\dfrac{1}{4}+\dfrac{5}{12}+\dfrac{5}{8}$

+ +

| 분자 계산 | 6 | 10 | 15 | $\frac{31}{24}=1\frac{7}{24}$ |
| 분모 통분 | 24 | 24 | 24 | |

28

$\dfrac{4}{5}+\dfrac{9}{10}-\dfrac{5}{6}$

+ −

| 분자 계산 | 24 | 27 | 25 | $\frac{26}{30}=\frac{13}{15}$ |
| 분모 통분 | 30 | 30 | 30 | |

29

$1\dfrac{5}{6}-\dfrac{5}{9}+\dfrac{5}{12}$

− +

| 분자 계산 | 66 | 20 | 15 | $\frac{61}{36}=1\frac{25}{36}$ |
| 분모 통분 | 36 | 36 | 36 | |

---

30 삼각형의 세 변의 길이의 합을 구하세요.

풀이과정

(1) 식으로 나타내면 $3\frac{19}{34}+1\frac{3}{17}+2\frac{1}{2}$ 입니다.

(2) 식을 계산하면 $7\frac{4}{17}$ 입니다.

(3) 그러므로 삼각형의 세 변의 길이의 합은 $7\frac{4}{17}$ cm입니다.

$3\frac{19}{34}+1\frac{3}{17}+2\frac{1}{2}$

$=(\ 3\ +\ 1\ +2)$

$+\left(\dfrac{19}{34}+\dfrac{6}{34}+\dfrac{17}{34}\right)$

$=6+\dfrac{42}{34}=7\frac{4}{17}$

[31~34] 풀이과정을 쓰고 답을 구하세요.

31 빈 물통에 민수가 $3\frac{2}{7}$ L의 물을 부었습니다. 그 뒤에 도희가 $1\frac{1}{4}$ L의 물을 퍼갔습니다. 민수가 다시 $2\frac{3}{28}$ L의 물을 더 부었다고 할 때, 물통에 물은 몇 L일까요?

풀이 $3\frac{2}{7}-1\frac{1}{4}+2\frac{3}{28}=\frac{92-35+59}{28}=4\frac{1}{7}$

답 $4\frac{1}{7}$ L

32 만두가 $5\frac{3}{4}$ kg이 있습니다. 민아가 $2\frac{1}{6}$ kg을 먹고, 수아가 $2\frac{3}{8}$ kg을 먹었다고 할 때, 남은 만두는 몇 kg일까요?

풀이 $5\frac{3}{4}-2\frac{1}{6}-2\frac{3}{8}=\frac{138-52-57}{24}=1\frac{5}{24}$

답 $1\frac{5}{24}$ kg

33 ㉠에서 ㉣지점의 길이를 구해보세요.

중복되는 길이는 빼야 합니다.

- ㉠에서 ㉢까지의 거리: $3\frac{1}{2}$ km
- ㉡에서 ㉣까지의 거리: $1\frac{1}{7}$ km
- ㉡에서 ㉢까지의 거리: $2\frac{11}{14}$ km

풀이 $3\frac{1}{2}+2\frac{11}{14}-1\frac{1}{7}=\frac{49+39-16}{14}=5\frac{1}{7}$

답 $5\frac{1}{7}$ km

34 둘레의 길이가 $9\frac{1}{2}$ cm인 삼각형의 두 변의 길이가 각각 $3\frac{3}{5}$ cm, $2\frac{7}{10}$ cm일 때 나머지 한 변의 길이는 몇 cm일까요?

풀이 $9\frac{1}{2}-3\frac{3}{5}-2\frac{7}{10}=\frac{95-34-27}{10}=3\frac{2}{5}$

답 $3\frac{2}{5}$ cm

연마 Check 칭찬이나 노력할 점을 써 주세요.

| 맞힌 개수 | 지도 의견 | | 확인란 |
| 개 | 나의 생각 | | |

분수를 덧셈과 뺄셈하여 크기 비교

월 일

● 분수의 계산과 크기 비교

→ $1\frac{2}{3}$, $2\frac{1}{2}$, $1\frac{5}{6}$ 중에서 가장 큰 수와 가장 작은 수를 찾아 더해 봅시다.

① 대분수를 가분수로 고친 뒤 통분합니다.

$1\frac{2}{3}$, $2\frac{1}{2}$, $1\frac{5}{6}$ → $\frac{5}{3}$, $\frac{5}{2}$, $\frac{11}{6}$ → $\frac{10}{6}$, $\frac{15}{6}$, $\frac{11}{6}$

② 가장 큰 수와 작은 수를 더해야 하므로 $2\frac{1}{2}+1\frac{2}{3}$를 계산하면 $4\frac{1}{6}$이 됩니다.

핵심포인트

・$2\frac{1}{2}+1\frac{2}{3}$

$=\frac{15}{6}+\frac{10}{6}=\frac{25}{6}=4\frac{1}{6}$

・자연수 부분이 큰 분수가 더 큰 분수입니다.

① $3\frac{1}{4}>1\frac{1}{4}$

② $5\frac{1}{7}>2\frac{2}{3}$

[01~06] 가장 큰 수를 찾아 동그라미 하세요.

01 $4\frac{1}{2}$, $\boxed{\frac{11}{2}}$, $4\frac{2}{3}$ → $\frac{27}{6}$, $\frac{33}{6}$, $\frac{28}{6}$

02 $1\frac{1}{6}$, 2, $\boxed{2\frac{1}{4}}$ → $\frac{14}{12}$, $\frac{24}{12}$, $\frac{27}{12}$

03 $\boxed{1\frac{5}{6}}$, $1\frac{5}{9}$, $1\frac{2}{3}$ → $\frac{33}{18}$, $\frac{28}{18}$, $\frac{30}{18}$

04 $\boxed{2\frac{1}{10}}$, $1\frac{3}{4}$, $1\frac{5}{6}$ → $\frac{126}{60}$, $\frac{105}{60}$, $\frac{110}{60}$

05 $3\frac{9}{11}$, $\boxed{4}$, $3\frac{1}{3}$ → $\frac{126}{33}$, $\frac{132}{33}$, $\frac{110}{33}$

06 $2\frac{3}{5}$, $2\frac{1}{10}$, $\boxed{3\frac{2}{15}}$ → $\frac{78}{30}$, $\frac{63}{30}$, $\frac{94}{30}$

[07~11] 왼쪽과 오른쪽의 크기를 비교하여 >, =, < 표시를 하세요.

07 $\frac{5}{6}+1\frac{5}{12}$ $\boxed{>}$ $1\frac{7}{12}$

$\frac{10+17}{12}=\frac{27}{12}=2\frac{7}{12}$

08 $1\frac{1}{3}-\frac{4}{15}$ $\boxed{>}$ $\frac{8}{15}$

$\frac{4}{3}-\frac{4}{15}=\frac{20-4}{15}=1\frac{1}{15}$

09 $3\frac{3}{7}-1\frac{3}{14}$ $\boxed{>}$ $3\frac{1}{12}-1\frac{1}{6}$

$\frac{24}{7}-\frac{17}{14}=\frac{48-17}{14}=3\frac{3}{14}$ ・ $\frac{37}{12}-\frac{7}{6}=\frac{37-14}{12}=1\frac{11}{12}$

10 $2\frac{4}{5}+1\frac{7}{12}$ $\boxed{>}$ $1\frac{11}{20}+2\frac{3}{4}$

$\frac{14}{5}+\frac{19}{12}=\frac{168+95}{60}=4\frac{23}{60}$ ・ $\frac{31}{20}+\frac{11}{4}=\frac{31+55}{20}=4\frac{3}{10}$

11 $5\frac{5}{6}-3\frac{5}{7}$ $\boxed{<}$ $8\frac{2}{21}-5\frac{1}{7}$

$\frac{35}{6}-\frac{26}{7}=\frac{245-156}{42}=2\frac{5}{42}$ ・ $\frac{170}{21}-\frac{36}{7}=\frac{170-108}{21}=2\frac{20}{21}$

계산력 강화하기

정확하게 풀어보아요

[12~27] 왼쪽과 오른쪽을 비교하여 >, =, < 표시를 하세요.

12 $2\frac{1}{9}+7\frac{1}{3}$ $\boxed{<}$ $10\frac{8}{9}-1\frac{5}{18}$

$\frac{19}{9}+\frac{22}{3}=\frac{85}{9}=9\frac{4}{9}$ ・ $\frac{98}{9}-\frac{23}{18}=\frac{173}{18}=9\frac{11}{18}$

13 $3\frac{5}{6}-1\frac{3}{4}-\frac{7}{12}$ $\boxed{<}$ $2\frac{1}{18}$

$\frac{23}{6}-\frac{7}{4}-\frac{7}{12}=\frac{46-21-7}{12}=1\frac{1}{2}$

14 $\frac{5}{11}+1\frac{1}{2}+2\frac{3}{4}$ $\boxed{>}$ $3\frac{5}{4}$

$\frac{5}{11}+\frac{3}{2}+\frac{11}{4}=\frac{20+66+121}{44}=4\frac{31}{44}$

15 $2\frac{3}{7}-\frac{3}{4}+3\frac{5}{14}$ $\boxed{>}$ $4\frac{13}{21}$

$\frac{17}{7}-\frac{3}{4}+\frac{47}{14}=\frac{68-21+94}{28}=5\frac{1}{28}$

16 $3\frac{1}{4}+\frac{7}{8}-1\frac{5}{12}$ $\boxed{>}$ $3\frac{7}{16}$

$\frac{13}{4}+\frac{7}{8}-\frac{17}{12}=\frac{78+21-34}{24}=2\frac{17}{24}$

17 $3\frac{2}{3}-\frac{3}{4}+\frac{5}{6}$ $\boxed{>}$ $3\frac{1}{4}$

$\frac{11}{3}-\frac{3}{4}+\frac{5}{6}=\frac{44-9+10}{12}=3\frac{3}{4}$

18 $7\frac{1}{5}-1\frac{1}{2}+\frac{1}{6}$ $\boxed{<}$ $8-\frac{3}{4}$

$\frac{36}{5}-\frac{3}{2}+\frac{1}{6}=\frac{216-45+5}{30}=5\frac{13}{30}$

19 $\frac{7}{8}+1\frac{2}{3}-\frac{5}{6}$ $\boxed{<}$ $3-1\frac{7}{5}$

$\frac{7}{8}+\frac{5}{3}-\frac{5}{6}=\frac{21+40-20}{24}=1\frac{17}{24}$ ・ $3-\frac{6}{5}=\frac{15-6}{5}=1\frac{4}{5}=1\frac{96}{120}$

20 $2\frac{5}{6}+\frac{5}{14}-1\frac{11}{14}$ $\boxed{>}$ $1\frac{5}{12}$

$\frac{17}{6}+\frac{25}{14}=\frac{119+28-75}{42}=\frac{72}{42}=1\frac{5}{7}$

21 $\frac{7}{4}-\frac{1}{2}+2\frac{3}{10}$ $\boxed{>}$ $1\frac{5}{4}+\frac{3}{10}$

$\frac{7}{4}-\frac{1}{2}+\frac{23}{10}=\frac{70-5+92}{40}=3\frac{37}{40}$ ・ $\frac{5}{4}+\frac{3}{10}=\frac{2+23}{10}=2\frac{1}{2}$

22 $4\frac{3}{4}+\frac{7}{28}-3\frac{5}{8}$ $\boxed{>}$ $\frac{1}{14}+1\frac{1}{14}$

$\frac{19}{4}+\frac{7}{28}=\frac{133+4-89}{28}=1\frac{10}{14}$ ・ $\frac{1}{14}+\frac{15}{14}=\frac{2+15}{14}=1\frac{3}{14}$

23 $8\frac{5}{4}-3\frac{7}{12}+1\frac{7}{10}$ $\boxed{>}$ $9\frac{5}{6}-3\frac{7}{12}$

$\frac{44}{5}+\frac{43}{12}+\frac{17}{10}=\frac{415}{12}=6\frac{11}{12}$ ・ $\frac{59}{6}-\frac{43}{12}=\frac{75}{12}=6\frac{1}{4}$

24 $3\frac{2}{5}+1\frac{6}{7}-1\frac{11}{35}$ $\boxed{>}$ $2\frac{1}{7}+1\frac{3}{5}$

$\frac{17}{5}+\frac{13}{7}-\frac{46}{35}=\frac{138}{35}=3\frac{33}{35}$ ・ $\frac{15}{7}+\frac{8}{5}=\frac{131}{35}=2\frac{26}{35}$

25 $3\frac{8}{5}-\frac{1}{2}-1\frac{7}{10}$ $\boxed{<}$ $\frac{5}{12}+2\frac{1}{4}$

$\frac{23}{5}-\frac{1}{2}=\frac{11}{12}=\frac{46-5-11}{12}=1\frac{1}{2}$ ・ $\frac{5}{12}+\frac{9}{4}=\frac{5+27}{12}=2\frac{2}{3}$

26 $5\frac{5}{6}-3\frac{5}{7}+\frac{2}{21}$ $\boxed{<}$ $8\frac{2}{21}-5\frac{1}{7}$

$\frac{35}{6}-\frac{26}{7}=\frac{245-156}{42}=\frac{5}{42}=2\frac{1}{7}$ ・ $\frac{170}{21}-\frac{36}{7}=\frac{170-108}{21}=2\frac{20}{21}=2\frac{40}{42}$

27 $5\frac{1}{3}-1\frac{7}{12}$ $\boxed{<}$ $\frac{1}{6}+1\frac{1}{10}+1\frac{4}{5}$

$\frac{16}{3}-\frac{19}{12}=\frac{64-19}{12}=4\frac{1}{4}$ ・ $\frac{1}{6}+\frac{11}{10}+\frac{9}{5}=\frac{35+33+54}{30}=4\frac{1}{15}$

구조화 하기

구조화 하기를 연습하면 서술형도 쉽게 풀어요

[28~35] 가장 큰 수에서 가장 작은 수를 빼세요.

28

4, $5\frac{1}{4}$, $1\frac{2}{3}+3\frac{1}{10}$

큰 수	작은 수	큰 수 - 작은 수
$5\frac{1}{4}$	4	$1\frac{1}{4}$

・ $1\frac{2}{3}+3\frac{1}{10}=\frac{5}{3}+\frac{31}{10}=\frac{50+93}{30}=4\frac{23}{30}$

・ $5\frac{1}{4}-4=1\frac{1}{4}$

29

$1\frac{5}{11}$, $1\frac{5}{8}$, $3\frac{1}{3}-1\frac{7}{10}$

큰 수	작은 수	큰 수 - 작은 수
$3\frac{1}{3}-1\frac{7}{10}$	$1\frac{5}{11}$	$\frac{59}{330}$

・ $3\frac{1}{3}-1\frac{7}{10}=\frac{10}{3}-\frac{17}{10}=\frac{100-51}{30}=1\frac{19}{30}$

・ $1\frac{19}{30}-1\frac{5}{11}=\frac{49}{30}-\frac{16}{11}=\frac{59}{330}$

30

$7\frac{2}{3}-2\frac{5}{6}$, 4, $5\frac{1}{6}$

큰 수	작은 수	큰 수 - 작은 수
$5\frac{1}{6}$	4	$1\frac{1}{6}$

・ $7\frac{2}{3}-2\frac{5}{6}=\frac{23}{3}-\frac{17}{6}=\frac{46-17}{6}=4\frac{5}{6}$

・ $5\frac{1}{6}-4=\frac{31}{6}-\frac{24}{6}=\frac{7}{6}=1\frac{1}{6}$

31

$1\frac{5}{6}$, $1\frac{7}{12}+\frac{7}{18}$, $4\frac{11}{20}-1\frac{7}{12}$

큰 수	작은 수	큰 수 - 작은 수
$4\frac{11}{20}-1\frac{7}{12}$	$1\frac{7}{12}+\frac{7}{18}$	$\frac{89}{180}$

・ $1\frac{7}{12}+\frac{7}{18}=\frac{19}{12}+\frac{7}{18}=\frac{39+14}{36}=1\frac{17}{36}$

・ $4\frac{11}{20}-1\frac{7}{12}=\frac{91}{20}-\frac{19}{12}=\frac{273-95}{60}=2\frac{29}{30}$

・ $2\frac{29}{30}-1\frac{17}{36}=\frac{89}{30}-\frac{53}{36}=\frac{534-265}{180}=1\frac{89}{180}$

32

$1\frac{1}{5}+1\frac{7}{10}$, $2\frac{11}{15}$, $2\frac{1}{6}$

큰 수	작은 수	큰 수 - 작은 수
$1\frac{1}{5}+1\frac{7}{10}$	$2\frac{1}{6}$	$\frac{11}{15}$

・ $1\frac{1}{5}+1\frac{7}{10}=\frac{6}{5}+\frac{17}{10}=\frac{12+17}{10}=2\frac{9}{10}$

・ $2\frac{9}{10}-2\frac{1}{6}=\frac{29}{10}-\frac{13}{6}=\frac{87-65}{30}=\frac{11}{15}$

33

$1\frac{17}{18}-\frac{1}{6}$, $1\frac{5}{12}+\frac{1}{4}$, $1\frac{1}{2}$

큰 수	작은 수	큰 수 - 작은 수
$1\frac{17}{18}-\frac{1}{6}$	$1\frac{1}{2}$	$\frac{5}{18}$

・ $1\frac{17}{18}-\frac{1}{6}=\frac{35}{18}-\frac{3}{18}=\frac{35-3}{18}=1\frac{7}{9}$

・ $1\frac{5}{12}+\frac{1}{4}=\frac{17}{12}+\frac{3}{12}=\frac{17+3}{12}=1\frac{2}{3}$

・ $1\frac{7}{9}-1\frac{1}{2}=\frac{16}{9}-\frac{3}{2}=\frac{32-27}{18}=\frac{5}{18}$

34

$2\frac{2}{3}$, $3\frac{2}{7}-1\frac{1}{2}$, $\frac{1}{4}+1\frac{9}{14}$

큰 수	작은 수	큰 수 - 작은 수
$2\frac{2}{3}$	$3\frac{2}{7}-1\frac{1}{2}$	$\frac{37}{42}$

・ $3\frac{2}{7}-1\frac{1}{2}=\frac{23}{7}-\frac{3}{2}=\frac{46-21}{14}=1\frac{11}{14}$

・ $\frac{1}{4}+1\frac{9}{14}=\frac{1}{4}+\frac{23}{14}=\frac{7+46}{28}=1\frac{25}{28}$

・ $2\frac{2}{3}-1\frac{11}{14}=\frac{8}{3}-\frac{25}{14}=\frac{112-75}{42}=\frac{37}{42}$

35

$2\frac{1}{8}$, $5\frac{1}{4}-2\frac{3}{8}$, $7\frac{1}{2}-4\frac{3}{4}$

큰 수	작은 수	큰 수 - 작은 수
$5\frac{1}{4}-2\frac{3}{8}$	$2\frac{1}{8}$	$\frac{3}{4}$

・ $5\frac{1}{4}-2\frac{3}{8}=\frac{21}{4}-\frac{19}{8}=\frac{42-19}{8}=2\frac{7}{8}$

・ $7\frac{1}{2}-4\frac{3}{4}=\frac{15}{2}-\frac{19}{4}=\frac{30-19}{4}=2\frac{3}{4}$

・ $2\frac{7}{8}-2\frac{1}{8}=\frac{23}{8}-\frac{17}{8}=\frac{6}{8}=\frac{3}{4}$

Point

서술형 풀어보기

구조화 해서 풀어보아요

36 민재는 $7\frac{7}{8}$에서 $1\frac{3}{4}$을 연속해서 두 번을 빼고, 수아는 $2\frac{1}{6}$에서 $1\frac{3}{4}$을 연속해서 두 번을 더했습니다. 계산 결과가 더 큰 수인 사람은 누구일까요?

풀이과정

(1) 식을 써보세요.

민재의 계산식	$7\frac{7}{8}-1\frac{3}{4}-1\frac{3}{4}$
수아의 계산식	$2\frac{1}{6}+1\frac{3}{4}+1\frac{3}{4}$

(2) 식을 계산해 보세요.

민재	$\frac{63-14-14}{8}=\frac{35}{8}=4\frac{3}{8}$
수아	$\frac{26+21+21}{12}=\frac{68}{12}=5\frac{8}{12}=5\frac{2}{3}$

(3) $\boxed{수아}$의 식의 결과가 $\boxed{민재}$의 식의 결과보다 $1\frac{7}{24}$ 만큼 더 큽니다.

[37~40] 풀이과정을 쓰고 답을 구하세요.

37 왼쪽 접시에는 사과가 $3\frac{3}{5}$kg이 있고, 오른쪽 접시에는 사과와 귤이 각각 $2\frac{2}{7}$ kg, $1\frac{1}{2}$ kg 있다고 할 때, 어느 쪽이 더 무거울까요?

풀이 $2\frac{2}{7}+1\frac{1}{2}=3+\frac{4+7}{14}=3\frac{11}{14}$, $\frac{3}{5}=\frac{42}{14}=\frac{55}{14}$

답 오른쪽 접시

38 민아는 $3\frac{3}{4}$kg의 방어와 $1\frac{3}{8}$ kg의 고등어를 낚았고, 도헌이는 고등어만 세 마리를 낚았는데 각각 $2\frac{1}{5}$kg, $1\frac{7}{10}$kg, $1\frac{2}{3}$kg 이었습니다. 잡은 물고기의 무게가 더 무거운 사람은 누구일까요?

풀이 민아: $3\frac{3}{4}+1\frac{3}{8}=5\frac{1}{8}$,

도헌: $2\frac{1}{5}+1\frac{7}{10}+1\frac{2}{3}=5\frac{17}{30}$

답 도헌

39 수아는 하루에 $7\frac{3}{11}-2\frac{1}{2}$ 시간 동안 공부를 하고, 도헌이는 $\frac{7}{14}+1\frac{3}{7}+3\frac{1}{2}$ 시간동안 공부를 했다고 합니다. 더 오랜 시간 공부한 사람은 누구입니까?

풀이 수아 $4\frac{17}{22}$ $<$ 도헌 $5\frac{3}{7}$

답 도헌

40 첫 번째 카드에는 $4\frac{1}{3}$이, 두 번째 카드에는 $\frac{7}{2}+1\frac{1}{4}$이, 세 번째 카드에는 $8-4\frac{3}{5}$이 적혀 있다고 할 때, 세 장의 카드 중 가장 큰 수는 몇 번째 카드일까요?

풀이 $\frac{7}{2}+1\frac{1}{4}=4\frac{3}{4}$, $8-4\frac{3}{5}=3\frac{2}{5}$

답 두 번째 카드

엄마 Check 칭찬이나 격려할 점을 써 주세요.

맞힌 개수		지도 의견		
	개	나의 생각		확인란

• 어떤 수에서 $\frac{3}{7}$ 을 빼었더니 $\frac{5}{14}$ 가 되었을 때, 어떤 수를 구해보세요.

→ 식 : $\boxed{} - \frac{3}{7} = \frac{5}{14}$

→ 덧셈과 뺄셈의 관계 이용: $\boxed{} = \frac{5}{14} + \frac{3}{7}$ 이면,

$\boxed{} = \frac{5+6}{14} = \frac{11}{14}$ 입니다. 그러므로 어떤 수는 $\frac{11}{14}$ 입니다.

핵심포인트
• 덧셈과 뺄셈의 관계
① ■ −▲ =★이면, ■=★+▲ 입니다.
② ■ +▲ =★이면, ■=★−▲ 입니다.

• 어떤 수 구하는 방법
① 구하려는 어떤 수를 ☐ 로 놓습니다.
② 덧셈과 뺄셈의 관계를 이용하여 식을 세웁니다.

(01~10) 빈칸을 채우세요.

01 $\frac{3}{4} - \frac{\boxed{1}}{4} = \frac{1}{2}$

02 $\frac{4}{5} - \frac{\boxed{2}}{5} = \frac{2}{5}$

03 $\frac{7}{10} + \frac{\boxed{3}}{5} = 1\frac{3}{10}$ $\frac{7}{10} + \frac{\boxed{}}{5} = \frac{13}{10}$, $\frac{\boxed{}}{5} = \frac{6}{10}$

04 $\frac{3}{7} + \frac{\boxed{6}}{7} = 1\frac{2}{7}$ $1\frac{2}{7} = \frac{9}{7}$

05 $\frac{1}{2} - \frac{\boxed{1}}{6} = \frac{1}{3}$ $\frac{3}{6} - \frac{\boxed{}}{6} = \frac{2}{6}$

06 $\frac{\boxed{2}}{3} - \frac{1}{6} = \frac{1}{2}$ $\boxed{} = \frac{1}{2} + \frac{1}{6} = \frac{2}{3}$

07 $\frac{\boxed{2}}{3} + \frac{4}{5} = 1\frac{7}{15}$ $\boxed{} = \frac{22}{15} - \frac{4}{5} = \frac{2}{3}$

08 $\frac{15}{16} + \frac{3}{8} = 1\frac{5}{16}$ $\boxed{} = 1\frac{5}{16} - \frac{3}{8} = \frac{15}{16}$

09 $1\frac{11}{12} - \frac{1}{2} = 1\frac{5}{12}$ $\boxed{} = \frac{17}{12} + \frac{1}{2} = 1\frac{11}{12}$

10 $1\frac{29}{56} - \frac{7}{8} = \frac{9}{14}$ $\boxed{} = \frac{9}{14} + \frac{7}{8} = 1\frac{29}{56}$

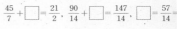

정확하게 풀어보아요

(11~22) 빈칸의 수를 구해보세요.

11 $2\frac{7}{33} - 1\frac{6}{11} = \frac{2}{3}$ $\frac{73}{33} - \boxed{} = \frac{22}{33}$, $\boxed{} = \frac{51}{33} = \frac{17}{11} = 1\frac{6}{11}$

12 $\frac{5}{6} + \frac{3}{4} = 1\frac{7}{12}$ $\frac{10}{12} + \boxed{} = \frac{19}{12}$, $\boxed{} = \frac{9}{12} = \frac{3}{4}$

13 $\frac{1}{3} + \frac{1}{3} + \frac{1}{4} + \frac{1}{2} = \frac{2}{3} + \frac{3}{4}$

14 $7 - 5\frac{1}{2} = 1\frac{1}{2}$ $\frac{14}{2} - \boxed{} = \frac{3}{2}$, $\boxed{} = \frac{11}{2} = 5\frac{1}{2}$

15 $12\frac{2}{11} - 9 = 3\frac{2}{11}$ $\boxed{} - \frac{99}{11} = \frac{35}{11}$, $\boxed{} = \frac{134}{11} = 12\frac{2}{11}$

16 $5\frac{7}{13} - 3\frac{7}{13} = 2$ $\frac{72}{13} - \boxed{} = \frac{26}{13}$, $\boxed{} = \frac{46}{13} = 3\frac{7}{13}$

17 $2\frac{1}{5} + 1 = 3\frac{1}{5}$ $\boxed{} + \frac{5}{5} = \frac{16}{5}$, $\boxed{} = \frac{11}{5} = 2\frac{1}{5}$

18 $3\frac{3}{10} + 1 = 4\frac{3}{10}$ $\boxed{} + \frac{10}{10} = \frac{43}{10}$, $\boxed{} = \frac{33}{10} = 3\frac{3}{10}$

19 $4\frac{3}{7} - 1 = 3\frac{3}{7}$ $\boxed{} - \frac{7}{7} = \frac{24}{7}$, $\boxed{} = \frac{31}{7} = 4\frac{3}{7}$

20 $\frac{2}{13} + \frac{2}{13} + \frac{1}{3} + \frac{1}{3} + \frac{\boxed{2}}{13} = 1\frac{5}{39}$ $\frac{38}{39} + \boxed{} = \frac{44}{39}$, $\boxed{} = \frac{6}{39} = \frac{2}{13}$

21 $1\frac{5}{12} - \frac{3}{4} = \frac{2}{3}$ $\frac{17}{12} - \boxed{} = \frac{8}{12}$, $\boxed{} = \frac{9}{12} = \frac{3}{4}$

22 $6\frac{3}{7} + 4\frac{1}{14} = 10\frac{1}{2}$ $\frac{45}{7} + \boxed{} = \frac{21}{2}$, $\frac{90}{14} + \boxed{} = \frac{147}{14}$, $\boxed{} = \frac{57}{14} =$

구조화하기

구조화 하기를 연습하면 서술형 쉽게 풀어요

(23~30) 빈칸에 알맞은 수를 써넣으세요.

23 $\frac{1}{4}$ $\boxed{+1\frac{1}{2}}$ → $1\frac{3}{4}$ $\frac{1}{4} + \boxed{} = \frac{7}{4}$, $\frac{6}{4} = 1\frac{1}{2}$

24 $2\frac{5}{8}$ $\boxed{-2\frac{3}{8}}$ → $\frac{1}{4}$ $\frac{21}{8} - \boxed{} = \frac{2}{8}$, $\frac{19}{8} = 2\frac{3}{8}$

25 $1\frac{1}{6}$ $\boxed{+2\frac{1}{4}}$ → $3\frac{5}{12}$ $\frac{7}{6} + \boxed{} = \frac{41}{12}$, $\frac{14}{12} + \boxed{} = \frac{41}{12}$ $\boxed{} = \frac{27}{12} = 2\frac{1}{4}$

26 $\frac{7}{8}$ $\boxed{-\frac{3}{8}}$ → $\frac{1}{2}$ $\frac{7}{8} - \boxed{} = \frac{4}{8}$, $\frac{3}{8}$

27 $4\frac{1}{9}$ $\boxed{-1\frac{19}{36}}$ → $2\frac{7}{12}$ $\frac{37}{9} - \boxed{} = \frac{31}{12}$, $\frac{148}{36} - \boxed{} = \frac{93}{36}$ $\boxed{} = \frac{55}{36} = 1\frac{19}{36}$

28 $3\frac{5}{6}$ $\boxed{-1\frac{3}{4}}$ → $2\frac{1}{12}$ $\frac{23}{6} - \boxed{} = \frac{25}{12}$, $\frac{46}{12} - \boxed{} = \frac{25}{12}$ $\boxed{} = \frac{21}{12} = 1\frac{3}{4}$

29 $1\frac{1}{3}$ $\boxed{+2\frac{3}{4}}$ → $4\frac{1}{12}$ $\frac{4}{3} + \boxed{} = \frac{49}{12}$, $\frac{16}{12} + \boxed{} = \frac{49}{12}$ $\boxed{} = \frac{33}{12} = 2\frac{3}{4}$

30 $3\frac{7}{11}$ $\boxed{-3\frac{3}{22}}$ → $\frac{1}{2}$ $\frac{40}{11} - \boxed{} = \frac{1}{2}$, $\frac{80}{22} - \boxed{} = \frac{11}{22}$ $\boxed{} = \frac{69}{22} = 3\frac{3}{22}$

서술형 풀어보기

구조화 해서 풀어보아요

31 정사각형의 종이 1장의 크기를 1이라 하면, 반으로 1번 접은 것은 $\frac{1}{2}$ 로 나타낼 수 있습니다. $\frac{1}{2}$ 크기의 종이를 또 한 번 접으면 $\boxed{}$ 으로 나타낼 수 있습니다. 빈칸에 알맞은 숫자를 써보세요.

풀이과정

(1) 전체 크기가 1인 정사각형의 종이를 반으로 접으면 크기를 $\frac{1}{2}$ 로 나타낼 수 있습니다. → $1 = \boxed{\frac{1}{2}} + \frac{1}{2}$

$\frac{1}{2}$
$\frac{1}{2}$

(2) $\frac{1}{2}$ 을 또 한 번 접으면 전체 크기의 $\frac{1}{4}$ 이 됩니다.
→ $\frac{1}{2} = \boxed{\frac{1}{4}} + \frac{1}{4}$, $\frac{1}{4} + \frac{1}{4} + \frac{1}{4} + \frac{1}{4} = 1$

$\frac{1}{4}$	$\frac{1}{4}$

(32~35) 풀이과정을 쓰고 답을 구하세요.

32 정사각형의 종이 1장의 크기를 1이라 하면, 반으로 1번 접은 것은 $\frac{1}{2}$ 로 나타낼 수 있습니다. 이 종이를 세 번 접었을 때, 그 크기를 구하세요

풀이 두 번 접으면 $\frac{1}{2} = \frac{1}{4} + \frac{1}{4}$, 세 번 접으면 $\frac{1}{4} = \frac{1}{8} + \frac{1}{8}$

답 $\frac{1}{8}$

33 어떤 수에 $1\frac{2}{3}$ 를 더했더니 $4\frac{1}{9}$ 이 되었다고 합니다. 어떤 수를 구해보세요.

풀이 $\boxed{} + 1\frac{2}{3} = 4\frac{1}{9}$, $\boxed{} + \frac{15}{9} = \frac{37}{9} = 2\frac{4}{9}$

답 $2\frac{4}{9}$

34 어떤 수에서 $\frac{5}{16}$ 를 뺐더니 $\frac{1}{4}$ 이 되었습니다. 어떤 수를 구해보세요.

풀이 $\boxed{} - \frac{5}{16} = \frac{1}{4}$, $\boxed{} - \frac{5}{16} = \frac{4}{16} = \frac{9}{16}$

답 $\frac{9}{16}$

35 어떤 수에서 $\frac{3}{7}$ 을 뺐더니 $\frac{1}{4}$ 이 되었습니다. 어떤 수를 구하세요

풀이 $\boxed{} - \frac{3}{7} = \frac{1}{4}$, $\boxed{} - \frac{12}{28} = \frac{7}{28} = \frac{19}{28}$

답 $\frac{19}{28}$

연마 Check 칭찬이나 노력할 점을 써 주세요.

맞힌 개수	지도 의견		
개	나의 생각		확인란

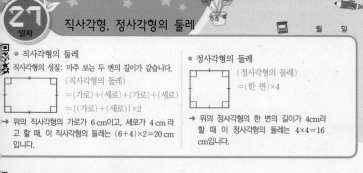

● 직사각형의 둘레
직사각형의 성질: 마주 보는 두 변의 길이가 같습니다.

(직사각형의 둘레)
=(가로)+(세로)+(가로)+(세로)
={(가로)+(세로)}×2

→ 위의 직사각형의 가로가 6 cm이고, 세로가 4 cm 라고 할 때, 이 직사각형의 둘레는 (6+4)×2=20cm 입니다.

● 정사각형의 둘레

(정사각형의 둘레)
=(한 변)×4

→ 위의 정사각형의 한 변의 길이가 4cm라 할 때 이 정사각형의 둘레는 4×4=16 cm입니다.

[01~06] 직사각형의 둘레를 구하세요.

01
직사각형 둘레의 길이는
(4 + 6)× 2 이므로 20 cm입니다.

02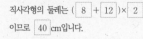
직사각형 둘레의 길이는
(3 + 8)× 2
이므로 22 cm입니다.

03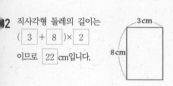
직사각형 둘레의 길이는
(10 + 11)× 2
이므로 42 cm입니다.

04 ・가로의 길이: 8 cm
　・세로의 길이: 12 cm
직사각형의 둘레는 (8 + 12)× 2
이므로 40 cm입니다.

05 ・세로의 길이: 7 cm
　・가로의 길이: 5 cm
직사각형의 둘레는 (7 + 5)× 2
이므로 24 cm입니다.

06 ・둘레의 길이: 32 cm
　・세로의 길이: 9 cm
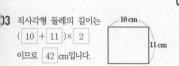
직사각형 가로의 길이는 32={(가로)+9}×2
이므로 16=(가로)+9, 가로는 7 cm입니다.

계산력 강화하기
정확하게 풀어보아요

[07~11] 정사각형의 성질을 이용하여 빈칸을 채워보세요.

07　3 cm → 둘레: 12 cm

08　5 cm → 둘레: 20 cm

09　7 cm → 둘레: 28 cm

10　11 cm → 둘레: 44 cm

11　4 cm → 둘레: 16 m

[12~15] 둘 중, 둘레가 더 긴 직사각형을 고르세요.

12　① ✓ 11, 3cm　② 4, 6cm
(11+3)×2=28　(4+6)×2=20

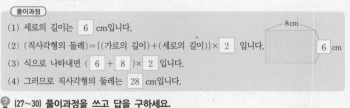

13　① ✓ 14, 7cm　② 7, 10cm
(14+7)×2=42　(7+10)×2=34

14　① ✓ 12, 13cm　② 20, 3cm
(12+13)×2=50　(20+3)×2=46

15　① 10, 6cm　② ✓ 15, 8cm
(10+6)×2=32　(15+8)×2=46

구조화 하기
구조화 하기를 연습하면 서술형도 쉽게 풀어요

[16~25] 다음 직사각형의 빈칸을 채우세요.

16
가로의 길이	세로의 길이	직사각형의 둘레의 길이
8 cm	18 cm	52 cm

(8+18)×2=52

17
가로의 길이	세로의 길이	직사각형의 둘레의 길이
12 cm	9 cm	42 cm

(12+9)×2=42

18
가로의 길이	세로의 길이	직사각형의 둘레의 길이
11 cm	1 cm	24 cm

(11+1)×2=24

19
가로의 길이	세로의 길이	직사각형의 둘레의 길이
7 cm	8 cm	30 cm

(7+8)×2=30

20
가로의 길이	세로의 길이	직사각형의 둘레의 길이
15 cm	22 cm	74 cm

(15+22)×2=74

21
가로의 길이	세로의 길이	직사각형의 둘레의 길이
10 cm	17cm	54 cm

(10+17)×2=54

22
가로의 길이	세로의 길이	직사각형의 둘레의 길이
3 cm	9 cm	24 cm

(3+9)×2=24

23
가로의 길이	세로의 길이	직사각형의 둘레의 길이
9 cm	7 cm	32 cm

(9+7)×2=32

24
가로의 길이	세로의 길이	직사각형의 둘레의 길이
7 cm	20 cm	54 cm

(7+20)×2=54

25
가로의 길이	세로의 길이	직사각형의 둘레의 길이
5 cm	31 cm	72 cm

(5+31)×2=72

서술형 풀어보기
구조화 해서 풀어보아요

26 그림과 같은 직사각형이 있습니다. 세로의 길이는 가로의 길이보다 2 cm 더 짧다고 합니다. 이 직사각형의 둘레를 구해보세요.

(풀이과정)
(1) 세로의 길이는 6 cm입니다.
(2) (직사각형의 둘레)={(가로의 길이)+(세로의 길이)}× 2 입니다.
(3) 식으로 나타내면 (6 + 8)× 2 입니다.
(4) 그러므로 직사각형의 둘레는 28 cm입니다.

8cm, 6 cm

[27~30] 풀이과정을 쓰고 답을 구하세요.

27 다음 그림과 같이 한 변의 길이가 12 m인 정사각형이 있습니다. 이 정사각형의 둘레를 구하세요.
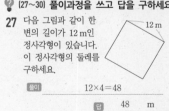
풀이　12×4=48
답　48 m

28 둘레가 112 m인 직사각형 모양의 화단의 가로의 길이가 34 m라 할 때, 세로의 길이는 몇 m일까요?
풀이　112={34+(세로)}×2
답　22 m

29 둘레가 168 m인 직사각형 모양의 수영장과 둘레가 같은 정사각형 모양의 수영장의 한 변의 길이는 몇 m일까요?

풀이　168÷4=42
답　42 m

30 다음 직사각형과 정사각형은 둘레의 길이가 같다고 합니다. 그림을 보고 정사각형의 한 변의 길이를 구해보세요.
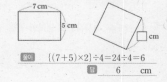
풀이　{(7+5)×2}÷4=24÷4=6
답　6 cm

연마 Check
칭찬이나 노력할 점을 써 주세요.

맞힌 개수	지도 의견	확인란
개	나의 생각	

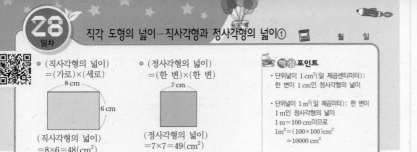

◦ (직사각형의 넓이)
=(가로)×(세로)

◦ (정사각형의 넓이)
=(한 변)×(한 변)

핵심 포인트
• 단위넓이가 1 cm²(일 제곱센티미터): 한 변이 1 cm인 정사각형의 넓이
• 단위넓이가 1 m²(일 제곱미터): 한 변이 1 m인 정사각형의 넓이
1 m=100 cm이므로
1m²=(100×100)cm²
=10000 cm²

(직사각형의 넓이)
=8×6=48(cm²)

(정사각형의 넓이)
=7×7=49(cm²)

[01~06] 직사각형의 둘레와 넓이를 구하세요. (단위까지 꼭 쓰세요.)

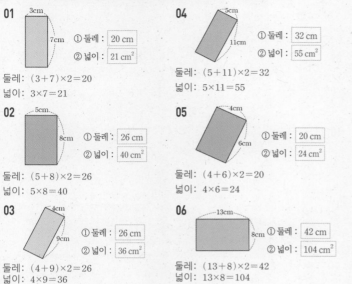

01 3cm 7cm
① 둘레 : 20 cm
② 넓이 : 21 cm²
둘레: (3+7)×2=20
넓이: 3×7=21

02 5cm 8cm
① 둘레 : 26 cm
② 넓이 : 40 cm²
둘레: (5+8)×2=26
넓이: 5×8=40

03 4cm 9cm
① 둘레 : 26 cm
② 넓이 : 36 cm²
둘레: (4+9)×2=26
넓이: 4×9=36

04 5cm 11cm
① 둘레 : 32 cm
② 넓이 : 55 cm²
둘레: (5+11)×2=32
넓이: 5×11=55

05 4cm 6cm
① 둘레 : 20 cm
② 넓이 : 24 cm²
둘레: (4+6)×2=20
넓이: 4×6=24

06 13cm 8cm
① 둘레 : 42 cm
② 넓이 : 104 cm²
둘레: (13+8)×2=42
넓이: 13×8=104

[07~14] 정사각형의 둘레와 넓이를 구하세요. (단위까지 꼭 쓰세요.)

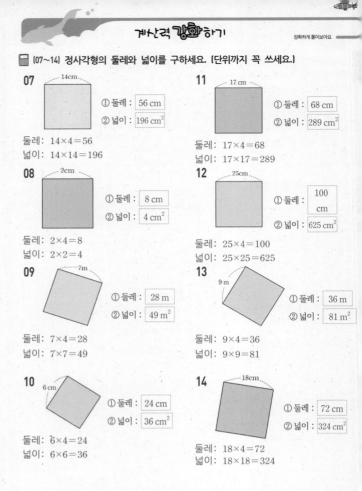

07 14cm
① 둘레 : 56 cm
② 넓이 : 196 cm²
둘레: 14×4=56
넓이: 14×14=196

08 2cm
① 둘레 : 8 cm
② 넓이 : 4 cm²
둘레: 2×4=8
넓이: 2×2=4

09 7m
① 둘레 : 28 m
② 넓이 : 49 m²
둘레: 7×4=28
넓이: 7×7=49

10 6 cm
① 둘레 : 24 cm
② 넓이 : 36 cm²
둘레: 6×4=24
넓이: 6×6=36

11 17cm
① 둘레 : 68 cm
② 넓이 : 289 cm²
둘레: 17×4=68
넓이: 17×17=289

12 25cm
① 둘레 : 100 cm
② 넓이 : 625 cm²
둘레: 25×4=100
넓이: 25×25=625

13 9 m
① 둘레 : 36 m
② 넓이 : 81 m²
둘레: 9×4=36
넓이: 9×9=81

14 18cm
① 둘레 : 72 cm
② 넓이 : 324 cm²
둘레: 18×4=72
넓이: 18×18=324

[15~23] 직사각형의 그림을 보고 다른 한 변의 길이를 구하세요.

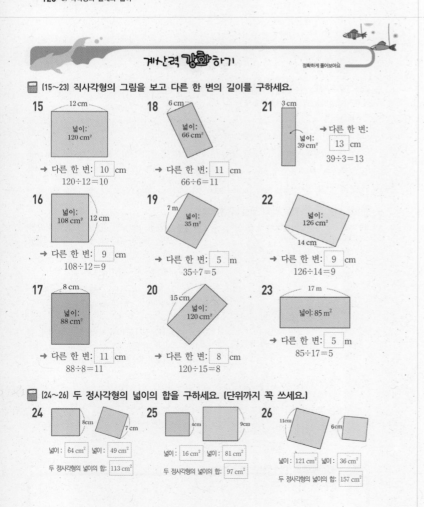

15 12 cm
넓이: 120 cm²
➜ 다른 한 변 : 10 cm
120÷12=10

16 12 cm
넓이: 108 cm²
➜ 다른 한 변 : 9 cm
108÷12=9

17 8 cm
넓이: 88 cm²
➜ 다른 한 변 : 11 cm
88÷8=11

18 6 cm
넓이: 66 cm²
➜ 다른 한 변 : 11 cm
66÷6=11

19 7 m
넓이: 35 m²
➜ 다른 한 변 : 5 m
35÷7=5

20 15 cm
넓이: 120 cm²
➜ 다른 한 변 : 8 cm
120÷15=8

21 3 cm
넓이: 39 cm²
➜ 다른 한 변 : 13 cm
39÷3=13

22 14 cm
넓이: 126 cm²
➜ 다른 한 변 : 9 cm
126÷14=9

23 17 m
넓이: 85 m²
➜ 다른 한 변 : 5 m
85÷17=5

[24~26] 두 정사각형의 넓이의 합을 구하세요. (단위까지 꼭 쓰세요.)

24 8cm 7cm
넓이: 64 cm² 넓이: 49 cm²
두 정사각형의 넓이의 합 : 113 cm²

25 4cm 9cm
넓이: 16 cm² 넓이: 81 cm²
두 정사각형의 넓이의 합 : 97 cm²

26 11cm 6cm
넓이: 121 cm² 넓이: 36 cm²
두 정사각형의 넓이의 합 : 157 cm²

27 그림을 보고 물음에 답하세요.

풀이과정

(1) 정사각형 ㉮의 넓이와 정사각형 ㉯의 넓이를 구해보세요.
➜ 정사각형 ㉮의 넓이 64 m²
➜ 정사각형 ㉯의 넓이 256 m²

(2) 정사각형 ㉯의 넓이는 정사각형 ㉮의 넓이의 4 배입니다.

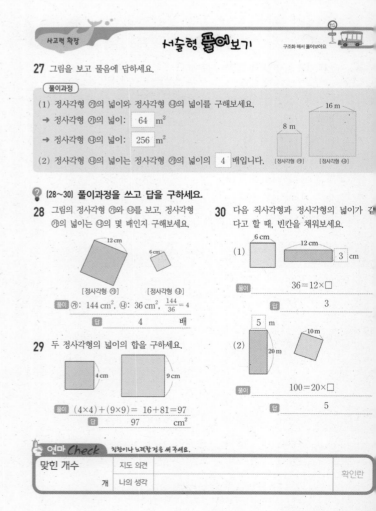

[정사각형 ㉮] 8 m
[정사각형 ㉯] 16 m

[28~30] 풀이과정을 쓰고 답을 구하세요.

28 그림의 정사각형 ㉮와 ㉯를 보고, 정사각형 ㉮의 넓이는 ㉯의 몇 배인지 구해보세요.

12cm 6cm
[정사각형 ㉮] [정사각형 ㉯]

풀이 ㉮: 144 cm², ㉯: 36 cm², 144/36 = 4
답 4 배

29 두 정사각형의 넓이의 합을 구하세요.

4 cm 9 cm

풀이 (4×4)+(9×9)= 16+81=97
답 97 cm²

30 다음 직사각형과 정사각형의 넓이가 같다고 할 때, 빈칸을 채워보세요.

(1) 6 cm 12 cm 3 cm
풀이 36=12×□
답 3

(2) 5 m 20 m 10 m
풀이 100=20×□
답 5

여마 Check 칭찬이나 노력할 점을 써 주세요.

맞힌 개수	지도 의견		확인란
개	나의 생각		

◦ 직사각형의 넓이와 한 변의 길이가 주어지면 다른 한 변의 길이를 알 수 있습니다.

넓이: 72cm²
12cm
72=12×(세로) → (세로)=$\frac{72}{12}$=6 cm

◦ 둘레와 한 변의 길이가 주어지면 직사각형의 넓이를 알 수 있습니다.

5cm 둘레:30cm
30=[(가로)+5]×2
→ 30÷2=(가로)+5
→ 15−5=(가로)
→ (가로)=10 cm, (넓이)=50 cm²

◦ 정사각형의 넓이로 한 변의 길이를 알 수 있습니다.

넓이: 64cm²
(정사각형의 넓이)=(한 변)×(한 변)이므로 같은 수의 곱셈을 생각하면 됩니다. 64가 나오는 같은 수의 곱은 8×8이므로 정사각형의 한 변의 길이는 8 cm입니다.

[01~06] 다음 직사각형의 빈칸을 채우세요. (단위까지 꼭 쓰세요.)

01

직사각형의 넓이	가로	세로
120 cm²	10 cm	12 cm

120÷10=12

04

직사각형의 넓이	가로	세로
140 cm²	14 cm	10 cm

140÷14=10

02

직사각형의 넓이	가로	세로
90 cm²	18 cm	5 cm

90÷5=18

05

직사각형의 넓이	가로	세로
420 m²	42 m	10 m

420÷42=10

03

직사각형의 넓이	가로	세로
28 cm²	2 cm	14 cm

28÷14=2

06

직사각형의 넓이	가로	세로
108 m²	12 m	9 m

108÷9=12

[07~11] 빈칸을 채우세요.

07

직사각형의 넓이	가로	세로
810 cm²	90 cm	9 cm

810÷90=9

08

직사각형의 넓이	가로	세로
84 m²	12 m	7 m

84÷12=7

09

직사각형의 넓이	가로	세로
88 m²	8 m	11 m

88÷8=11

10

직사각형의 넓이	가로	세로
720 m²	80 m	9 m

720÷9=80

11

직사각형의 넓이	가로	세로
100 m²	25 m	4 m

100÷4=25

[12~16] 직사각형의 넓이를 구하세요.

12

직사각형의 둘레	세로	넓이
28 cm	4 cm	40 cm²

28=2×{4+(가로)}, (가로)=10,
(넓이)=4×10=40

13

직사각형의 둘레	세로	넓이
30 cm	8 cm	56 cm²

30=2×{8+(가로)}, (가로)=7,
(넓이)=8×7=56

14

직사각형의 둘레	세로	넓이
20 m	6 m	24 m²

20=2×{6+(가로)}, (가로)=4,
(넓이)=6×4=24

15

직사각형의 둘레	가로	넓이
46 cm	9 cm	126 cm²

46=2×{9+(세로)}, (세로)=14,
(넓이)=14×9=126

16

직사각형의 둘레	가로	넓이
38 cm	7 cm	84 cm²

38=2×{7+(세로)}, (세로)=12,
(넓이)=12×7=84

[17~23] 빈칸을 채우세요.

17

정사각형의 넓이	한 변의 길이
25 m²	5 m

25=5×5

18

정사각형의 넓이	한 변의 길이
49 cm²	7 cm

49=7×7

19

정사각형의 넓이	한 변의 길이
100 cm²	10 cm

100=10×10

20

정사각형의 넓이	한 변의 길이
16 m²	4 m

16=4×4

21

정사각형의 넓이	한 변의 길이
9 m²	3 m

9=3×3

22

정사각형의 넓이	한 변의 길이
64 cm²	8 cm

64=8×8

23

정사각형의 넓이	한 변의 길이
81 cm²	9 cm

81=9×9

[24~30] 정사각형(가)의 넓이는 정사각형(나)의 넓이의 4배일 때, 빈칸을 채우세요.

24

정사각형(나)의 넓이	정사각형(가)의 한 변의 길이
25 cm²	10 cm

25×4=100, 100=10×10

25

정사각형(나)의 넓이	정사각형(가)의 한 변의 길이
9 cm²	6 cm

9×4=36, 36=6×6

26

정사각형(나)의 넓이	정사각형(가)의 한 변의 길이
16 cm²	8 cm

16×4=64, 64=8×8

27

정사각형(나)의 넓이	정사각형(가)의 한 변의 길이
36 cm²	12 cm

36×4=144, 144=12×12

28

정사각형(나)의 넓이	정사각형(가)의 한 변의 길이
225 m²	30 m

225×4=900, 900=30×30

29

정사각형(나)의 넓이	정사각형(가)의 한 변의 길이
1 m²	2 m

1×4=4, 4=2×2

30

정사각형(나)의 넓이	정사각형(가)의 한 변의 길이
49 m²	14 m

49×4=196, 196=14×14

---

31 그림의 직사각형 가로의 길이는 몇 m일까요?

9 m 넓이: 171m²

풀이과정

(1) (직사각형의 넓이)=(가로)× 세로 입니다.   171 =(가로)× 9

(2) 식으로 나타내면 171 =(가로)× 9 입니다.
→ (가로)= $\frac{171}{9}$ = 19

(3) 그러므로 직사각형의 가로의 길이는 19 m입니다.

[32~35] 풀이과정을 쓰고 답을 구하세요.

32 넓이가 2000 m²인 직사각형 배추밭이 있습니다. 이 배추밭의 가로의 길이가 20 m라고 할 때, 세로의 길이는 몇 m입니까?

풀이 2000=20×세로, 세로=100

답 100 m

33 둘레가 50 cm인 직사각형이 있습니다. 이 직사각형의 가로의 길이가 15 cm라고 할 때, 넓이를 구해보세요.

직사각형의 둘레	가로	넓이
50 cm	15 cm	150 cm²

풀이 50=2×{15+(세로)}, (세로)=10,
(넓이)=15×10=150

답 150 cm²

34 넓이가 36 cm²인 정사각형 두 개를 가로로 이어 붙여 직사각형을 만들었습니다. 직사각형의 가로와 세로의 길이를 구하세요.(단, 가로 > 세로)

풀이 36=6×6, (한 변)=6cm
(다른 한 변)=12cm

답 가로: 12 cm 세로: 6 cm

35 넓이가 100 m²인 정사각형이 있습니다. 이 정사각형의 넓이보다 넓이가 4배 더 큰 정사각형의 한 변의 길이를 구해보세요.

풀이 100×4=400, 400=20×20

답 20 m

맞힌 개수	지도 의견	
개	나의 생각	확인란

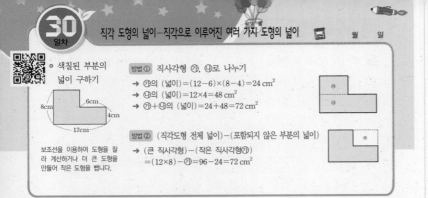

● 색칠된 부분의 넓이 구하기

방법① 직각각형 ㉮, ㉯로 나누기
→ ㉮의 (넓이)=(12-6)×(8-4)=24 cm²
→ ㉯의 (넓이)=12×4=48 cm²
→ ㉮+㉯의 (넓이)=24+48=72 cm²

방법② (직각도형 전체 넓이)-(포함되지 않은 부분의 넓이)
→ (큰 직사각형)-(작은 직사각형㉮)
=(12×8)-㉮=96-24=72 cm²

보조선을 이용하여 도형을 잘라 계산하거나 더 큰 도형을 만들어 작은 도형을 뺍니다.

[01~03] 색칠된 도형의 넓이를 구하세요

01 방법①
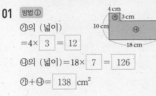
㉮의 (넓이)
=4× 3 = 12

㉯의 (넓이)=18× 7 = 126

㉮+㉯= 138 cm²

방법② 보조선을 그어 큰 직사각형을 만들기
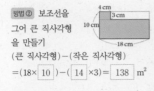
(큰 직사각형)-(작은 직사각형)
=(18× 10)-(14 ×3)= 138 m²

02
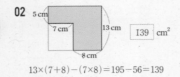
139 cm²
13×(7+8)-(7×8)=195-56=139

03
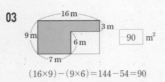
90 m²
(16×9)-(9×6)=144-54=90

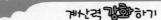
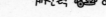
계산력 강화하기 · 정확하게 풀어보아요

[04~09] 색칠된 도형의 넓이를 구하세요.

04
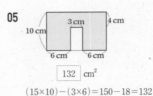
110 m²
(14×10)-(5×6)=140-30=110

07
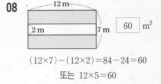
280 cm²
(16×20)-(5×8)=320-40=280

05
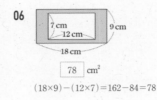
132 cm²
(15×10)-(3×6)=150-18=132

08
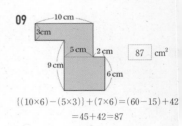
60 m²
(12×7)-(12×2)=84-24=60
또는 12×5=60

06

78 cm²
(18×9)-(12×7)=162-84=78

09

87 cm²
{(10×6)-(5×3)}+(7×6)=(60-15)+42
=45+42=87

계산력 강화하기 · 정확하게 풀어보아요

[10~15] 색칠된 부분의 도형의 넓이를 구하세요.

10
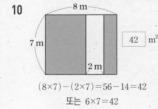
42 m²
(8×7)-(2×7)=56-14=42
또는 6×7=42

13
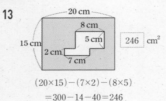
246 cm²
(20×15)-(7×2)-(8×5)
=300-14-40=246

11
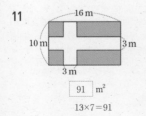
91 m²
13×7=91

14
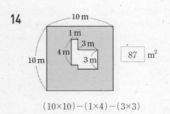
87 m²
(10×10)-(1×4)-(3×3)
=100-4-9=87

12
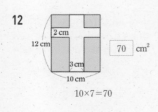
70 cm²
10×7=70

15
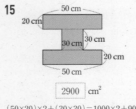
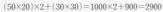
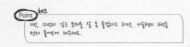
2900 cm²
(50×20)×2+(30×30)=1000×2+900=2900

Point 참고

사고력 확장 · 서술형 풀어보기 · 구조화 해서 풀어보아요

16 다음 그림과 같이 화단에 길을 만들었습니다. 길을 제외한 화단의 넓이를 구해보세요.

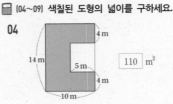

<길을 제외한 넓이>

풀이과정
(1) ㉮+㉯+㉰+㉱를 계산한 넓이는 (전체 직사각형)-(길의 넓이)와 같습니다.
(2) 식으로 나타내면 7 × 15 입니다.
(3) 그러므로 길을 제외한 화단의 넓이는 105 m²입니다.

• 길을 제외한 화단의 가로 길이
= 10 - 3 = 7
• 길을 제외한 화단의 세로 길이
= 16 - 1 = 15

[17~18] 풀이과정을 쓰고 답을 구하세요.

17 다음 그림과 같이 포도밭에 길을 내려고 합니다. 길을 제외한 포도밭의 넓이를 구해보세요.

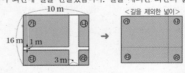

풀이 20×18=360
답 360 m²

18 도희가 인형 집을 만들려고 설계도를 그렸습니다. 그림을 보고 다음 물음에 답하세요. (단, 벽의 두께는 무시합니다.)

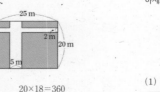
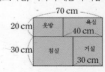

(1) 침실의 넓이를 구하세요.
풀이 30×(70-30)=30×40=1200
답 1200 cm²

(2) 옷방의 넓이를 구하세요.
풀이 20×(70-40)=20×30=600

답 600 cm²

연마 Check · 칭찬이나 노력할 것을 써 주세요.

맞힌 개수	지도 의견	
개	나의 생각	확인란

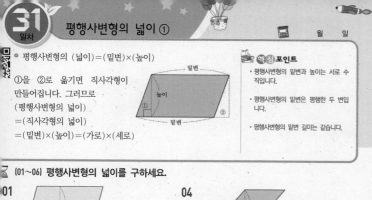

• 평행사변형의 (넓이)=(밑변)×(높이)

①을 ②로 옮기면 직사각형이 만들어집니다. 그러므로
(평행사변형의 넓이)
=(직사각형의 넓이)
=(밑변)×(높이)=(가로)×(세로)

핵심포인트
• 평행사변형의 밑변과 높이는 서로 수직입니다.
• 평행사변형의 밑변은 평행한 두 변입니다.
• 평행사변형의 밑변 길이는 같습니다.

[01~06] 평행사변형의 넓이를 구하세요.

01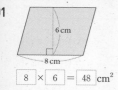
8 × 6 = 48 cm²

02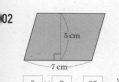
5 × 7 = 35 cm²

03
30 cm²
6×5=30

04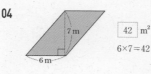
42 m²
6×7=42

05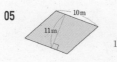
110 m²
11×10=110

06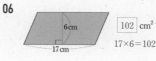
102 cm²
17×6=102

[07~10] 평행사변형의 밑변에 ○표시를 한 뒤, 넓이를 구하세요.

07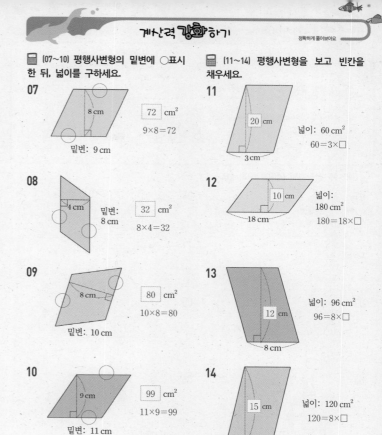
72 cm²
9×8=72
밑변: 9 cm

08
밑변: 8 cm
32 cm²
8×4=32

09
밑변: 10 cm
80 cm²
10×8=80

10
밑변: 11 cm
99 cm²
11×9=99

[11~14] 평행사변형을 보고 빈칸을 채우세요.

11
넓이: 60 cm²
60=3×□

12
넓이: 180 cm²
180=18×□

13
넓이: 96 cm²
96=8×□

14
넓이: 120 cm²
120=8×□

[15~24] 다음 평행사변형의 빈칸을 채우세요.

15
밑변	높이	넓이
12 cm	5 cm	60 cm²

12×5=60

16
밑변	높이	넓이
13 m	7 m	91 m²

13×7=91

17
밑변	높이	넓이
5 m	4 m	20 m²

5×4=20

18
밑변	높이	넓이
11 m	8 m	88 m²

11×8=88

19
밑변	높이	넓이
30 cm	17 cm	510 cm²

510÷17=30

20
밑변	높이	넓이
10 cm	40 cm	400 cm²

400÷40=10

21
밑변	높이	넓이
6 m	12 m	72 m²

72÷6=12

22
밑변	높이	넓이
12 m	12 m	144 m²

144÷12=12

23
밑변	높이	넓이
19 m	4 m	76 m²

76÷19=4

24
밑변	높이	넓이
15 cm	8 cm	120 cm²

120÷8=15

---

25 밑변의 길이가 같고, 높이가 같은 평행사변형은 넓이도 같습니다. 이 원리를 이용해서 빈칸을 채워 봅시다.

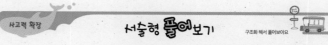

풀이과정
(1) 평행사변형 ㉮와 ㉯는 높이가 5 cm로 같고, 밑변도 6 cm로 같습니다.
(2) 그러므로 평행사변형 ㉮와 ㉯의 넓이는 [같습니다 / 다릅니다].
(3) 평행사변형 ㉮와 ㉯의 넓이는 각각 30 cm², 30 cm²입니다.

[26~29] 풀이과정을 쓰고 답을 구하세요.

26 높이는 4 cm, 넓이는 12 cm²로 같고, 모양이 다른 평행사변형 2개가 있습니다. 두 평행사변형의 밑변의 길이를 각각 구하세요.

풀이 12=(밑변)×4, (밑변)=3
답 3 cm, 3 cm

27 잘라 붙이면 정사각형을 만들 수 있는 평행사변형의 넓이를 구하세요.

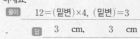

풀이 10×10=100
답 100 cm²

28 평행사변형 ㉮와 ㉯ 둘 중에 넓이가 더 넓은 것은 무엇일까요?

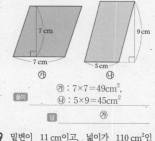

풀이 ㉮ : 7×7=49cm², ㉯ : 5×9=45cm²
답 ㉮

29 밑변이 11 cm이고, 넓이가 110 cm²인 평행사변형의 높이는 몇 cm일까요?

풀이 110=11×(높이), (높이)=10
답 10 cm

엄마 Check 칭찬이나 노력할 점을 써 주세요.

맞힌 개수	지도 의견	확인란
개	나의 생각	

32
일차 삼각형의 넓이

월 일

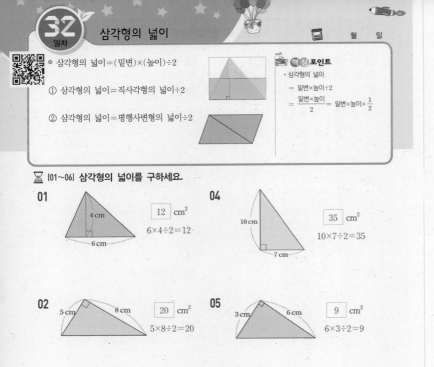

- 삼각형의 넓이=(밑변)×(높이)÷2

① 삼각형의 넓이=직사각형의 넓이÷2

② 삼각형의 넓이=평행사변형의 넓이÷2

핵심포인트
- 삼각형의 넓이
= 밑변×높이÷2
= $\dfrac{밑변×높이}{2}$ = 밑변×높이×$\dfrac{1}{2}$

[01~06] 삼각형의 넓이를 구하세요.

01
4 cm
6 cm
12 cm²
6×4÷2=12

02
5 cm 8 cm
20 cm²
5×8÷2=20

03
4 cm
3 cm
6 cm²
4×3÷2=6

04
10 cm
7 cm
35 cm²
10×7÷2=35

05
3 cm 6 cm
9 cm²
6×3÷2=9

06
6 m
2 m
6 m²
6×2÷2=6

[07~10] 삼각형의 넓이를 구하세요.

07
12 cm
6 cm
36 cm²
12×6÷2=36

08
8 cm 10 cm
40 cm²
10×8÷2=40

09
12 m
3 m
18 m²
12×3÷2=18

10
3 cm
10 cm
15 cm²
10×3÷2=15

[11~14] 삼각형을 보고 빈칸을 채우세요.

11
20 cm
넓이 : 200 cm²
20 cm
200=(20×□)÷2

12
넓이 : 32 cm²
4 cm
16 cm
32=(16×□)÷2

13
6 cm
7 cm
넓이 : 21 cm²
21=(7×□)÷2

14
9 cm
넓이 : 81 cm²
18 cm
81=(9×□)÷2

[15~26] 다음 삼각형의 빈칸을 채우세요.

15

밑변	높이	넓이
10 m	4 m	20 m²

10×4÷2=20

16

밑변	높이	넓이
8 cm	7 cm	28 cm²

8×7÷2=28

17

밑변	높이	넓이
3 m	6 m	9 m²

3×6÷2=9

18

밑변	높이	넓이
15 cm	4 cm	30 cm²

15×4÷2=30

19

밑변	높이	넓이
13 m	8 m	52 m²

13×8÷2=52

20

밑변	높이	넓이
12 cm	4 cm	24 cm²

12×높이÷2=24, 높이÷2=2, 높이=4

21

밑변	높이	넓이
10 cm	8 cm	40 cm²

10×높이÷2=40, 높이÷2=4, 높이=8

22

밑변	높이	넓이
40 m	20 m	400 m²

40×높이÷2=400, 높이÷2=10, 높이=20

23

밑변	높이	넓이
10 cm	30 cm	150 cm²

밑변×30÷2=150, 밑변×30=300, 밑변=10

24

밑변	높이	넓이
10 cm	11 cm	55 cm²

밑변×11÷2=55, 밑변×11=110, 밑변=10

25

밑변	높이	넓이
5 m	6 m	15 m²

5×6÷2=15

26

밑변	높이	넓이
6 m	10 m	30 m²

6×높이÷2=30, 높이÷2=5, 높이=10

사고력 확장 서술형 풀어보기 구조화 해서 풀어보아요.

27 삼각형은 밑변의 길이와 높이의 길이가 같으면 모양은 달라도 넓이가 같습니다. 삼각형 ㉮와 ㉯의 넓이를 구하세요.

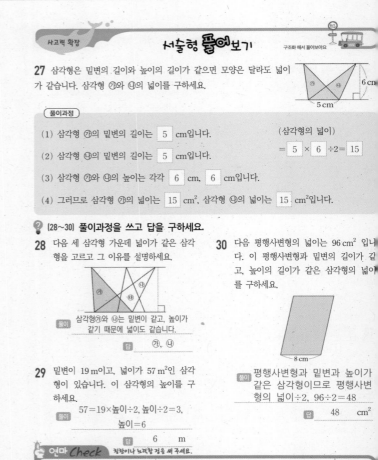

6 cm
5 cm

풀이과정

(1) 삼각형 ㉮의 밑변의 길이는 5 cm입니다.

(2) 삼각형 ㉯의 밑변의 길이는 5 cm입니다.

(3) 삼각형 ㉮와 ㉯의 높이는 각각 6 cm, 6 cm입니다.

(4) 그러므로 삼각형 ㉮의 넓이는 15 cm², 삼각형 ㉯의 넓이는 15 cm²입니다.

(삼각형의 넓이)
= 5 × 6 ÷2= 15

[28~30] 풀이과정을 쓰고 답을 구하세요.

28 다음 세 삼각형 가운데 넓이가 같은 삼각형을 고르고 그 이유를 설명하세요.

㉮ ㉯

풀이 삼각형 ㉮와 ㉯는 밑변이 같고, 높이가 같기 때문에 넓이도 같습니다.

답 ㉮, ㉯

29 밑변이 19 m이고, 넓이가 57 m²인 삼각형이 있습니다. 이 삼각형의 높이를 구하세요.

풀이 57=19×높이÷2, 높이÷2=3, 높이=6

답 6 m

30 다음 평행사변형의 넓이는 96 cm²입니다. 이 평행사변형과 밑변의 길이가 같고, 높이의 길이가 같은 삼각형의 넓이를 구하세요.

8 cm

풀이 평행사변형과 밑변과 높이가 같은 삼각형이므로 평행사변형의 넓이÷2, 96÷2=48

답 48 cm²

연마 Check 칭찬이나 느껴진 것을 써 주세요.

맞힌 개수		지도 의견		
	개	나의 생각		확인란

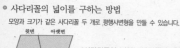

- 사다리꼴은 윗변, 아랫변, 높이를 알면 넓이를 구할 수 있습니다.

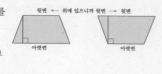

윗변 ← 위에 있으니까 윗변   윗변
아랫변   아랫변

- 사다리꼴의 넓이를 구하는 방법
모양과 크기가 같은 사다리꼴 두 개로 평행사변형을 만들 수 있습니다.

(사다리꼴의 넓이)=(평행사변형의 넓이)÷2
→ (밑변)×(높이)÷2 = {(윗변)+(아랫변)}×(높이)÷2

[01~04] 사다리꼴의 윗변, 밑변, 높이를 표시하고 넓이를 구하세요.

01

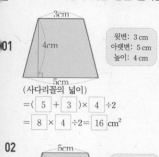

3cm
4cm
5cm

윗변: 3 cm
아랫변: 5 cm
높이: 4 cm

(사다리꼴의 넓이)
=(5 + 3)× 4 ÷2
= 8 × 4 ÷2= 16 cm²

02

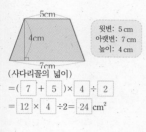

5cm
4cm
7cm

윗변: 5 cm
아랫변: 7 cm
높이: 4 cm

(사다리꼴의 넓이)
=(7 + 5)× 4 ÷ 2
= 12 × 4 ÷2= 24 cm²

03

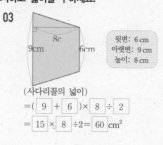

8c
9cm
6cm

윗변: 6 cm
아랫변: 9 cm
높이: 8 cm

(사다리꼴의 넓이)
=(9 + 6)× 8 ÷ 2
= 15 × 8 ÷2= 60 cm²

04

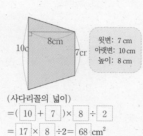

8cm
10c
7cr

윗변: 7 cm
아랫변: 10 cm
높이: 8 cm

(사다리꼴의 넓이)
=(10 + 7)× 8 ÷ 2
= 17 × 8 ÷2= 68 cm²

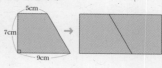

[05~08] 모양과 크기가 같은 사다리꼴 2개를 붙여서 평행사변형을 만들었습니다. 빈칸을 채우고 물음에 답하세요.

2cm
5cm
6cm

05 사다리꼴의 넓이를 구하세요.
→ (사다리꼴의 넓이)
= {(밑변)+(윗변)}×(높이)÷ 2
=(6+ 2)×5÷ 2 =20 cm²

06 평행사변형의 넓이를 구하세요.
→ (평행사변형의 넓이)
= 밑변 ×(높이)
= 8 ×5= 40 cm²

07 사다리꼴의 넓이의 2배가 평행사변형의 넓이와 (같습니다 / 다릅니다).

08 모양이 같은 사다리꼴 2개를 붙여서 만든 변형의 넓이가 108 cm² 라면, 사다리꼴 한 개의 넓이는 54 cm²입니다.

[09~12] 모양과 크기가 같은 사다리꼴 2개를 붙여서 직사각형을 만들었습니다. 물음에 답하세요.

5cm
7cm
9cm

09 사다리꼴의 넓이를 구하세요.
(5+9)×7÷2=49 cm²

10 직사각형의 넓이를 구하세요.
(5+9)×7=98 cm²

11 사다리꼴의 넓이의 2배가 직사각형의 넓이와 (같습니다 / 다릅니다).

12 모양이 같은 사다리꼴 2개를 붙여서 만든 직사각형의 넓이가 148 cm² 라면, 사다리꼴 한 개의 넓이는 74 cm²입니다.

[13~20] 사다리꼴의 넓이를 구하세요.

13

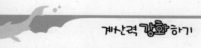

4cm
7cm
8cm

42 cm²
(4+8)×7÷2
=42

14

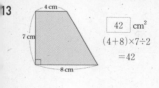

6cm
6cm
10cm

48 cm²
(10+6)×6÷2
48

15

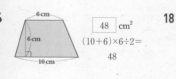

8cm
5cm
4cm

30 cm²
(4+8)×5÷2=
30

16

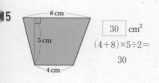

7cm
6cm
11cm

54 cm²
(11+7)×6÷2=
54

17

15cm
20cm
9cm

240 cm²
(15+9)×20÷2
=240

18

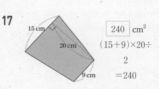

4cm
16cm
10cm

112 cm²
(10+4)×16÷2
=112

19

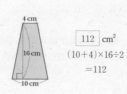

19cm
11cm
8cm

120 cm²
(11+19)×8÷2
=120

20

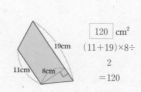

13cm
10cm
9cm

110 cm²
(13+9)×10÷2
=110

---

21 사다리꼴①과 모양이 같은 사다리꼴을 2개 이어 붙여 평행사변형을 만들었습니다. 그림을 보고 빈칸에 알맞은 수를 써넣으세요.

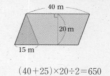

4cm
8cm
14cm
[사다리꼴①]

4   14 cm
14   4

풀이과정

(1) 사다리꼴①의 넓이는 (14 + 4)× 8 ÷2= 72 cm² 입니다.

(2) 평행사변형의 넓이는 (14 + 4)× 8 = 144 cm² 입니다.

(3) 그러므로 평행사변형의 넓이는 (사다리꼴①의 넓이)× 2 입니다.

[22~24] 풀이과정을 쓰고 답을 구하세요.

22 평행사변형 모양의 땅에서 삼각형만큼의 넓이를 빼서 사다리꼴의 버섯농장을 만들었습니다. 버섯농장의 넓이는 몇 m²일까요?

40 m
20 m
15 m

풀이 (40+25)×20÷2=650

답 650 m²

23 다음 직사각형과 사다리꼴의 넓이가 같다고 할 때, 사다리꼴의 높이를 구하세요.

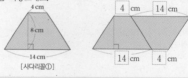

8cm
5cm
12cm
7cm

풀이 12×8=(5+7)×높이÷2,
96=12×높이÷2, 8=(높이)÷2, (높이)=16

16 cm

24 밑변이 13 cm, 윗변이 3 cm, 높이가 4 cm인 사다리꼴 두 개를 이어 붙여 평행사변형을 만들었습니다. 평행사변형의 넓이는 몇 cm² 일까요?

풀이 (13+3)×4=16×4=64

답 64 cm²

연마 Check 칭찬이나 노력할 점을 써 주세요.

맞힌 개수		지도 의견		확인란
	개	나의 생각		

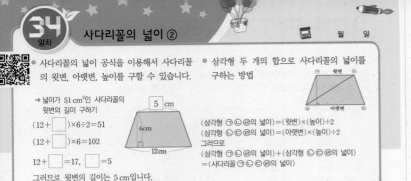

• 사다리꼴의 넓이 공식을 이용해서 사다리꼴 의 윗변, 아랫변, 높이를 구할 수 있습니다.

→ 넓이가 51 cm²인 사다리꼴의 윗변의 길이 구하기

$(12+\square)×6÷2=51$

$(12+\square)×6=102$

$12+\square=17, \square=5$

그러므로 윗변의 길이는 5 cm입니다.

• 삼각형 두 개의 합으로 사다리꼴의 넓이를 구하는 방법

(삼각형 ㉠ ㉡ ㉣의 넓이)=(윗변)×(높이)÷2
(삼각형 ㉡ ㉢ ㉣의 넓이)=(아랫변)×(높이)÷2
그러므로
(삼각형 ㉠ ㉡ ㉣의 넓이)+(삼각형 ㉡ ㉢ ㉣의 넓이)
=(사다리꼴 ㉠ ㉡ ㉢ ㉣의 넓이)

(01~05) 그림을 보고 빈칸을 채우세요.

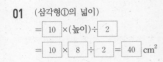

03 (삼각형①의 넓이)+(삼각형②의 넓이)
$= \boxed{40} + \boxed{64} = \boxed{104}$ cm²

01 (삼각형①의 넓이)
$= \boxed{10} × (높이) ÷ \boxed{2}$
$= \boxed{10} × \boxed{8} ÷ \boxed{2} = \boxed{40}$ cm²

04 사다리꼴의 넓이를 구하면
(사다리꼴의 넓이)
$=(\boxed{16} + \boxed{10}) × \boxed{8} ÷ \boxed{2}$
$= \boxed{26} × \boxed{8} ÷ \boxed{2} = \boxed{104}$ cm²

02 (삼각형②의 넓이)
$= \boxed{16} × (높이) ÷ \boxed{2}$
$= \boxed{16} × \boxed{8} ÷ \boxed{2} = \boxed{64}$ cm²

05 (삼각형①의 넓이)+(삼각형②의 넓이)
$= \boxed{40} + \boxed{64} = \boxed{104}$ 이므로
사다리꼴의 넓이와 [같습니다/다릅니다].

(06~13) 사다리꼴의 빈칸을 채우세요.

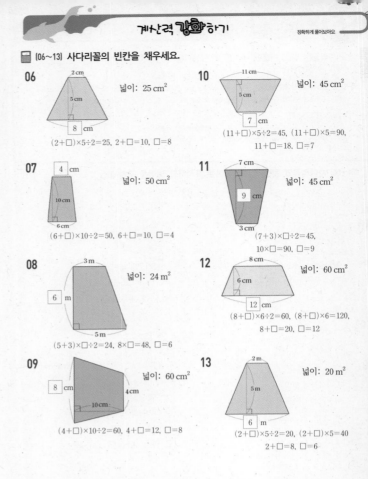

06 넓이: 25 cm²
$(2+\square)×5÷2=25, 2+\square=10, \square=8$

10 넓이: 45 cm²
$(11+\square)×5÷2=45, (11+\square)×5=90,$
$11+\square=18, \square=7$

07 넓이: 50 cm²
$(6+\square)×10÷2=50, 6+\square=10, \square=4$

11 넓이: 45 cm²
$(7+3)×\square÷2=45,$
$10×\square=90, \square=9$

08 넓이: 24 m²
$(5+3)×\square÷2=24, 8×\square=48, \square=6$

12 넓이: 60 cm²
$(8+\square)×6÷2=60, (8+\square)×6=120,$
$8+\square=20, \square=12$

09 넓이: 60 cm²
$(4+\square)×10÷2=60, 4+\square=12, \square=8$

13 넓이: 20 m²
$(2+\square)×5÷2=20, (2+\square)×5=40,$
$2+\square=8, \square=6$

(14~21) 다음 사다리꼴의 빈칸을 채우세요.

14

넓이	윗변	아랫변	높이
63 cm²	12 cm	6 cm	7 cm

$63=(12+6)×(높이)÷2, 63=18×(높이)÷2,$
$126=18×(높이), (높이)=7$

18

넓이	윗변	아랫변	높이
100 cm²	6 cm	4 cm	20 cm

$100=\{6+(아랫변)\}×20÷2,$
$100=\{6+(아랫변)\}×10, 10=6+(아랫변),$
$(아랫변)=4$

15

넓이	윗변	아랫변	높이
40 cm²	13 cm	7 cm	4 cm

$40=(13+7)×(높이)÷2, 40=20×(높이)÷2,$
$80=20×(높이), (높이)=4$

19

넓이	윗변	아랫변	높이
120 cm²	7 cm	13 cm	12 cm

$120=\{7+(아랫변)\}×12÷2,$
$120=\{7+(아랫변)\}×6, 20=7+(아랫변),$
$(아랫변)=13$

16

넓이	윗변	아랫변	높이
130 cm²	15 cm	11 cm	10 cm

$(넓이)=(15+11)×10÷2=26×10÷2=130$

20

넓이	윗변	아랫변	높이
45 cm²	8 cm	22 cm	3 cm

$45=\{22+(윗변)\}×3÷2, 90=\{22+(윗변)\}×3,$
$22+(윗변)=30, (윗변)=8$

17

넓이	윗변	아랫변	높이
126 cm²	8 cm	20 cm	9 cm

$(넓이)=(8+20)×9÷2=28×9÷2=126$

21

넓이	윗변	아랫변	높이
105 cm²	11 cm	10 cm	10 cm

$105=\{10+(윗변)\}×10÷2, 105=\{10+(윗변)\}×5,$
$10+(윗변)=21, (윗변)=11$

---

22 아랫변이 17 m, 높이가 16 m, 넓이가 184 m²인 사다리꼴 밭이 있습니다. 이 밭의 윗변은 몇 m일까요?

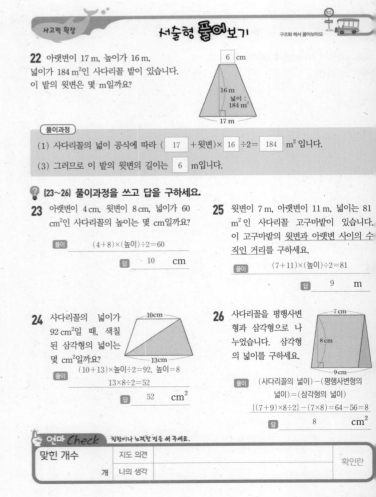

윗변
16 m
넓이 : 184 m²
17 m

풀이과정

(1) 사다리꼴의 넓이 공식에 따라 $(\boxed{17} +윗변)× \boxed{16} ÷2= \boxed{184}$ m² 입니다.

(3) 그러므로 이 밭의 윗변의 길이는 $\boxed{6}$ m입니다.

(23~26) 풀이과정을 쓰고 답을 구하세요.

23 아랫변이 4 cm, 윗변이 8 cm, 높이가 60 cm²인 사다리꼴의 높이는 몇 cm일까요?

풀이　$(4+8)×(높이)÷2=60$

답　10　cm

25 윗변이 7 m, 아랫변이 11 m, 넓이는 81 m²인 사다리꼴 고구마밭이 있습니다. 이 고구마밭의 윗변과 아랫변 사이의 수직인 거리를 구하세요.

풀이　$(7+11)×(높이)÷2=81$

답　9　m

24 사다리꼴의 넓이가 92 cm²일 때, 색칠된 삼각형의 넓이는 몇 cm²일까요?

풀이　$(10+13)×(높이)÷2=92, 높이=8$

$13×8÷2=52$

답　52　cm²

26 사다리꼴을 평행사변형과 삼각형으로 나누었습니다. 삼각형의 넓이를 구하세요.

풀이　(사다리꼴의 넓이)－(평행사변형의 넓이)

=(삼각형의 넓이)

$\{(7+9)×8÷2\}-(7×8)=64-56=8$

답　8　cm²

연마 Check　칭찬이나 노력할 점을 써 주세요.

맞힌 개수		지도 의견		확인란
	개	나의 생각		

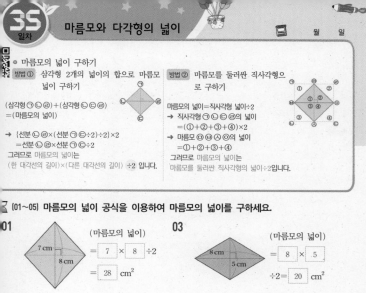

● 마름모의 넓이 구하기

방법① 삼각형 2개의 넓이의 합으로 마름모 넓이 구하기

(삼각형 ㉠ㄴ㉣)+(삼각형 ㉡ㄴ㉣)
=(마름모의 넓이)

→ (선분 ㄴ㉣)×(선분 ㉠ㄴ÷2)÷2)×2
=(선분 ㄴ㉣)×(선분 ㉠ㄴ÷2)
그러므로 마름모의 넓이는
(한 대각선의 길이)×(다른 대각선의 길이) ÷2 입니다.

방법② 마름모를 둘러싼 직사각형으로 구하기

마름모의 넓이=직사각형 넓이÷2
→ 직사각형 ㉠ㄴ㉢㉣의 넓이
=(①+②+③+④)×2
→ 마름모 ㉤㉥㉦㉧의 넓이
=①+②+③+④
그러므로 마름모의 넓이는
마름모를 둘러싼 직사각형의 넓이÷2입니다.

[01~05] 마름모의 넓이 공식을 이용하여 마름모의 넓이를 구하세요.

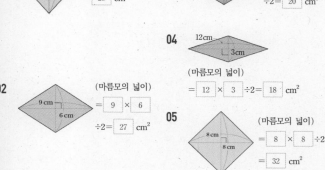

01 7 cm, 8 cm
(마름모의 넓이)
= 7 × 8 ÷2
= 28 cm²

02 9 cm, 6 cm
(마름모의 넓이)
= 9 × 6
÷2= 27 cm²

03 8 cm, 5 cm
(마름모의 넓이)
= 8 × 5
÷2= 20 cm²

04 12cm, 3cm
(마름모의 넓이)
= 12 × 3 ÷2= 18 cm²

05 8 cm, 8 cm
(마름모의 넓이)
= 8 × 8 ÷2
= 32 cm²

[06~14] 마름모의 넓이를 구하세요.

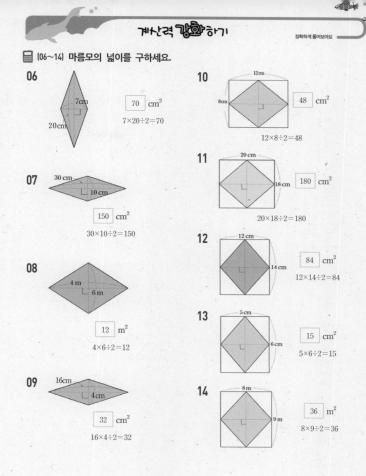

06 7cm, 20cm   70 cm²
7×20÷2=70

07 30 cm, 10 cm   150 cm²
30×10÷2=150

08 4 m, 6 m   12 m²
4×6÷2=12

09 16cm, 4cm   32 cm²
16×4÷2=32

10 12cm, 8cm   48 cm²
12×8÷2=48

11 20 cm, 18cm   180 cm²
20×18÷2=180

12 12 cm, 14cm   84 cm²
12×14÷2=84

13 5cm, 6cm   15 cm²
5×6÷2=15

14 8 m, 9 m   36 m²
8×9÷2=36

[15~18] 마름모의 넓이가 다음과 같을 때, 빈칸을 채우세요.

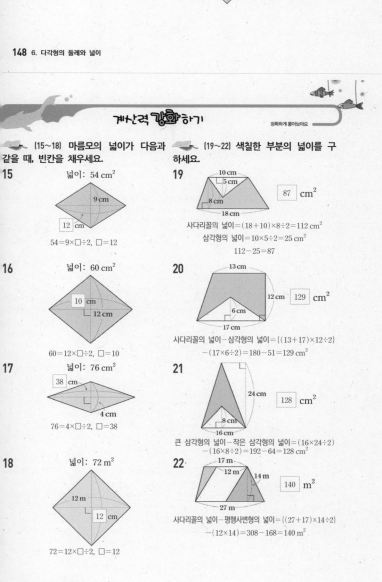

15 넓이: 54 cm²
9 cm, 12 cm
54=9×☐÷2, ☐=12

16 넓이: 60 cm²
10 cm, 12 cm
60=12×☐÷2, ☐=10

17 넓이: 76 cm²
38 cm, 4 cm
76=4×☐÷2, ☐=38

18 넓이: 72 m²
12 cm, 12 cm
72=12×☐÷2, ☐=12

[19~22] 색칠한 부분의 넓이를 구하세요.

19 10 cm, 5 cm, 8 cm, 18 cm   87 cm²
사다리꼴의 넓이=(18+10)×8÷2=112 cm²
삼각형의 넓이=10×5÷2=25 cm²
112−25=87

20 13 cm, 12 cm, 6 cm, 17 cm   129 cm²
사다리꼴의 넓이−삼각형의 넓이={(13+17)×12÷2}
−(17×6÷2)=180−51=129 cm²

21 24 cm, 8 cm, 16 cm   128 cm²
큰 삼각형의 넓이−작은 삼각형의 넓이=(16×24÷2)
−(16×8÷2)=192−64=128 cm²

22 17 m, 12 m, 14 m, 27 m   140 m²
사다리꼴의 넓이−평행사변형의 넓이={(27+17)×14÷2}
−(12×14)=308−168=140 m²

---

23 넓이가 84 m²인 마름모가 있습니다. 이 마름모의 한 대각선이 7 m일 때, 다른 대각선의 길이를 구하세요.   ☐ m

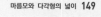

풀이과정

(1) 마름모의 넓이 공식에 따라 7× 다른 대각선의 길이 ÷2=84

=7× 다른 대각선의 길이 = 168 , 다른 대각선의 길이 = 24

(2) 그러므로 다른 대각선의 길이는 24 m입니다.

[24~27] 풀이과정을 쓰고 답을 구하세요.

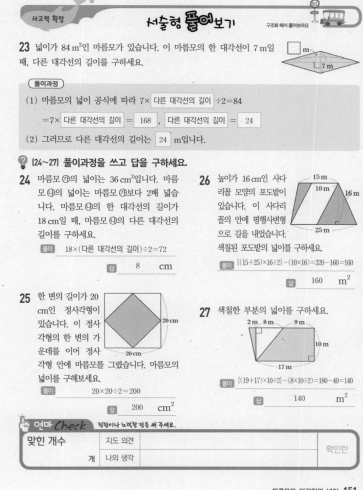

24 마름모 ㉮의 넓이는 36 cm²입니다. 마름모 ㉯의 넓이는 마름모 ㉮보다 2배 넓습니다. 마름모 ㉯의 한 대각선의 길이가 18 cm일 때, 마름모 ㉯의 다른 대각선의 길이를 구하세요.

풀이 18×(다른 대각선의 길이)÷2=72
답 8 cm

25 한 변의 길이가 20 cm인 정사각형이 있습니다. 이 정사각형의 한 변의 가운데를 이어 정사각형 안에 마름모를 그렸습니다. 마름모의 넓이를 구해보세요.

풀이 20×20÷2=200
답 200 cm²

26 높이가 16 cm인 사다리꼴 모양의 포도밭이 있습니다. 이 사다리꼴의 안에 평행사변형으로 길을 내었습니다. 색칠된 포도밭의 넓이를 구하세요.

15 m, 10 m, 16 m, 25 m

풀이 {(15+25)×16÷2}−(10×16)=320−160=160
답 160 m²

27 색칠한 부분의 넓이를 구하세요.

2 m, 8 m, 9 m, 10 m, 17 m

풀이 {(19+17)×10÷2}−(8×10÷2)=180−40=140
답 140 m²

연마 Check   칭찬이나 노력할 점을 써 주세요.

맞힌 개수	지도 의견	
개	나의 생각	확인란

연산마스터

초등 5·1

9 권

계산력 강화

총평